LES SIGNES DU DESTIN

LA GUERRE DES
CLANS

Cycle IV – Livre III

Des murmures dans la nuit

L'aveugle frémit. Il avait l'impression d'avoir une pierre au fond du ventre. Il était entouré par des chats des Clans, de ceux qui vivaient près du lac dans la journée. Il sentait leurs cœurs chauds palpiter, galvanisés par les mensonges des morts. Œil de Geai ne pouvait plus nier la vérité : des guerriers de *tous* les Clans étaient entraînés par des combattants de la Forêt Sombre. Un jour, ils se dresseraient contre leurs camarades pour enfreindre jusque dans ses moindres recommandations le code pour lequel les Clans s'étaient battus pendant si longtemps.

LA GUERRE DES
CLANS

Explorez le monde de

LA GUERRE DES
CLANS

HORS-SÉRIE

La quête d'Étoile de Feu
La prophétie d'Étoile Bleue
La promesse de l'Élu
Le secret de Croc Jaune

ROMANS ILLUSTRÉS

LES AVENTURES DE PLUME GRISE (3 tomes)

LE DESTIN DE NUAGE DE JAIS (3 tomes)

ÉTOILE DU TIGRE ET SACHA
1. Seule dans les bois
2. En fuite !
3. Retour aux Clans

Découvrez les autres séries d'Erin Hunter

LA QUÊTE DES
OURS

1. L'aventure commence
2. Le mystère du lac sacré
3. Le Géant de feu
4. Les dernières contrées sauvages
5. Le feu du ciel
6. Les Esprits des étoiles

SURVIVANTS

1. Lucky le Solitaire
2. L'ennemi dans l'ombre

L'auteur

Pour écrire *La guerre des Clans*, Erin Hunter puise son inspiration dans son amour des chats et du monde sauvage. Elle est une fidèle protectrice de la nature. Elle aime par-dessus tout expliquer le comportement animal grâce aux mythologies, à l'astrologie et aux pierres levées. Erin Hunter est également l'auteur des séries *La quête des ours* et *Survivants* dans la même collection.

Vous aimez les livres de la série

LA GUERRE DES
CLANS

Retrouvez *La guerre des Clans* sur :
www.laguerredesclans.fr
pour tout savoir sur la série !

Erin Hunter

LES SIGNES DU DESTIN
LA GUERRE DES
CLANS

Cycle IV – Livre III

Des murmures dans la nuit

Traduit de l'anglais par Aude Carlier

POCKET JEUNESSE
PKJ·

Titre original :
Night Whispers

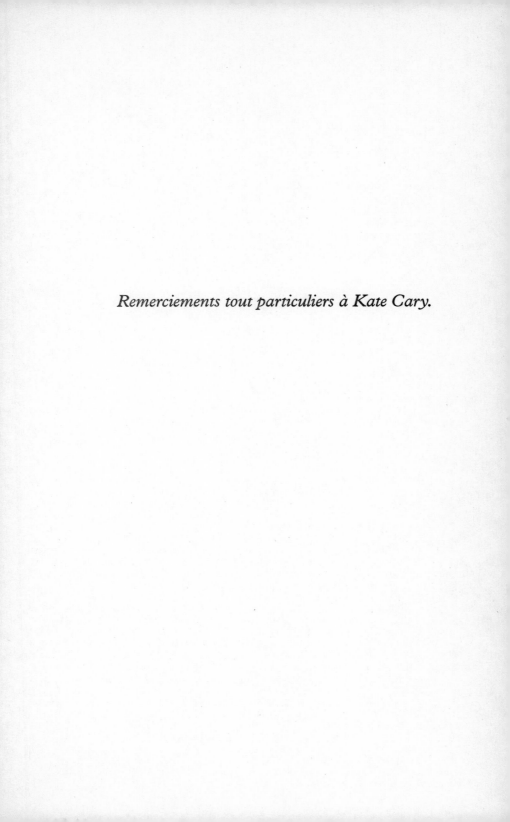

Remerciements tout particuliers à Kate Cary.

CLANS

CLAN DU TONNERRE

CHEF

LIEUTENANT

GUÉRRISSEUR

GUERRIERS

ÉTOILE DE FEU – mâle au beau pelage roux.

GRIFFE DE RONCE – chat au pelage sombre et tacheté, aux yeux ambrés.

ŒIL DE GEAI – mâle gris tigré.

(MÂLES ET FEMELLES SANS PETITS)

PLUME GRISE – chat gris plutôt massif à poil long.

MILLIE – chatte au pelage argenté tigré.

PELAGE DE POUSSIÈRE – mâle au pelage moucheté brun foncé.

TEMPÊTE DE SABLE – chatte roux pâle.

POIL DE FOUGÈRE – mâle brun doré.

POIL DE CHÂTAIGNE – chatte blanc et écaille aux yeux ambrés.

FLOCON DE NEIGE – chat blanc à poil long,

CŒUR BLANC – chatte blanche au pelage constellé de taches rousses.

CŒUR D'ÉPINES – matou tacheté au poil brun doré.

POIL D'ÉCUREUIL – chatte roux foncé aux yeux verts.

FEUILLE DE LUNE – chatte brun pâle tigrée, aux yeux ambrés et aux pattes blanches, ancienne guérisseuse.

PATTE D'ARAIGNÉE – chat noir haut sur pattes, au ventre brun et aux yeux ambrés.

BOIS DE FRÊNE – mâle au pelage brun clair tigré.

AILE BLANCHE – chatte blanche aux yeux verts.

TRUFFE DE SUREAU – matou au pelage crème.

PLUME DE NOISETTE – petite chatte au poil gris et blanc.

PATTE DE MULOT – chat gris et blanc.

CŒUR CENDRÉ – femelle grise.

APPRENTIE : NUAGE DE LIS

PELAGE DE LION – mâle au pelage doré et aux yeux ambrés.

APPRENTIE : NUAGE DE COLOMBE

PATTE DE RENARD – mâle tigré tirant sur le roux.

BRUME DE GIVRE – femelle blanche.

ŒIL DE CRAPAUD – mâle noir et blanc.

PÉTALE DE ROSE – chatte au pelage crème foncé.

BELLE ÉGLANTINE – femelle au pelage brun sombre.

PLUIE DE PÉTALES – chatte au pelage écaille et blanc.

POIL DE BOURDON – mâle au pelage gris perle zébré de noir.

APPRENTIS   **(ÂGÉS D'AU MOINS SIX LUNES, INITIÉS POUR DEVENIR DES GUERRIERS)**

NUAGE DE COLOMBE – femelle gris perle aux yeux bleus.

NUAGE DE LIS – chatte au pelage argenté et blanc et aux yeux bleu sombre.

REINES   **(FEMELLES PLEINES OU EN TRAIN D'ALLAITER)**

FLEUR DE BRUYÈRE – chatte aux yeux verts et à la fourrure gris perle constellée de taches plus foncées.

CHIPIE – femelle au long pelage crème venant du territoire des chevaux.

PAVOT GELÉ – femelle au pelage blanc et écaille (mère de Petite Cerise, une femelle rousse, et Petit Loir, un mâle au poil brun et crème).

ANCIENS **(GUERRIERS ET REINES ÂGÉS)**

POIL DE SOURIS – petite chatte brun foncé.

ISIDORE – matou tigré dodu au museau grisonnant (ancien solitaire).

CLAN DE L'OMBRE

CHEF **ÉTOILE DE JAIS** – grand mâle blanc aux larges pattes noires.

LIEUTENANT **PELAGE FAUVE** – chat roux.

GUÉRISSEUR **PETIT ORAGE** – chat tigré très menu.

APPRENTI : PLUME DE FLAMME.

GUERRIERS **BOIS DE CHÊNE** – matou brun de petite taille.

APPRENTI : NUAGE DE FURET.

PELAGE DE FUMÉE – mâle gris foncé.

PATTE DE CRAPAUD – mâle au pelage brun sombre.

PELAGE POMMELÉ – chatte au pelage brun avec des nuances plus claires.

CORBEAU GIVRÉ – mâle noir et blanc.

DOS BALAFRÉ – matou brun avec une longue cicatrice sur le dos.

APPRENTIE : NUAGE DE PIN.

OISEAU DE NEIGE – chatte à la robe blanche immaculée.

PELAGE D'OR – chatte écaille aux yeux verts.

APPRENTI : NUAGE D'ÉTOURNEAU.

MUSEAU OLIVE – chatte écaille.

GRIFFE DE CHOUETTE – chat au poil brun clair.

PATTE DE MUSARAIGNE – femelle grise au bout des pattes noir.

PELAGE CHARBONNEUX – mâle au poil gris sombre.

SAULE ROUGE – mâle au poil brun et roux.

CŒUR DE TIGRE – chat tacheté brun sombre.

AUBE CLAIRE – femelle crème.

REINES

PELAGE HIRSUTE – femelle tigrée aux longs poils ébouriffés.

PLUME DE LIERRE – femelle au pelage noir, blanc et écaille.

ANCIENS

CŒUR DE CÈDRE – mâle gris foncé.

FLEUR DE PAVOT – chatte tachetée brun clair haute sur pattes.

QUEUE DE SERPENT – mâle brun sombre à la queue tigrée.

EAU BLANCHE – femelle borgne, aux longs poils blancs.

CLAN DU VENT

CHEF
LIEUTENANT
GUÉRISSEUR

ÉTOILE SOLITAIRE – mâle brun tacheté.

PATTE CENDRÉE – chatte au pelage gris.

PLUME DE CRÉCERELLE – matou gris pommelé.

GUERRIERS

PLUME DE JAIS – mâle gris foncé, presque noir, aux yeux bleus.

PLUME DE HIBOU – mâle au pelage brun clair tigré.

APPRENTI : NUAGE CLAIR.

AILE ROUSSE – petite chatte blanche.

BELLE-DE-NUIT – chatte noire.

PLUME DE JONC – chatte à la fourrure grise et blanc très pâle et aux yeux bleus.

POIL DE BELETTE – matou au pelage fauve et aux pattes blanches.

POIL DE LIÈVRE – mâle brun et blanc.

PLUME DE FEUILLES – mâle au poil sombre et tigré, aux yeux ambrés.

PELAGE DE FOURMI – mâle brun avec une oreille noire.

PATTE DE BRAISE – mâle gris avec deux pattes plus sombres.

ŒIL DE MYOSOTIS – chatte au pelage brun clair et aux yeux bleus.

APPRENTIE : NUAGE DE ROMARIN.

PELAGE DE BRUME – mâle noir aux yeux ambrés.

APPRENTI : NUAGE DE ROC.

FLEUR D'AJONCS – femelle au pelage brun clair tigré.

AILE D'HIRONDELLE – chatte gris sombre.

RAYON DE SOLEIL – chatte écaille avec une grande tache blanche sur le front.

ANCIENS   **PLUME NOIRE** – matou gris foncé au poil moucheté.

OREILLE BALAFRÉE – chat moucheté.

CLAN DE LA RIVIÈRE

CHEF   **ÉTOILE DE BRUME** – chatte gris-bleu foncé aux yeux bleus.

LIEUTENANT   **CŒUR DE ROSEAU** – mâle noir.

APPRENTI : NUAGE CREUX.

GUÉRISSEUSE   **PAPILLON** – jolie chatte au pelage doré et aux yeux ambrés.

APPRENTIE : FEUILLE DE SAULE.

GUERRIERS   **BRUME GRISE** – chatte gris perle.

APPRENTIE : NUAGE DE TRUITE.

POIL DE MENTHE – mâle tigré au poil gris clair.

PLUME DE GIVRE – chatte blanche aux yeux bleus.

ÉCAILLE D'ANGUILLE – chatte gris sombre.

APPRENTIE : NUAGE MOUSSEUX.

PATTE DE GRAVIER – chat gris pommelé.

APPRENTIE : NUAGE DE JONC.

POIL D'HIBISCUS – matou tigré brun clair.

CŒUR DE LOUTRE – chatte brun sombre.

APPRENTI : NUAGE DE BRISE.

AILE DE ROUGE-GORGE – matou blanc et écaille.

PATTE DE SCARABÉE – mâle rayé blanc et brun.

BOUTON DE ROSE – chatte au poil gris et blanc.

PLUME D'HERBE – chat brun clair.

PLUIE D'ORAGE – mâle au pelage gris-bleu pommelé.

REINES

PELAGE DE CRÉPUSCULE – chatte à la robe brune tigrée.

PELAGE DE MOUSSE – reine écaille-de-tortue aux yeux bleus.

ANCIENS

MUSEAU POMMELÉ – chatte grise.

PATTE DE GRENOUILLE – mâle roux et blanc.

Nid de Bipèdes abandonné

Ancien Chemin du Tonnerre

Source de Lune

Camp du Tonnerre

Vieux Chêne

Lac

Camp du Vent

Demi-pont brisé

Territoire des Bipèdes

Territoire des chevaux

Chemin du Tonnerre

Clan du Tonnerre

Clan de la Rivière

Clan de l'Ombre

Clan du Vent

Clan des Étoiles

Camping du Lièvre

Chalet du
Sanctuaire

Bois de Sadler

Route de Petitpin

Base
nautique
de
Petitpin

Île
de
Petitpin

Alba

Route de Blanche-Église

Entrepôt
abandonné

Route de la Carrière

Source
cristalline

Carrière

Bois de
la Motte-aux-Lièvres

Motte-aux-
Lièvres

Lac du
Sanctuaire

Haras
de la
Motte-aux-Lièvres

Route de La Motte-aux-Lièvres

Bosquet
du Chevalier

Bois à feuilles
caduques

Pinède

Marécages

Lac

Sentiers

Nord

PROLOGUE

Des nuages effilochés zébraient la voûte piquetée d'étoiles. Sous les assauts du vent, les branches des arbres semblaient fouetter le ciel et lâchaient des feuilles dans la clairière plongée dans l'obscurité. Les buissons frémissaient comme si des loups s'y faufilaient.

Au milieu de la combe, une vieille chatte attendait, la tête rentrée dans les épaules pour se protéger de la bise. De la poussière d'étoiles faisait scintiller son pelage gris négligé. Elle rabattit les oreilles en voyant deux autres silhouettes descendre vers elle.

« Croc Jaune, miaula tout d'abord une chatte blanche. Nous te cherchions.

— Cœur de Lion m'a prévenue, répondit l'intéressée, le menton relevé, les moustaches pleines de gouttes de pluie. Qu'y a-t-il, Moustache de Sauge ?

— Nous en avons discuté…, déclara son ancien mentor.

— Le Clan des Étoiles tout entier en a discuté, la coupa sa compagne au pelage écaille. Et tous pensent que tu aurais dû empêcher cela.

— Empêcher quoi ? La bataille entre les Clans du Tonnerre et de l'Ombre ? fit Croc Jaune en fouettant l'air avec sa queue. Tu crois que j'ai tant de pouvoir, Fleur de Fougère ?

— Tu aurais pu envoyer un message au Clan de l'Ombre, insista Moustache de Sauge.

— Si tu l'avais fait, Feuille Rousse ne serait peut-être pas morte, ajouta Fleur de Fougère d'un ton presque menaçant. J'ai été son mentor, tu sais.

— Je ne l'ai pas oublié.

— Et c'est moi qui vais devoir aller la chercher.

— Elle était âgée, murmura Croc Jaune. Elle sera peut-être contente de nous rejoindre.

— Nul guerrier ne souhaite mourir, protesta Moustache de Sauge. Surtout au cours d'un combat qui n'aurait jamais dû se tenir.

— Tu savais ce que tramaient les guerriers de la Forêt Sombre, renchérit Fleur de Fougère. Étoile de Feu n'avait pas besoin de défier Étoile de Jais pour cette petite bande de gazon inutile. Tu *voulais* qu'il y ait des morts ? »

Une bourrasque souffla, si violente qu'elle leur plaqua les oreilles et la queue sur le corps. Au même instant, Étoile Bleue apparut au sommet de la combe et miaula :

« Assez ! »

L'ancienne meneuse du Clan du Tonnerre descendit le talus et salua d'un signe de tête Moustache de Sauge et Fleur de Bruyère.

« Je regrette moi aussi que nos Clans se soient battus, mais cela nous a enseigné une leçon dont nous avions besoin.

— Quelle leçon ? l'interrogea Moustache de Sauge.

24

— Nous savons à quoi nous attendre, à présent. Les habitants de la Forêt Sombre peuvent changer le destin des Clans. Ce combat ne se serait jamais produit sans eux.

— J'aurais dû comprendre que les Clans souffriraient au moment où j'ai vu Étoile Brisée dans cet endroit maudit, cracha Croc Jaune en frémissant.

— La faute à qui, s'il s'y trouve ? lança Moustache de Sauge à son ancienne apprentie. Tu as enfreint le code du guerrier en lui donnant la vie. À quoi t'attendais-tu donc ? »

La chatte grise eut un mouvement de recul.

« Nous accuser les unes les autres ne nous avancera à rien, répondit Étoile Bleue en passant sa queue sur le pelage emmêlé de l'ancienne guérisseuse. Nous avons tous commis des erreurs, de notre vivant.

— Parle pour toi ! protesta Fleur de Fougère.

— Nous apprenons davantage de nos erreurs que de nos réussites, rétorqua Étoile Bleue. Et de cette bataille aussi, nous pouvons tirer des enseignements. Nous devons oublier les querelles. Les Clans doivent joindre leurs forces.

— Étoile Brisée m'a déjà punie plus que je ne le méritais, marmonna Croc Jaune. Et il cherche à me punir encore en détruisant les Clans qui ont jadis été les miens.

— Tu es loin d'être la seule concernée ! s'emporta Moustache de Sauge. Ce qu'il se passe dans la Forêt Sombre nous affecte tous. Nous devons prendre des mesures avant que le Clan de l'Ombre en souffre davantage !

— Le Clan de l'Ombre n'est pas le seul à avoir souffert ! gronda Étoile Bleue. Étoile de Feu a perdu une vie ! »

Un éclair déchira le ciel. Les trois chattes se recroquevillèrent, la tête levée, le pelage hérissé. Tandis que le tonnerre grondait au loin, d'autres félins descendirent dans la combe.

« Cœur de Lion ! lança Étoile Bleue, soulagée de voir son vieil ami, accompagné de Patte de Pierre et Cœur de Chêne.

— Que se passe-t-il ? demanda-t-il en s'arrêtant devant elle.

— Nous savons que la Forêt Sombre a provoqué la bataille qui a opposé les Clans de l'Ombre et du Tonnerre, expliqua-t-elle.

— Non ! C'est le Clan du Tonnerre qui a commencé ! protesta Fleur de Fougère.

— C'est faux. Étoile Brisée, Étoile du Tigre et Cœur de Faucon en sont à l'origine.

— Est-ce qu'on sait qui ils entraînent précisément ? » demanda Cœur de Chêne, les yeux plissés.

Des gouttes de pluie perlaient sur le pelage soyeux de guerrier de la Rivière.

Croc Jaune montra ses dents fêlées et tachées.

« Étoile Brisée corrompra toutes les âmes qu'il peut influencer, maugréa-t-elle.

— Et s'il persuadait un chef de Clan ? s'inquiéta Fleur de Fougère.

— Nous ne pouvons plus nous fier à qui que ce soit », soupira Patte de Pierre, l'ancien guérisseur du Clan de la Rivière.

Il leva soudain la truffe, les oreilles dressées :

« Qui va là ? Griffe de Pierre ? Nous ne nous attendions pas à te voir ici. »

Ils se retournèrent tous pour voir le guerrier du Clan du Vent dévaler la pente.

« Je suis venu dès que j'ai entendu la nouvelle. Quel est le plan ? Comment allons-nous vaincre la Forêt Sombre ?

— Nous devons convaincre les Clans de combattre ensemble cette terrible menace, répondit Étoile Bleue.

— Mais comment savoir quels sont nos ennemis ? s'inquiéta Moustache de Sauge.

— Pourquoi les guerriers de la Forêt Sombre ne viennent-ils pas se battre ici, s'ils ont tellement envie d'en découdre ? feula Fleur de Bruyère.

— Parce que ce serait trop facile, expliqua Cœur de Lion. Ils savent qu'ils nous blesseront davantage en s'attaquant aux Clans que nous avons laissés derrière nous.

— N'y a-t-il aucune autre façon de les neutraliser ? » s'enquit Cœur de Chêne, les yeux rivés sur Étoile Bleue.

Celle-ci semblait essayer de lire dans les pensées du matou. Elle répondit :

« Étoile du Tigre n'a toujours compris que la violence. »

Cœur de Chêne détourna le regard.

« C'est le cas de *tous* les guerriers de la Forêt Sombre, insista Étoile Bleue. Si nous essayons de les raisonner, ils prendront cela pour un signe de faiblesse.

— Tant que personne ne reproche au Clan de l'Ombre les actions d'Étoile Brisée…, renifla Moustache de Sauge en jetant un coup d'œil vers Croc Jaune.

— Pour autant que je puisse en juger, le Clan de l'Ombre est celui qui a le plus souffert, cette fois-ci », ajouta Fleur de Fougère.

Le tonnerre gronda juste au-dessus de leurs têtes.

Moustache de Sauge donna un petit coup de museau à Fleur de Fougère et miaula :

« Tu devrais aller chercher Feuille Rousse. »

C'est alors qu'une pluie torrentielle s'abattit sur la combe. Les félins se dispersèrent pour se mettre à l'abri sous les arbres.

« Fleur de Fougère ! » lança Croc Jaune.

La guerrière au pelage écaille s'arrêta pour jeter un coup d'œil en arrière.

« Quoi ? fit-elle.

— Fais bon voyage... Et dis à Feuille Rousse que je suis désolée », ajouta Croc Jaune d'une voix brisée.

CHAPITRE 1

LORSQUE NUAGE DE COLOMBE entendit le hurlement dans la pinède, elle s'écarta de son adversaire et fit volte-face.

Étoile de Feu !

Ses camarades emportaient le corps de leur chef loin du champ de bataille, laissant dans leur sillage une traînée écarlate. Bois de Frêne prit son meneur par la peau du cou et le hissa sur les épaules de Patte d'Araignée qu'il aida à le porter vers le camp.

Nuage de Colombe fut frappée d'horreur. Tout autour d'elle, les combats cessaient, les guerriers stupéfaits rentraient leurs griffes. Griffe de Ronce s'approcha d'Étoile de Jais. Le chef du Clan de l'Ombre ne leva pas la tête. Il secouait le tas de fourrure rousse étendu devant lui.

« Ça suffit ! lança Cœur d'Épines comme il rejoignait son lieutenant. La bataille a son vainqueur. La clairière est à nous. Le reconnaissez-vous, ou devons-nous continuer à nous battre ? »

Étoile de Jais lui décocha un regard assassin.

« Prenez-la, cracha-t-il. Jamais elle n'a valu tout le sang qui a été versé aujourd'hui pour elle. »

Lorsque Griffe de Ronce et Cœur d'Épines s'éloignèrent, Nuage de Colombe reconnut la guerrière tombée au combat.

Feuille Rousse ! Elle est morte ?

Le lieutenant du Clan de l'Ombre gisait, inerte. Un filet de sang coulait encore de sa gueule. Peu à peu, les combattants de l'Ombre s'écartèrent prudemment des guerriers du Clan du Tonnerre et rebroussèrent chemin. Pelage Charbonneux, Cœur de Tigre et Pelage Fauve s'arrêtèrent près de leur chef. Tandis que Pelage Charbonneux poussait Étoile de Jais du museau vers les pins, Cœur de Tigre souleva Feuille Rousse et la déposa doucement sur le dos de Pelage Fauve. Puis ils suivirent en silence leurs camarades abattus entre les troncs nimbés de brume.

Nuage de Colombe les regarda partir et se sentit vidée de toute son énergie lorsque la queue de Cœur de Tigre disparut dans l'ombre. Elle chercha Nuage de Lis et vit qu'elle aidait Pluie de Pétales, qui boitait, à regagner la forêt.

« Courage, Pluie de Pétales, l'encourageait-elle. Œil de Geai te soignera. »

Son miaulement ne portait aucune trace de leurs querelles passées.

Poil d'Écureuil examinait les blessures de Feuille de Lune tandis que l'ancienne guérisseuse scrutait le champ de bataille d'un air angoissé.

« Pelage de Lion va bien », la rassura sa sœur.

Allongée sur le flanc, Cœur Blanc pantelait, son œil unique si écarquillé qu'un cercle clair entourait son iris bleu.

D'un coup de museau, Flocon de Neige l'encouragea à se lever :

« Allez, tu te sentiras mieux en marchant. »

La borgne gémit et se redressa péniblement.

Poil de Bourdon, qui avait une oreille déchirée, parcourut la clairière du regard.

« Je crois qu'on leur a montré de quoi on était capables », déclara-t-il.

Plume de Noisette lui décocha un coup d'œil méprisant puis se pressa contre son frère, Patte de Mulot, et l'aida à nettoyer ses blessures.

« Capables de quoi ? marmonna-t-elle entre deux coups de langue. De verser tant de sang pour une bataille inutile ? »

Seul Pelage de Lion semblait indemne. Une traînée rouge lui barrait le flanc mais Nuage de Colombe savait que c'était du sang ennemi. Elle se renfrogna soudain.

Pourquoi n'a-t-il pas pu sauver Étoile de Feu ? Quel intérêt d'avoir des pouvoirs s'il est incapable d'aider son chef ?

Griffe de Ronce s'approcha du guerrier au pelage doré et le toucha de sa queue.

« Feuille Rousse était trop âgée pour se battre, murmura-t-il. Ce n'est pas ta faute si elle est morte. »

Pelage de Lion baissa la tête.

Ô, par le Clan des Étoiles ! C'est lui qui l'a tuée ? Nuage de Colombe alla se frotter contre son mentor. Il semblait anéanti. Elle se sentait terriblement impuissante. Alors que ses pouvoirs lui permettaient d'entendre et de voir ce qui se passait au loin, elle ne s'était pas doutée de ce que le Clan de l'Ombre tramait, et c'était sa sœur qui avait averti Étoile de

Feu qu'Étoile de Jais projetait de les attaquer. Est-ce que leurs ancêtres avaient envoyé ce rêve à Nuage de Lis parce qu'elle-même avait refusé d'espionner leurs voisins ? Peut-être que, si elle avait été aux aguets comme le guerrier doré le lui avait demandé, elle aurait su ce que le Clan adverse comptait faire. Elle aurait pu prévenir leur chef avant qu'il soit devenu indispensable de se battre.

Est-ce que j'aurais pu éviter ça ?

Elle sentit le souffle chaud de Pelage de Lion près de son oreille.

«Viens, murmura-t-il, penaud. Rentrons chez nous. »

Les pattes lourdes, ils cheminèrent côte à côte entre les arbres frémissants.

CHAPITRE 2

Œ IL DE GEAI TENDIT LA PATTE vers le fond de sa réserve de remèdes. Grâce à son flair, il savait qu'il lui restait quelques feuilles de souci. Elles étaient si sèches qu'il ignorait si elles empêcheraient vraiment les blessures de Poil de Châtaigne de s'infecter, mais il les sortit tout de même et les mélangea aux dernières miettes d'écorce de chêne qu'il possédait.

« Ça risque de piquer un peu », la mit-il en garde.

La guerrière au pelage écaille et blanc attendait patiemment près du nid de Belle Églantine.

« Pas grave. » À son ton, il comprit qu'elle observait sa camarade. « On dirait qu'elle respire avec difficulté. »

La malade s'était endormie avant le coucher du soleil malgré les allées et venues d'apprentis et de guerriers blessés dans la tanière. Poil de Châtaigne avait insisté pour être soignée en dernier même si l'entaille sur son épaule était profonde et saignait toujours.

D'une patte, Œil de Geai maintint le cataplasme et, de l'autre, attrapa des toiles d'araignée.

« Elle a une infection pulmonaire, expliqua-t-il en enveloppant les remèdes de fils blancs poisseux. Je ne sais pas s'il vaut mieux que je lui fasse faire plus d'exercice pour lui dégager les bronches ou que je la laisse se reposer afin qu'elle combatte le mal de l'intérieur.

— As-tu demandé l'avis de Feuille de Lune ? »

D'un mouvement de la queue, il lui montra le tas de mousse imprégnée de sang et les fragments de remèdes qui parsemaient le sol.

« Est-ce que j'ai eu le temps, à ton avis ? Et Feuille de Lune s'occupait elle aussi des blessés.

— Je m'interrogeais, c'est tout... Merci de m'avoir soignée. »

Regrettant son ton sec, du bout de la queue, il lui frôla le flanc.

« Tu veux des graines de pavot pour t'aider à dormir ?

— Non, merci, répondit-elle avant de s'éloigner. Les ronflements de Poil de Fougère me bercent mieux que n'importe quel remède ! »

Œil de Geai avait soigné ce dernier un peu plus tôt : il lui avait remis l'épaule en place et lui avait ordonné de rester dans son nid sans bouger jusqu'au lever du soleil. Les autres membres du Clan ne présentaient pas de blessures graves. Seul l'état d'Étoile de Feu avait nécessité une attention particulière. Il avait pansé sa gorge tranchée avec des toiles d'araignée. Leur chef guérirait, mais il ne regagnerait jamais la vie qui lui avait échappé. Œil de Geai imagina le guerrier translucide du Clan des Étoiles gagner en netteté, son pelage couleur de flamme ressortant un peu plus au milieu du terrain de chasse verdoyant de leurs ancêtres.

Tandis que Poil de Châtaigne quittait sa tanière en claudiquant, Belle Églantine s'éveilla.

« Quel désastre, miaula-t-elle d'une voix rauque.

— Comment te sens-tu ? » lui demanda-t-il en la reniflant.

Ses oreilles étaient moins chaudes, il fut soulagé.

« J'ai sommeil. Et Étoile de Feu ?

— Il dort dans sa tanière. Tempête de Sable veille sur lui. Il ira mieux dans quelques jours.

— Si seulement Feuille Rousse ne l'avait pas attaqué… » Belle Églantine avait entendu tous les commérages des autres guerriers. « Étoile de Feu irait bien, et Pelage de Lion n'aurait pas été obligé de la tuer. »

Un miaulement lui répondit de l'extérieur :

« Feuille Rousse était trop vieille pour se battre ! » Les ronces frémirent et le guérisseur reconnut l'odeur de son frère. Le guerrier pénétra d'un pas lourd dans la tanière. « J'aurais dû m'en rendre compte avant de l'attaquer.

— Qu'aurais-tu pu faire d'autre ? Elle était en train de tuer notre chef, lui rappela Œil de Geai en s'approchant de lui. Nuage de Colombe va bien ?

— Oui. Elle reste silencieuse, mais ça va. »

L'apprentie était revenue de la bataille toute tremblante et très choquée. Le guérisseur lui avait proposé du thym, qu'elle avait décliné en prétextant qu'elle était simplement fatiguée. Contrairement à ses camarades qui prenaient plaisir à lui raconter tous leurs combats, Nuage de Colombe avait attendu en silence qu'Œil de Geai ait terminé de l'ausculter. Comme les autres insistaient, elle avait fini par déclarer que Pelage de Lion l'avait sauvée des griffes d'Aube Claire.

Est-il vraiment juste d'envoyer les novices se battre contre des vétérans ? Il s'inquiétait tant pour elle que son ventre se noua. Parfois, elle lui paraissait vraiment très jeune. Nuage de Lis, au moins, était indemne. Elle semblait même fière d'elle. Et, alors qu'elle avait affronté les plus féroces guerriers de l'Ombre, elle s'en était sortie avec une simple foulure de la queue.

Fait étrange, elle n'avait plus reparlé de son rêve, de cette vision qu'elle avait décrite à Étoile de Feu, dans laquelle elle avait vu leurs ennemis envahir leur territoire et y faire couler des rivières de sang. D'ailleurs, Œil de Geai s'était glissé dans l'esprit de la novice pour constater que ce songe avait disparu de ses pensées. Comment avait-elle pu oublier ce cauchemar à l'origine d'un combat entre deux Clans ?

L'aveugle tourna son regard bleu vers son frère.

« Est-ce que tout cela en valait la peine ? lui demanda-t-il.

— La bataille ? miaula Pelage de Lion. Bien sûr !

— Ce bout de terrain inutile valait-il vraiment deux vies ?

— Nous avons donné au Clan de l'Ombre une leçon qu'il n'est pas près d'oublier.

— À quel prix…, soupira le guérisseur.

— Nous ne devons pas faiblir maintenant, murmura le guerrier, voyant que Belle Églantine les écoutait à l'autre bout de la tanière. Qui sait où s'abattra le prochain coup ? Nous ne devons pas ignorer les signes. Va voir Belle Églantine, nous parlerons plus tard », ajouta-t-il quand la malade fut prise d'une quinte de toux.

Le guerrier au pelage doré sortit et Œil de Geai alla masser les flancs de sa patiente. Sa toux se calma peu à peu. Elle posa le menton sur le bord de son nid et s'endormit.

« Elle va bien ? s'enquit Feuille de Lune en entrant dans la tanière.

— Elle a moins chaud, c'est déjà ça. »

Œil de Geai entendit Feuille de Lune se frotter les pattes pour se débarrasser de quelques toiles d'araignée. Grâce à son odorat, il sut qu'elle venait de soigner les blessures de Flocon de Neige.

« As-tu jeté un œil à l'épaule de Poil de Fougère ? »

Il craignait, en la remettant en place, d'avoir fait plus de mal que de bien.

« O-oui… Et *toi*, qu'en penses-tu ? »

La gorge d'Œil de Geai se serra. Naguère, une telle question dans la bouche de son mentor aurait été une mise à l'épreuve. À présent, elle semblait vraiment douter de tout. Pourquoi marmonner comme une apprentie nerveuse ? À croire qu'elle avait peur de mal faire. Il repensa à l'époque où elle lui donnait sans cesse des ordres secs, dans cette même tanière. Il lui répondait sur le même ton, et elle le réprimandait. L'atmosphère était toujours tendue lorsqu'il se rebellait contre elle.

Ce souvenir lui fit de la peine. Il la connaissait bien, alors. Il était capable de prédire la moindre de ses objections. Depuis qu'il avait découvert qu'elle était sa mère, ce n'était plus le cas.

Il ignora sa question.

« Tu veux bien aller examiner Étoile de Feu, s'il te plaît ?

— Bien sûr », miaula-t-elle avant de s'éclipser.

Arrête de te comporter comme une souris apeurée ! Il tira un bout de thym coincé entre ses griffes et tendit l'oreille pour épier les bruits de ses camarades qui allaient se coucher. Dans la pouponnière, Pavot

37

Gelé faisait la toilette de Petit Loir et Petite Cerise. Isidore racontait une de ses histoires interminables dans la tanière des anciens et, chez les guerriers, Poil de Fougère ronflait, tout comme Poil de Châtaigne l'avait prédit. Pluie de Pétales refaisait son nid. Elle essayait peut-être de le façonner comme il l'était avant que le hêtre ne tombe dans la combe.

Œil de Geai frémit à ce terrible souvenir. Des pluies torrentielles avaient fragilisé ses racines et le grand arbre s'était écrasé sur le camp, détruisant le repaire des anciens et démolissant le roncier où les combattants avaient pris l'habitude de dormir. Longue Plume y avait perdu la vie et Belle Églantine, touchée au dos, ne pouvait plus marcher. Seule l'ouïe surdéveloppée de Nuage de Colombe avait évité que d'autres ne soient tués ou blessés.

Pendant une demi-lune, le Clan avait œuvré pour reconstruire les tanières et déblayer la clairière. Le hêtre s'étendait toujours d'un bout à l'autre du camp. Son tronc évoquait une épine dorsale, ses branches une cage thoracique et ses racines semblaient agripper la pouponnière comme des griffes. Chaque nuit, sous la plus grosse branche où ils avaient élu domicile, les guerriers faisaient crisser des feuilles et des brindilles pour rendre leurs nids plus confortables.

Œil de Geai avait du mal à se déplacer dans la clairière. Il trébuchait sur des bouts de bois qui avaient été repoussés sur le côté et devaient être évacués. Longue Plume, aveugle, lui aussi, aurait peiné plus encore pour s'y habituer. Il avait peut-être de la chance d'avoir rejoint le Clan des Étoiles, plus de chance que Belle Églantine, qui avait perdu l'usage de ses membres postérieurs et ne pouvait avancer que par la seule force de ses pattes avant. Malgré tous les exercices qu'Œil de Geai lui faisait faire, elle avait fini par tomber malade.

Le guérisseur s'ébroua. Se faire du mouron n'y changerait rien. Il alla se rincer les pattes dans la flaque d'eau et frissonna tant l'onde était fraîche. Puis il s'approcha de son nid de fougère, près de celui de sa patiente.

Tandis qu'il se roulait en boule et fermait les yeux, le rêve de Nuage de Lis lui revint en tête. Pourquoi le Clan des Étoiles avait-il déclenché cette bataille ? Il n'arrivait pas à croire que leurs ancêtres aient envoyé un augure à Nuage de Lis. Pourquoi la choisir elle, plutôt que l'un des Trois ?

J'en parlerai à Pelage de Lion demain matin. Épuisé, il laissa son esprit plonger dans le sommeil.

Des remugles de pourriture le firent frémir. Ouvrant les yeux, il découvrit qu'il se trouvait dans la Forêt Sombre. L'obscurité dense l'oppressait. Il jeta un coup d'œil nerveux autour de lui. Que faisait-il ici ? Est-ce qu'Étoile du Tigre essayait de le recruter ?

Non. Étoile du Tigre n'était pas idiot.

Il leva la truffe. Une odeur familière lui imprégna la langue. Crispé, le guérisseur plissa les yeux pour tenter de percer les ténèbres qui l'entouraient.

« Bonjour ! » lança gaiement quelqu'un dans une clairière, un peu plus loin.

Nuage de Lis ?

Un miaulement bourru répondit à la novice :

« Désolé si je t'ai fait peur, aujourd'hui. »

Avec qui parle-t-elle ?

« Tu ne m'as pas du tout effrayée. » Nuage de Lis ne semblait ni surprise ni apeurée de se trouver là. « Je savais que tu ne me ferais pas de mal. Tu fais partie des camarades, pas vrai ? »

De quels camarades parle-t-elle ?

Le ventre plaqué au sol, Œil de Geai avança dans la brume en rampant. Nuage de Lis était à une longueur de renard de lui, les oreilles et la queue dressées. Près d'elle, se tenait la carrure reconnaissable d'un matou au pelage sombre et tacheté.

Cœur de Tigre !

Le guerrier du Clan de l'Ombre se pencha vers l'apprentie du Clan du Tonnerre.

« Je t'ai vue avec Plume de Faucon, l'autre nuit, pendant que je m'entraînais avec Étoile Brisée. Je n'aurais jamais cru que tu deviendrais l'une des nôtres. »

L'une des nôtres ? Œil de Geai s'approcha un peu plus.

« Tu es douée, reprit le jeune mâle en tournant autour de la novice, qui bomba le poitrail. Quel dommage que nos Clans aient dû se battre. Comment est-ce arrivé ? »

Raconte-lui ton rêve !

Des bruits de pas retentirent dans les sous-bois et la gorge d'Œil de Geai se serra lorsqu'il reconnut le nouveau venu : Plume de Faucon !

« Viens, Nuage de Lis ! lui ordonna-t-il. Nous perdons du temps ! »

Même dans la mort, le fils d'Étoile du Tigre n'acceptait pas d'avoir été tué par son demi-frère, Griffe de Ronce, alors qu'il voulait arracher à Étoile de Feu ses dernières vies pour satisfaire son ambition et celle de son père.

« Tu t'es bien battue, aujourd'hui, gronda l'ancien guerrier de la Rivière. Cela dit, tu aurais pu mieux faire face à Pelage Charbonneux. Ne pivote jamais sur deux pattes si tu peux le faire sur une seule ! » Il fit signe à Nuage de Lis de le suivre. Elle obéit docilement et disparut dans la brume.

Le miaulement de Plume de Faucon sortit de l'ombre :

« Attends, Cœur de Tigre. Étoile Brisée arrive. »

Horrifié, Œil de Geai entendit des miaulements et des grognements : des voix aiguës qui posaient des questions et demandaient des approbations, d'autres, plus graves, qui feulaient des réponses et des encouragements pour que les plus jeunes se donnent à fond. C'étaient là les bruits caractéristiques de n'importe quelle séance d'entraînement autour du lac – sauf que cet entraînement se tenait dans le Lieu sans Étoiles. Œil de Geai vit deux pelages luisants qui se battaient dans la pénombre et il reconnut l'odeur du Clan de la Rivière. Derrière une rangée de fougères grises, deux autres félins plus maigres se dressaient sur leurs pattes arrière pour s'affronter.

Le Clan du Vent aussi ?

« Sors les griffes ! »

« Bats-toi comme un guerrier, pas comme un chaton ! »

L'odeur de pourriture qui envahissait l'endroit finit par donner la nausée à Œil de Geai.

C'est alors que le miaulement de Pelage de Brume retentit :

« J'aurais aimé participer à la bataille d'aujourd'hui, déclara le guerrier du Vent, contrarié. J'aurais combattu de votre côté si j'avais pu. »

À qui parle-t-il ?

Le guérisseur huma l'air, inspecta les fumets nauséabonds de la Forêt Sombre et frémit en reconnaissant une odeur du Clan de l'Ombre. Pelage de Brume était en train de prêter allégeance à un guerrier rival !

Une autre silhouette se glissa entre les arbres. Œil de Geai la vit ramper dans la brume tel un serpent. Croc Jaune avait prononcé le nom de ce chat lors de leur dernière visite en ces lieux maudits : un nom qu'elle avait craché comme une giclée de venin.

Étoile Brisée.

« Ne t'inquiète pas, Pelage de Brume, gronda le matou au poil sombre et tigré. Tu auras bien d'autres occasions de te battre. Nous allons détruire le code du guerrier. Ensuite, nous pourrons accomplir tout ce que nous voudrons. »

Pelage de Brume poussa un grondement impatient tandis que l'autre poursuivait :

« Une fois débarrassés de ces règles de souris mouillées, nous pourrons reconstituer les Clans pour qu'ils soient plus forts que jamais. »

L'aveugle frémit. Il avait l'impression d'avoir une pierre au fond du ventre. Il était entouré par des chats des Clans, de ceux qui vivaient près du lac dans la journée. Il sentait leurs cœurs chauds palpiter, galvanisés par les mensonges des morts. Œil de Geai ne pouvait plus nier la vérité : des guerriers de *tous* les Clans étaient entraînés par des combattants de la Forêt Sombre. Un jour, ils se dresseraient contre leurs camarades pour enfreindre jusque dans ses moindres recommandations le code pour lequel les Clans s'étaient battus pendant si longtemps.

CHAPITRE 3

« CROTTE DE SOURIS ! » grommela Pelage de Lion lorsque Bois de Frêne, qui ronflait, lui flanqua ses pattes sur le ventre pour la troisième fois.

Moi aussi, j'aimerais dormir !

Il repoussa son camarade et se leva.

« Aïe ! »

Une brindille pointue lui était rentrée dans le crâne, entre les oreilles. Le sol de la tanière était aussi piquant qu'un hérisson, garni de branches qui devaient encore être taillées. Comme toutes les parois du gîte, du reste.

Pelage de Lion fronça la truffe. L'atmosphère empestait le combattant fourbu. Son ventre se noua lorsqu'il repensa à la bataille. Feuille Rousse n'aurait jamais dû mourir. Les petites querelles frontalières ne méritaient pas que l'on meure pour elles.

Le guerrier doré se fraya un passage entre les nids de ses camarades endormis et sortit dans la clairière, où l'air glacé lui mordit la truffe. Il cligna des yeux, rasséréné par la fraîcheur de l'air, et tira de sa fourrure quelques brindilles coincées entre les poils. Au clair de lune, le camp couvert de givre scintillait. Ses coussinets tout chauds furent bientôt engourdis par le froid.

Il s'arrêta, à l'affût. Dans sa tanière, Œil de Geai tentait de réconforter Belle Églantine, qui toussait de nouveau. Petit Loir ronronnait dans la pouponnière – il se réchauffait sans doute en tétant le lait de sa mère. La bataille semblait s'être produite dans un autre monde.

Une brindille craqua soudain au sommet de la combe. Pelage de Lion leva la tête et vit un caillou chuter dans la clairière avec un bruit sec.

Il y a quelqu'un, là-haut.

Le guerrier se dirigea vers la barrière. Œil de Geai l'avait prévenu que la Forêt Sombre allait se dresser contre eux. Nul incident, même minime, ne devait être pris à la légère.

« Pelage de Lion ? fit Cœur Cendré en sortant à son tour de leur tanière. Tout va bien ? »

Il jeta un coup d'œil vers sa camarade. Le pelage gris de la guerrière était encore ébouriffé.

« Tu as entendu quelque chose ? murmura Pelage de Lion.

— Non, pourquoi ?

— Qu'est-ce qui se passe ? » s'enquit Plume de Noisette, qui avait quitté son poste à l'entrée du camp pour les rejoindre.

Étoile de Feu lui avait ordonné de monter la garde avec Plume Grise : il renforçait toujours les effectifs après les batailles.

« Tu as vu ou entendu quelque chose, cette nuit ? lui demanda Pelage de Lion, les yeux levés vers le sommet de la combe.

— Non, dit-elle en suivant son regard.

— Et Plume Grise ?

— Non plus », fit celui-ci en pointant son museau entre les ronces.

Avec son pelage étoffé pour se protéger du froid, il semblait avoir doublé de volume.

Plume de Noisette s'étira en se retenant de bâiller.

« La forêt est restée aussi silencieuse que les étoiles, cette nuit, confirma-t-elle. Pourquoi ? »

Le caillou tombé dans la combe étincelait sur le sol couvert de givre.

« Ce n'était sans doute qu'une proie, marmonna Pelage de Lion.

— Mmm, une proie... », ronronna Plume Grise, qui se lécha les babines avant de reprendre son poste.

Plume de Noisette s'ébroua et alla le rejoindre à l'entrée.

« Tu veux qu'on grimpe là-haut pour en avoir le cœur net ? suggéra Cœur Cendré au guerrier doré.

— Il doit faire un froid de canard, dans la forêt.

— Nous nous réchaufferons en courant.

— Mais nous sommes au beau milieu de la nuit. » S'il y avait vraiment quelque chose, là-haut ? Il ne voulait pas qu'elle prenne de risques. « Tu restes là. Je vais voir.

— Je ne suis pas un chaton ! protesta-t-elle.

— Je ne voulais pas...

— Je ne vais pas t'attendre ici sans rien faire, je vais geler sur place ! »

Pelage de Lion soupira en la regardant se faufiler dans les ronces.

« On devrait se méfier du Clan de l'Ombre, lui dit-il en sortant derrière elle.

— Où allez-vous ? leur demanda Plume Grise.

— On va faire un tour. On n'arrive pas à dormir, répondit Cœur Cendré.

— Soyez prudents.

— Nous ne serons pas longs, leur assura Pelage de Lion, dont le souffle formait un panache blanc. Il fait trop froid pour traîner dehors. »

Il s'engagea sur un sentier étroit qui serpentait au milieu des fougères givrées et montait entre les arbres.

Parvenu au sommet de la combe, le matou renifla la pelouse qui bordait la falaise. Il ne sentit qu'un parfum de givre et de feuilles mortes.

« Tu vas bien ? l'interrogea Cœur Cendré, inquiète.

— Pourquoi cette question ?

— Tu pourrais t'en vouloir parce que Feuille Rousse... est morte.

— Parce que je l'ai tuée, tu veux dire ?

— Tu devais protéger Étoile de Feu.

— Je ne veux pas en parler. »

Le guerrier suivit du regard la ligne de tiges scintillantes au bord, jusqu'à une branche tombée d'un arbre. Il n'y détecta que l'odeur du Clan du Tonnerre. Aucun signe d'intrus ni de gibier.

« Il faut pourtant que tu en parles ! insista-t-elle. Tout le monde en parle ! Tu ne peux pas faire comme si rien ne s'était passé.

— Cela n'aurait jamais dû se produire ! » lâcha-t-il, furieux, avant de sauter sur la branche au sol. Il se tourna vers sa camarade et ajouta : « Je n'ai jamais eu l'intention de la tuer ! » À coups de griffes, il arracha de gros lambeaux d'écorce. « J'essayais juste de sauver Étoile de Feu ! Et j'ai échoué. Il a perdu une vie malgré cela ! »

Cœur Cendré esquiva de justesse les bouts d'écorce qu'il projetait autour de lui.

« Mais si, tu l'as sauvé, le contredit-elle avec aplomb. Qui sait ce que Feuille Rousse aurait tenté ensuite ? Elle aurait pu lui prendre toutes ses vies. »

Pourquoi le forçait-elle à y penser ? Il se revoyait au milieu de la bataille : Feuille Rousse se débattait entre ses pattes tandis qu'il voulait lui faire lâcher Étoile de Feu. Enfin elle se relâchait sous ses griffes. Il frémit. Pourquoi le Clan des Étoiles l'avait-il laissé la tuer ?

Cœur Cendré revint à la charge.

« Tout guerrier sait qu'il peut mourir au combat. Pourquoi es-tu si bouleversé ? As-tu peur que le Clan de l'Ombre ne se venge ? » Son regard bleu foncé reflétait les étoiles. « Pourquoi le ferait-il ? Les Clans ont d'autres soucis que de se préoccuper d'avoir perdu un guerrier.

— Elle était leur lieutenant !

— Elle était *vieille* ! » insista-t-elle sans détourner le regard.

Pelage de Lion se calma. Il regrettait soudain de s'être emporté.

« Un véritable guerrier n'a pas besoin de tuer pour vaincre, murmura-t-il. Tu as oublié le code ? »

Cœur Cendré cligna des yeux. Son pelage hirsute retomba et elle tourna la tête vers les arbres, songeuse.

« Peut-être que les temps changent.

— Non ! Qu'est-ce que tu veux dire ? Le code du guerrier est immuable. Il incarne la raison d'être des Clans. Comment pourrait-il changer ? »

Elle soupira.

« Tu ne le sens pas ?

— Quoi donc ? »

47

La fourrure du guerrier se hérissa. Est-ce que Nuage de Colombe avait laissé échapper des informations sur la prophétie ?

« Quelque chose… » Cœur Cendré peinait à trouver les mots justes. « Quelque chose semble différent. La bataille a été si féroce – trop féroce pour une simple querelle de frontières. À croire que ce n'était que le début d'un conflit bien plus profond. »

Ses yeux étaient deux lacs sombres.

Pelage de Lion la scruta. Était-elle la seule à ressentir cela ? Lui, il était habitué à la prophétie : *Ils seront Trois, parents de tes parents, à détenir le pouvoir des étoiles entre leurs pattes.* Il savait depuis des lunes que d'anciens ennemis se rassemblaient dans les ténèbres. Cette idée ne le quittait plus, elle accompagnait toutes ses pensées. Mais le reste du Clan devait être protégé de cette vérité qui les dépassait. Leurs camarades ne pourraient pas comprendre, malgré tous leurs efforts, malgré le code du guerrier.

« Tu as eu une vision ? Une mise en garde ? demanda-t-il. Si c'est le cas, tu devrais avertir Étoile de Feu.

— Non… seulement il me paraît étrange que Feuille Rousse ait essayé de tuer Étoile de Feu. C'était une guerrière honorable. Pourquoi tomber si bas ? Elle devait se douter que le Clan des Étoiles condamnerait un tel acte. »

Pelage de Lion se pencha vers elle. Cœur Cendré ajouta :

« À croire qu'une force sombre poussait le Clan de l'Ombre à agir ainsi. »

C'est alors qu'un cri perçant fusa entre les troncs. Les deux félins firent volte-face, les poils dressés, toutes griffes dehors. Une chouette effraie plongea vers eux, ses grandes ailes couleur de neige déployées au-dessus de leurs têtes ; elle les frôla de si près que Pelage de Lion, toujours juché sur la branche, faillit perdre l'équilibre.

Poussant un autre cri, l'oiseau tourna pour survoler le camp. Cœur Cendré miaula et fila droit devant elle, la queue hérissée comme une tige d'ajonc. Pelage de Lion se lança à sa poursuite.

Il l'appela pour la rassurer, puis se ravisa. Courir ferait du bien à la guerrière, qui oublierait bientôt sa peur. De plus, il appréciait la caresse de l'air frais de la nuit sur sa fourrure. Il se sentait puissant. Les arbres défilaient, la végétation tremblait dans son sillage. Il remarqua que la queue de la chatte se lissait. Il la suivit dans un bouquet de fougères dont les frondes gelées lui raclèrent le dos.

Sortie du taillis, sa camarade obliqua et franchit d'un bond le ravin abrupt. Elle contourna un bosquet et poursuivit vers le cœur de la forêt. Pelage de Lion était content de se laisser entraîner, de n'avoir à se préoccuper de rien, à part regarder où il mettait les pattes.

Lorsque Cœur Cendré ralentit, il l'imita. Ils cheminèrent bientôt côte à côte, haletants. Le matou fut surpris de voir qu'ils avaient atteint le nid de Bipèdes abandonné, silhouette noire qui se découpait devant des arbres plus sombres encore. Il ne s'était pas rendu compte qu'ils couraient si vite. Sans un mot, ils passèrent devant la construction et se dirigèrent vers une pente où poussaient des chênes. Un roncier apparut soudain. Cela n'arrêta pas la chatte qui s'y faufila tête basse. Il l'y suivit et ils débouchèrent dans une petite clairière. Il s'arrêta brusquement.

« Qu'y a-t-il ? » lui demanda la guerrière.

Le guerrier parcourut l'endroit du regard. Il était déjà venu. À l'époque, il y avait là un tunnel. À présent, l'embouchure avait disparu, comblée par des rochers et une coulée de boue séchée.

Il eut la nausée. Quelque part sous cette cicatrice rocheuse se trouvait le corps de Feuille de Houx. C'était par là qu'elle s'était enfuie. L'entrée s'était effondrée, la piégeant à l'intérieur pour toujours.

« Qu'y a-t-il ? » répéta Cœur Cendré, dont les moustaches frôlaient celles du matou.

Il secoua la tête. Seuls Œil de Geai et lui connaissaient la raison de la disparition de leur sœur. Elle avait assassiné Pelage de Granit pour l'empêcher de dire à leurs camarades que Feuille de Lune était leur vraie mère. Et comme la mort du guerrier n'avait pas suffi à apaiser son tourment, elle avait révélé la vérité à tous les Clans lors d'une Assemblée, accusant Feuille de Lune. Puis elle s'était enfuie vers ce tunnel. Dans la version officielle, elle avait péri dans un accident tragique et leur camarade avait été la victime d'un chat errant de passage.

Pelage de Lion avait été tellement emballé lorsqu'il avait vu les souterrains pour la première fois ! Quelle merveille ! Une cachette où se retrouver en secret pour s'amuser. À présent, il fixait l'amas rocheux en regrettant qu'Œil de Myosotis les ait découverts. Il se sentait encore coupable d'y avoir joué avec la belle chatte du Clan du Vent, alors qu'ils étaient apprentis.

Un grondement monta dans sa gorge. Sans la découverte de la guerrière du Vent, Feuille de Houx serait peut-être toujours en vie.

« Pelage de Lion ? »

Le miaulement inquiet de Cœur Cendré le tira de ses pensées. Il avait mal aux pattes et, baissant la tête, il vit qu'il avait creusé de profonds sillons dans la terre gelée.

« Qu'est-ce que tu as ? lui demanda-t-elle, la tête penchée. C'est à cause de la chouette ?

— J'imagine. » Il rentra les griffes et lissa sa fourrure avec quelques coups de langue. « Allons voir la frontière du Clan de l'Ombre, suggéra-t-il pour changer de sujet. Nous sommes tout près.

— Tu ne crains plus qu'il en ait encore après nous ? » le taquina-t-elle.

Ignorant sa raillerie, Pelage de Lion regarda le ciel qui pâlissait déjà.

« C'est bientôt l'aube, miaula-t-il. Nous pouvons y patrouiller avant de rentrer faire notre rapport à Étoile de Feu.

— Là, je te reconnais, répondit-elle en le frôlant. Je m'inquiétais pour toi.

— Pour moi ? Pourquoi ? s'étonna-t-il en lui emboîtant le pas.

— Pourquoi pas ? » Elle s'immobilisa et le regarda d'un air très sérieux. « Tu es mon ami. »

Et peut-être plus ?

Avant qu'il ait eu le courage de dire tout haut ce qu'il pensait tout bas, elle s'élança dans les bois.

« Le premier arrivé a gagné ! » le défia-t-elle.

Pelage de Lion s'élança et la suivit sans mal tandis qu'elle louvoyait entre les arbres. Aurait-il un jour le cran de lui avouer qu'il souhaitait davantage que son amitié ? Alors qu'il était sans doute le guerrier le plus courageux des quatre Clans, l'idée de révéler ses sentiments à Cœur Cendré lui faisait perdre ses moyens.

51

Il aperçut bientôt des étoiles entre les troncs. L'orée de la forêt n'était plus très loin.

« Dépêche-toi ! » fit-il en pressant le pas.

Il la doubla comme pour la défier mais, en vérité, il voulait y arriver le premier. Si le Clan du Tonnerre avait remporté cette zone à la loyale, il ne faisait pas confiance au Clan de l'Ombre pour respecter l'issue du combat. Hors de question qu'il laisse Cœur Cendré foncer tête baissée dans un piège !

Il s'arrêta au bord de la clairière et, d'un mouvement de la queue, il fit signe à sa camarade de rester en arrière. Elle l'ignora et se tapit près de lui tandis qu'il inspectait les alentours.

« J'aurais préféré qu'Étoile de Feu laisse la clairière au Clan de l'Ombre ! » marmonna-t-elle.

Pelage de Lion tourna vivement la tête vers elle, ébahi.

« C'est impossible de patrouiller ici, se justifia-t-elle. Le Clan de l'Ombre nous voit dès qu'on sort de la forêt, le gibier est réduit, et les Bipèdes viennent là pendant toute la saison des feuilles vertes. »

Pelage de Lion comprenait ses arguments. Il voulait lui dire que lui aussi doutait du bien-fondé de la bataille. Cet endroit valait-il vraiment tout le sang qui avait coulé pour elle ? Toutefois, il tint sa langue. Le Clan devait être plus fort et plus uni que jamais.

Il réprima un frisson. La clameur des combats résonnait toujours dans ses oreilles. Il sentit de nouveau la vie de Feuille Rousse filer entre ses griffes. Un jet de bile monta dans sa gorge et il se plaqua contre le sol pour le ravaler.

« Quelqu'un nous épie ! cracha Cœur Cendré.

— Où ça ? » fit-il, soudain ramené au présent.

La guerrière pointa le museau tout droit et il repéra deux yeux brillants entre les arbres, côté Clan de l'Ombre.

Aussitôt, Pelage de Lion jaillit de l'herbe et fendit la clairière. Personne ne toucherait au bout de territoire si chèrement conquis. La fourrure en bataille, il s'immobilisa près de la frontière, les oreilles rabattues, sa queue fouettant rageusement l'air.

Les yeux clignèrent une fois puis un chat sortit à découvert.

Plume de Flamme.

Le guérisseur du Clan de l'Ombre le dévisagea avec aplomb.

« Tu es venu me tuer comme tu as tué Feuille Rousse ? » gronda-t-il.

Pelage de Lion entendit le bruit des pas de Cœur Cendré derrière lui.

« C'est notre territoire, maintenant, rappela-t-elle à l'intrus. Tu ferais mieux de ne pas l'oublier. »

Plume de Flamme renifla avec mépris et s'avança, franchissant le nouveau marquage d'un pas aussi décontracté que s'il entrait dans son propre camp.

« Je suis guérisseur, déclara-t-il. Je peux aller où bon me semble. »

Pelage de Lion ravala la colère qui montait en lui.

« Tu ne devrais pas être à ton camp, à soigner tes blessés ?

— Mes camarades vont bien, rétorqua Plume de Flamme. Sauf Feuille Rousse, évidemment. »

Pelage de Lion dut se retenir de lui sauter à la gorge. Plume de Flamme ne comprenait-il pas la signification de la bataille ? Ne voyait-il pas ce qu'elle avait coûté aux deux Clans ?

Il sentit la queue de Cœur Cendré lui effleurer le flanc.

« Calme-toi, murmura-t-elle. Il cherche à te provoquer. Ne lui donne pas satisfaction. »

Rasséréné par son doux miaulement, il rentra les griffes.

« Tu ferais mieux de rester en dehors du territoire du Clan du Tonnerre, aujourd'hui, conseilla Cœur Cendré au guérisseur. Nous devons renouveler le marquage et ton Clan n'est pas le seul à avoir souffert de ce combat. »

Plume de Flamme l'ignora et fixa Pelage de Lion.

« Naguère, je pensais que nous étions de la même famille, cracha-t-il. Maintenant, je me félicite que ce ne soit pas le cas. Pour rien au monde je ne voudrais partager le sang d'un *assassin*. »

Pelage de Lion émit un grognement menaçant mais l'autre lui tourna le dos et, tête haute, il repartit sous les arbres.

« Le lâche ! » feula le guerrier.

Il n'avait plus qu'une envie, réduire Plume de Flamme en pièces et sentir la vie du guérisseur s'effilocher entre ses pattes comme celle de Feuille Rousse.

« Rentrons », miaula Cœur Cendré. Elle lui tournait autour, nerveuse, comme pour l'éloigner de la frontière. « Autrement nous allons finir par nous attirer des ennuis. »

Sans cesser de gronder, Pelage de Lion fit volte-face et traversa la clairière à toute allure. Une fois dans la forêt, il se précipita dans une roncière sans prêter attention aux épines qui lui griffaient le museau et lui arrachaient des touffes de poils. Aveuglé par la rage et le chagrin, il cavala à travers bois. Il fila vers la combe et ignora Plume Grise et Plume de Noisette qui le saluaient. Il franchit la barrière et se retrouva dans le camp.

Truffe de Sureau, qui se tenait sur le seuil de la pouponnière, fut surpris par son arrivée si brusque.

« Tout va bien ? lança-t-il.

— Oui. »

Le guerrier crème hocha la tête et disparut dans la pouponnière. Des couinements saluèrent son entrée, sans doute Petit Loir et Petite Cerise qui se réjouissaient de voir leur père.

« Pelage de Lion ? fit Œil de Geai, posté près de la tanière des guerriers.

— Qu'est-ce que tu fais debout à cette heure ? haleta le guerrier doré. Ce n'est pas encore l'aube.

— Je m'occupe des blessés.

— Tout le monde va bien ?

— Oui, répondit l'aveugle en se dirigeant vers la sortie. Suis-moi. Nous devons parler. »

Pelage de Lion était fatigué d'avoir tant couru.

« De quoi ? grommela-t-il avec humeur.

— De Nuage de Lis », gronda le guérisseur.

CHAPITRE 4

❧

« NUAGE DE LIS ? »

Nuage de Colombe s'assit brusquement en clignant des yeux. Le miaulement interrogateur de Pelage de Lion l'avait réveillée, aussi clair que le cri d'alarme d'un merle. Elle chercha du regard son mentor mais il n'était pas dans la tanière des apprentis. Près d'elle, Nuage de Lis dormait profondément, tandis que Pluie de Pétales et Poil de Bourdon ronflaient dans leur nid. Ils rejoindraient la nouvelle tanière des guerriers dès qu'elle serait achevée. Alors, Nuage de Lis et Nuage de Colombe se retrouveraient seules jusqu'à ce que Petit Loir et Petite Cerise deviennent des novices.

« Oui. Nuage de Lis. »

Cette fois-ci, c'était Œil de Geai qui avait parlé. Nuage de Colombe secoua la tête. Elle devait percevoir une conversation qui se tenait dehors. Elle déploya ses sens pour sonder la clairière.

« Tu en es certain ? » s'étonna encore Pelage de Lion.

Que disaient-ils sur sa sœur ? Pourquoi semblaient-ils si inquiets ? Nuage de Colombe sortit de son nid, les pattes tremblantes. *Je suis l'une des Trois. Ils ne devraient rien me cacher. Je suis la sœur de Nuage de Lis.* Comme ils n'étaient pas dans le camp, elle se dirigea vers la sortie à petits pas sur le sol gelé.

La barrière n'était plus qu'à une longueur de queue lorsqu'une voix l'appela depuis le seuil de la pouponnière.

« Nuage de Colombe ! »

Elle s'immobilisa, frustrée.

Truffe de Sureau l'observait.

« Où vas-tu ? »

Le pelage crème du matou ressortait dans la lumière de l'aube. Petit Loir et Petite Cerise étaient blottis contre lui et leur respiration produisait de frêles nuages blancs.

« Faire mes besoins.

— Dans la forêt ? Va plutôt au petit coin. »

De nouveau, la voix de Pelage de Lion lui hérissa les poils.

« Elle le connaissait ? »

Elle connaissait qui ?

Nuage de Colombe devait le découvrir. Elle fit demi-tour et se dirigea vers le petit coin. Elle pouvait passer par là pour s'éclipser et les retrouver dans les bois.

Des pas la suivirent.

« Attends-moi ! » lança Nuage de Lis en la rejoignant.

Contrariée, Nuage de Colombe sortit les griffes. Elle ne pourrait plus partir en douce, maintenant. Où qu'elle aille, sa sœur voudrait l'accompagner. Tandis qu'elle dressait les oreilles pour capter la suite de la conversation de son mentor, elle remarqua que Nuage de Lis boitait.

« Tu t'es fait mal ? s'étonna-t-elle. Je croyais que tu n'avais pas été blessée, pendant la bataille.

— J'ai dû dormir de travers, marmonna la chatte au pelage blanc et argenté, qui s'efforça de masquer sa claudication. Le combat était palpitant, non ? miaula-t-elle pour changer de sujet.

— Tu t'es *amusée* ? s'étonna Nuage de Colombe, les yeux ronds. Mais Étoile de Feu a perdu une vie !

— Oui, c'est dommage... tout comme la mort de Feuille Rousse. Tout de même, c'était chouette de pouvoir mettre en pratique tout ce qu'on a appris. »

Nuage de Colombe s'engouffra dans le tunnel secondaire qui menait au petit coin.

« Moi, je préfère utiliser mes talents de chasseur et réserver mes qualités de guerrière à la défense de mon Clan.

— C'est justement ce qu'on a fait ! s'écria sa sœur en la suivant. Le Clan de l'Ombre allait nous envahir. Tu as oublié ma vision ? »

Nuage de Colombe s'abstint de répondre. Elle ne comprenait toujours pas pourquoi le Clan des Étoiles avait envoyé un signe à sa sœur et non à elle. Elle fit ses besoins et rebroussa chemin sans l'attendre.

Les guerriers remuaient dans le camp. Plume Grise lui passa devant en bâillant pour gagner sa tanière. Il eut un regard mauvais vers le ciel dégagé.

« Le froid s'installe. Le gibier va se faire rare pendant un moment.

— J'ai cru que cette nuit glacée n'en finirait jamais », ajouta Plume de Noisette en le suivant.

Plume Grise frôla le museau de Millie qui sortait de leur antre.

« Tu es toute chaude, ronronna-t-il.

— Va te reposer, dit-elle en se frottant à lui. Il fait bon, à l'intérieur. Je vais t'attraper quelque chose, tu auras du gibier frais au réveil. »

Le soleil pointa au-dessus de la combe et ses rayons inondèrent la pouponnière. Nuage de Colombe projeta de nouveau ses sens pour retrouver la conversation qui l'avait réveillée, en vain. Pelage de Lion et Œil de Geai s'éloignaient du camp en silence. Elle n'entendait que leurs pas crisser sur les feuilles gelées. *Pourquoi font-ils tant de mystères ?*

« Hé ! lança Nuage de Lis en la rattrapant. Tu ne m'as pas attendue. »

Nuage de Colombe se força à répondre d'un ton léger.

« Et ça t'étonne ? fit-elle en fronçant la truffe.

— Hé, tu veux dire que je sens mauvais ? »

Nuage de Lis se cabra pour la frapper gentiment derrière la tête, mais elle grimaça de douleur et retomba sur ses quatre pattes.

« Tu devrais aller voir Œil de Geai, suggéra Nuage de Colombe.

— Ça ira, lui assura sa sœur. Regarde, il y a plus important à faire. »

Elle s'était tournée vers le demi-roc, où Étoile de Feu et Griffe de Ronce organisaient les patrouilles.

« Je veux deux patrouilles sur la nouvelle frontière », déclara le meneur.

Il avait beau relever le menton, son regard trouble trahissait la fatigue, et la morsure que lui avait infligée Feuille Rousse était visible sur sa gorge.

Œil de Crapaud, Brume de Givre, Cœur Cendré et Pétale de Rose étaient rassemblés devant le roc. Cœur d'Épines, Aile Blanche, Tempête de Sable et

Pelage de Poussière étaient assis plus loin, tandis que Feuille de Lune et Poil d'Écureuil faisaient les cent pas à côté.

« C'est quoi, le plan ? demanda Flocon de Neige en se joignant aux autres, les yeux encore ensommeillés.

— Deux patrouilles, lui expliqua Poil d'Écureuil.

— Griffe de Ronce commandera la première patrouille, reprit le chef. Pelage de Poussière la deuxième. Cœur d'Épines, Aile Blanche et Poil d'Écureuil, allez avec Griffe de Ronce. »

Cœur d'Épines et Aile Blanche hochèrent la tête ; Poil d'Écureuil jeta un coup d'œil hésitant vers son ancien compagnon et baissa les yeux lorsqu'il la toisa durement.

Étoile de Feu poursuivit :

« Flocon de Neige, Poil de Châtaigne et Patte d'Araignée, allez avec Pelage de Poussière. »

Flocon de Neige tourna aussitôt les talons pour se diriger vers la sortie. Poil de Châtaigne le suivit, les autres l'imitèrent. Ils sortirent du camp les uns derrière les autres, la queue gonflée comme s'ils étaient prêts à se battre.

« Cœur Cendré, miaula ensuite Étoile de Feu. C'est la mauvaise saison. Le Clan a besoin de chasseurs chevronnés, alors emmène Nuage de Lis étudier l'art de la traque. Je ne veux pas que cette bataille retarde davantage l'apprentissage des novices. Pelage de Lion, tu feras de même avec Nuage de Colombe. »

Celle-ci se figea lorsque leur chef parcourut la clairière du regard.

« Où est-il ? fit le meneur.

— Il est sorti avec Œil de Geai juste avant l'aube »,
répondit Truffe de Sureau.

Étoile de Feu baissa les yeux vers Nuage de
Colombe. Il se demandait sans doute s'il s'était passé
quelque chose d'important. La jeune chatte haussa
les épaules. Elle n'en savait pas plus que lui.

« Dans ce cas, joins-toi à Cœur Cendré et à Nuage
de Lis. » Puis, se tournant vers Truffe de Sureau :
« Accompagne-les. Tu remplaceras Pelage de Lion,
aujourd'hui. »

Nuage de Lis murmura à l'oreille de sa sœur :

« Génial. Double punition : entraînement à la
chasse *avec* Truffe de Sureau. »

Nuage de Colombe comprenait la frustration de sa
sœur. La veille, elles s'étaient battues au côté des guerriers ; aujourd'hui, elles redevenaient des apprenties.

« Venez », lança Truffe de Sureau en se dirigeant vers
la sortie. Lorsqu'ils passèrent devant la pouponnière,
Petit Loir et Petite Cerise s'éloignèrent de Pavot Gelé
pour se mettre dans les pattes de leur père, qui trébucha.
Un ronronnement grave monta de sa gorge. « Vous serez
des guerriers bien assez tôt, promit-il. Et alors, le Clan
de l'Ombre n'osera plus menacer notre territoire. »

Nuage de Lis leva les yeux au ciel et chuchota à sa
sœur :

« Il est vraiment obligé de se vanter pour tout ? »

Nuage de Colombe l'entendit à peine. Elle avait
projeté ses sens ailleurs. *Œil de Geai, Pelage de Lion,
où êtes-vous ?*

Elle sursauta soudain quand quelqu'un la poussa
dans le dos.

« Arrête de regarder dans le vide, la gronda gentiment Cœur Cendré. Étoile de Feu a raison. La

chasse est notre priorité, par ce froid. Je veux que tu te concentres. »

Nuage de Colombe baissa la tête et suivit les autres hors du camp.

« Ramenez-nous un campagnol ! » lança Petite Cerise.

Tout le long du chemin vers le terrain d'entraî-nement, Nuage de Colombe dressa l'oreille, aux aguets. Pourquoi les deux matous avaient-ils parlé de sa sœur ? Elle repensa au regard entendu que Cœur de Tigre et elle avaient échangé pendant la bataille. Comme s'ils n'étaient pas des ennemis. Est-ce que Pelage de Lion l'avait remarqué, lui aussi ? Mettait-il en doute la loyauté de Nuage de Lis ? Sûrement pas !

« Nuage de Colombe, miaula Truffe de Sureau, qui la tira de ses pensées. Concentre-toi ! »

Ils étaient parvenus dans la combe et s'étaient arrêtés au milieu de la clairière.

« Qu'est-ce que je viens de dire ? » la pressa-t-il.

Nuage de Colombe releva la tête et le regarda sans comprendre, les oreilles brûlantes de honte.

Truffe de Sureau poussa un soupir si bruyant qu'il dut effrayer toutes les proies des environs et il se mit à faire les cent pas devant elle.

« J'ai dit que même les vétérans doivent travailler leur posture pour chasser. Montre-moi comment tu t'y prends. »

Nuage de Colombe se ramassa sur elle-même.

« Rentre davantage les hanches, ou ton saut sera minable », lui ordonna-t-il en lui enfonçant la truffe dans les côtes. D'une patte, il redressa la queue de l'apprentie. « Garde-la au-dessus du sol. Et arrête de gigoter. Le frottement de la fourrure sur les feuilles risque d'alerter le gibier. »

Nuage de Colombe baissa le menton dans une attitude très raide.

« Ne tends pas tant le cou, la corrigea-t-il encore. Tu dois être ramassée sur toi-même comme un serpent paré à l'attaque, pas étirée comme une belette à l'affût d'un nid. »

Nuage de Colombe planta ses griffes dans le sol gelé.

Cœur Cendré s'approcha en miaulant :

« Sa posture me semble très bien.

— Je parie qu'elle n'est pas cap' d'atteindre cette bogue, là-bas, la défia Nuage de Lis.

— Pari tenu ! » rétorqua la novice grise.

Elle se força à réguler sa respiration et à se concentrer sur la forme ronde hérissée de piquants à trois longueurs de queue d'elle. Elle banda ses muscles, sauta le plus loin possible… et atterrit en plein sur sa cible.

« Aïe ! » gémit-elle, en reculant d'un bond, la fourrure en bataille.

Elle s'était piqué les coussinets sur la bogue.

« Désolée ! lança joyeusement sa sœur. Je ne pensais pas que tu allais vraiment sauter dessus !

— D'accord, je suis une cervelle de souris, répondit Nuage de Colombe en ronronnant avant de lécher ses pattes endolories.

— Même une souris n'est pas si stupide ! » renchérit Nuage de Lis.

Nuage de Colombe fit semblant d'être vexée et se jeta sur sa sœur pour la faire rouler au sol.

« Ça suffit, miaula Cœur Cendré avec tendresse. On se remet au travail. » Du bout du museau elle poussa Nuage de Lis devant elle. « À ton tour, montre-nous ta posture. »

L'apprentie au poil argenté et blanc se plaqua au sol. «Tu penches d'un côté», la mit en garde Truffe de Sureau.

Nuage de Lis ménageait toujours sa patte douloureuse. Comme les deux vétérans observaient sa sœur, Nuage de Colombe en profita pour laisser ses sens se déployer jusqu'au lac et entendit les vaguelettes remuer les pierres sur la plage. Des odeurs familières lui parvinrent. Œil de Geai et Pelage de Lion étaient au bord de l'eau, flanc contre flanc sur les galets.

« Et tu es certain que Nuage de Lis *voulait* y être ? »

Nuage de Colombe ferma les yeux et vit les deux frères prendre forme dans son esprit – assis sur la berge, devant les vagues, la fourrure ébouriffée par le vent glacial.

« Elle se comportait comme si elle y avait sa place », marmonna Œil de Geai.

Pelage de Lion inspira bruyamment.

« C'est grave.

— *Grave* ? reprit Œil de Geai. C'est la pire chose qui puisse arriver aux Clans ! Cet endroit *grouillait* de guerriers de *tous* les Clans ! Ils sont si nombreux qu'une guerre contre la Forêt Sombre pourrait nous anéantir tous ! »

Les poils de Nuage de Colombe se dressèrent sur son échine lorsqu'elle comprit le sens des paroles d'Œil de Geai. Elle savait que certains combattants étaient la cible de Plume de Faucon et Étoile du Tigre, mais elle n'arrivait pas à croire que des guerriers du Clan du Tonnerre puissent eux aussi être séduits par leurs mensonges.

C'est alors qu'on la percuta si fort qu'elle roula sur le sol gelé.

« Ah ! fit Truffe de Sureau, penché sur elle. Je t'avais bien dit qu'elle dormait, Cœur Cendré ! »

Nuage de Colombe se releva en crachant de la terre glaciale.

« C'est la mauvaise saison, lui rappela-t-il d'un ton sec. Combien de proies comptes-tu attraper les yeux fermés ? »

Nuage de Colombe le regarda sans comprendre. *Nuage de Lis suit les entraînements des guerriers de la Forêt Sombre !*

À l'autre bout de la clairière, sa sœur se relevait, la fourrure ébouriffée, d'une roulade. Elle lui parut soudain toute petite et fatiguée, avec ses yeux vitreux et ses épaules tombantes.

Je refuse d'y croire ! Pourquoi la choisiraient-ils ? Elle n'a aucun pouvoir !

Arrête ! Ses pensées tourbillonnaient trop vite dans sa tête. Elle inspira profondément pour reprendre le contrôle. *Œil de Geai peut se tromper. Étoile du Tigre essayait peut-être de le berner !*

« Nuage de Colombe ! » Le miaulement sec de Truffe de Sureau la tira de nouveau de ses réflexions. « Tu fais aussi ta cervelle de plume quand tu t'entraînes avec Pelage de Lion ?

— Désolée…, répondit-elle en baissant les yeux. Je suis un peu distraite depuis la bataille… »

Elle laissa sa phrase en suspens et fut soulagée lorsque le guerrier miaula d'un ton plus doux :

« Tu es jeune… Pas étonnant que le combat ait été dur pour toi. » Du bout de la queue, il lui effleura le flanc. « Essayons de nous concentrer sur la chasse, nous devons nourrir le Clan. C'est tout aussi important que le combat. Je veux t'apprendre une chose qui t'aidera pendant toute la mauvaise saison. » À petits pas, il gagna le milieu de la clairière. « Nuage de Lis, regarde bien, toi aussi. »

Nuage de Colombe foudroya du regard sa sœur qui s'approchait.

« Tout va bien ? s'étonna celle-ci devant son air hostile.

— Observez bien ce que je fais, reprit Truffe de Sureau, qui s'était mis en position, les yeux braqués sur un petit tas de feuilles situé à quelques longueurs de queue. Lorsque le sol est gelé comme aujourd'hui, le moindre de nos pas résonne comme le coup de bec d'un pic-vert sur un tronc creux. »

Il avança doucement en faisant glisser ses pattes sur les feuilles givrées.

« On dirait un serpent, miaula Nuage de Lis.

— Oui, et le gibier pense aussi que c'est un serpent, répondit Cœur Cendré en se plaçant près d'elle. Les proies sont tellement occupées à guetter un serpent qu'elles ne nous voient pas avant qu'il soit trop tard. »

Sur ces mots, Truffe de Sureau s'élança aussi vif que l'éclair et atterrit dans le tas de feuilles. Il se tourna vers elle et lança :

« À toi, Nuage de Colombe. »

L'apprentie l'imita sur quelques pas puis sauta.

« Parfait ! » la complimenta Truffe de Sureau lorsqu'elle atterrit dans les feuilles.

Nuage de Colombe agita la queue. Plus tôt ils en auraient fini avec l'entraînement, plus tôt elle pourrait interroger sa sœur.

« À toi, miaula Truffe de Sureau à Nuage de Lis.

— Et si Nuage de Lis et moi allions mettre ce mouvement en pratique ? suggéra Nuage de Colombe.

La journée va être courte. Ta démonstration était si claire que je suis certaine que Nuage de Lis y arrivera du premier coup.

— Pourquoi pas, fit le matou, le poitrail gonflé.

— Tu es certaine d'avoir compris, Nuage de Lis ? s'enquit Cœur Cendré.

— Oui !

— Dans ce cas, allez-y. Et sans vous approcher de la frontière du Clan de l'Ombre.

— Bien sûr ! »

Nuage de Colombe courait déjà pour sortir de la clairière. Elle suivit un sentier étroit entre deux massifs d'ajoncs et grimpa jusqu'au sommet de la combe.

Nuage de Lis était sur ses talons. Elle sentait son souffle chaud sur sa queue.

« Super idée ! haleta la novice au pelage argenté et blanc. Je ne supportais déjà plus Truffe de Sureau ! »

Nuage de Colombe ne répondit pas. Elle préparait les questions qu'elle allait lui poser. *Pourquoi tu fais ça ? Comment as-tu pu être aussi stupide ?*

Elles longèrent le camp et Nuage de Colombe maintint son allure. Tout à coup, elle sentit Nuage de Lis lui tirer doucement la queue.

« Hé, on n'était pas censées chasser ? » miaula-t-elle.

Nuage de Colombe l'ignora et continua à foncer vers la frontière du Clan du Vent. Elle entendit un écureuil courir tout près, mais ne ralentit pas. Elle n'avait aucune intention de chasser. Elle devait emmener sa sœur le plus loin possible du camp, là où elle pourrait lui demander si Œil de Geai disait vrai.

Elle s'aperçut bientôt que Nuage de Lis ne la suivait plus. Elle s'immobilisa si brusquement qu'elle dérapa sur les feuilles. Elle se tourna. Sa sœur s'était ramassée sur elle-même pour traquer une souris qui grignotait une graine au pied d'un arbre. Elle se préparait à bondir, le regard rivé sur sa proie.

Comment peux-tu chasser comme si de rien n'était ? songea Nuage de Colombe. La colère monta en elle au point qu'elle ne put la contenir un instant de plus.

« Arrête ! » hurla-t-elle.

Le rongeur se figea, lâcha sa graine et fila se mettre à l'abri sous des racines.

« Est-ce que c'est vrai ? » demanda-t-elle en s'approchant de Nuage de Lis à pas lourds, le pelage hérissé tant par la peur que par la rage.

Sa sœur la regarda sans comprendre.

Nuage de Colombe inspira un bon coup avant de lancer :

« Est-ce que tu t'entraînes dans la Forêt Sombre ?

— Quoi ? fit Nuage de Lis en reculant d'un pas.

— Tu m'as bien entendue ! Est-ce que tu t'entraînes dans la Forêt Sombre ?

— Quoi ? Je ne sais même pas de quoi tu parles.

— Œil de Geai t'a suivie dans tes rêves. »

Nuage de Colombe vit que sa sœur semblait nerveuse.

« Je... je...

— Alors c'est vrai ? la pressa Nuage de Colombe, le cœur battant.

— Et alors ? contra Nuage de Lis, dont le regard s'était durci. C'est la seule façon pour moi de devenir une grande guerrière. Tout le monde se plie en quatre pour que tu deviennes la meilleure de nous tous. Les autres ne se préoccupent pas de moi. Pour eux, je ne suis que la sœur débile de Nuage de Colombe... »

Nuage de Colombe n'en supporta pas davantage.

« Comment as-tu pu être aussi stupide ? Les guerriers de la Forêt Sombre sont dangereux !

— Qu'est-ce que tu en sais ? cracha sa sœur. Tu n'en connais aucun ! »

Nuage de Colombe la foudroya du regard.

« Bien sûr, qu'ils sont mauvais ! Pourquoi seraient-ils là-bas, sinon ? Tu crois que le Clan des Étoiles y a envoyé Étoile du Tigre pour le récompenser de sa gentillesse ?

— Tu le connais, Étoile du Tigre ?

— Non ! Mais je connais les histoires de pouponnière qu'on raconte sur lui. Et toi aussi, tu les connais ! Il a voulu détruire Étoile de Feu. Il a fait venir le Clan du Sang...

— Il a changé ! la coupa Nuage de Lis en collant sa truffe à celle de sa sœur. Son séjour dans la Forêt Sombre lui a appris l'importance de la *loyauté*. »

Ses paroles sonnaient comme un défi aux oreilles de Nuage de Colombe.

« Tu te trompes, rétorqua-t-elle sans fléchir. Il veut détruire Étoile de Feu, plus que jamais ! La seule chose qui importe pour lui, c'est le pouvoir.

— Tu ne lui as jamais parlé ! rétorqua sa sœur. Moi, si ! Il m'a tout raconté. Comment il était devenu le chef du Clan de l'Ombre seulement parce que Étoile Bleue l'avait banni du Clan du Tonnerre. Et comment il est toujours resté loyal à son Clan d'origine. Malgré tout ce qu'ils lui ont fait !

— Malgré tout ce qu'*ils* lui ont *fait* ? »

Nuage de Colombe n'en croyait pas ses oreilles.

« Qui a remporté la victoire, hier ? lui lança Nuage de Lis.

— Quel est le rapport ?

— C'était l'idée d'Étoile du Tigre ! C'est lui qui m'a dit de persuader Étoile de Feu de combattre le Clan de l'Ombre. Il m'avait prévenue que le Clan de l'Ombre prévoyait de nous envahir. Et, grâce à lui, nous leur avons pris un bout de territoire. Si ça, ce n'est pas un signe de loyauté !

— Tu as menti à Étoile de Feu ? Tu vois bien que tu ne peux pas faire confiance à Étoile du Tigre ! Cette bataille n'a causé que des problèmes supplémentaires, cracha Nuage de Colombe. Gagner ce bout de terrain inutile a coûté une vie à notre chef et tué Feuille Rousse !

— Étoile du Tigre est toujours loyal au Clan du Tonnerre, insista Nuage de Colombe, les yeux plissés. Tu es simplement jalouse qu'il m'ait choisie, moi ! Tu as peur que je devienne une meilleure guerrière que toi ! Que *je* devienne spéciale et qu'Étoile de Feu s'intéresse plus à moi qu'à toi !

— Arrête de faire ta cervelle de souris ! Je ne penserai jamais ça, tu es ma sœur ! »

Elle criait dans le vide. Nuage de Lis avait tourné les talons et disparu dans les fougères. Seule dans la forêt glaciale, Nuage de Colombe se mit à trembler.

Sa sœur s'entraînait dans la Forêt Sombre ! Comment le Clan des Étoiles avait-il pu laisser faire ça ?

CHAPITRE 5

❧

«JE CROIS QUE NOUS DEVRIONS juste observer ça de loin, déclara Œil de Geai en haut de la montée, la tête rentrée dans les épaules pour se protéger de la bise. Je retourne au camp.»

Le pâle soleil n'avait en rien vaincu le givre et les brins d'herbe crissaient toujours sous ses pattes.

Pelage de Lion resta au bord du lac. Œil de Geai s'immobilisa un instant, sentant que son frère tentait de s'arracher à l'angoisse qui l'avait conduit sur la berge.

«Va chasser pour nos camarades! lui lança-t-il par-dessus son épaule. Ils auront faim, après la patrouille.»

Son argument dut le convaincre car les gravillons roulèrent sous les pas du guerrier au pelage doré. Rassuré, Œil de Geai grimpa au sommet du coteau, à l'abri des arbres. Lorsque l'odeur musquée de l'humus lui effleura les narines, des souvenirs de la Forêt Sombre affluèrent. Il n'arrivait toujours pas à croire qu'Étoile du Tigre ait trouvé des recrues dans le Clan du Tonnerre. Nuage de Lis! Nuage de

Colombe n'était peut-être pas la seule à avoir une destinée particulière.

Œil de Geai essaya de se concentrer sur les parfums familiers de son territoire – celui du gibier détalant sur l'écorce gelée, celui des oiseaux chantant dans les branches. La même émotion émanait de chacun de ces petits cœurs : la peur. La mauvaise saison – la saison de la mort – refermait ses griffes glacées sur la forêt. D'ici à l'arrivée de la saison des feuilles nouvelles, le froid et la faim auraient emporté les plus faibles.

Il écarta cette idée en frissonnant et se hâta de suivre le sentier semé de ronces qui menait à la combe. Le vent glacial malmenait la barrière végétale mais, dès qu'il entra dans la clairière, il sentit un courant d'air chaud sur son pelage. Ses camarades ne chômaient pas.

« Nous pouvons soulever cette branche et la maintenir avec ce bout de hêtre, suggérait Feuille de Lune, dans la tanière des guerriers. Si nous dressons des parois tout autour, il y aura assez de place pour trois autres nids. »

Œil de Geai tenta de se frayer un chemin parmi les tas de brindilles préparés pour l'antre des combattants.

« Fais attention, le mit en garde Millie lorsqu'il approcha de la réserve de gibier. Bois de Frêne est en train de creuser un trou pour conserver les proies. »

Lorsque le sol gelait, le gibier restait frais pendant plusieurs jours si on l'enterrait.

Œil de Geai s'attarda au bord du trou.

« Tu penses que ce froid va durer ? demanda-t-il à Millie.

— Je ne sais pas, mais mieux vaut prévenir que guérir. Nous devons mettre de côté autant de nourriture que possible. »

« Œil de Geai ! » lança Poil de Bourdon depuis l'antre du guérisseur.

Millie se raidit aussitôt contre lui, inquiète. Est-ce que l'état de sa fille s'était détérioré ? L'aveugle fila vers le rideau de ronces qui dissimulait l'entrée de son gîte.

Poil de Bourdon se tenait au milieu de la tanière. Sa fourrure embaumait l'écorce et les feuilles vertes.

« Regarde ce que je t'ai rapporté », annonça-t-il gaiement.

Derrière les fragrances végétales, Œil de Geai flaira alors le parfum poussiéreux des toiles d'araignée.

« Tu m'as fait peur ! J'ai cru qu'il se passait quelque chose de grave !

— Belle Églantine va bien ? lança Millie, qui l'avait suivi dans la tanière.

— Oui, répondit Cœur Blanc en s'avançant. Poil de Bourdon a juste trouvé des tas de toiles d'araignée derrière le lierre qui couvre le Vieux Chêne. » La guerrière borgne semblait fière de lui. « Il a dû grimper très haut pour les attraper.

— Il est courageux, n'est-ce pas ? » miaula Belle Églantine, dans son nid.

Le guérisseur renifla la fourrure de Cœur Blanc, à l'affût d'une odeur d'infection.

« Comment vont tes blessures ?

— Ça picote, admit la guerrière. Mais ce ne sont que des égratignures.

— Évite au moins de les rouvrir, la mit-il en garde. Et toi, Poil de Bourdon, ton oreille déchirée te fait mal ?

— Elle me brûle un peu. Enfin, par ce temps, tout le monde a le bout des oreilles qui brûle. »

Œil de Geai s'approcha du nid de Belle Églantine et se pencha pour écouter sa respiration. Elle n'était plus rauque.

« N'oublie pas de faire un peu d'exercice aujourd'hui, lui ordonna-t-il.

— Elle est déjà allée jusqu'à la réserve de gibier, annonça Poil de Bourdon.

— Touche ces toiles, suggéra Cœur Blanc. Elles sont bien épaisses.

— Je n'en doute pas. » Il aurait aimé que l'enthousiasme de ses camarades puisse lui remonter le moral. « Cœur Blanc, tu veux bien apporter un peu de mousse dans la pouponnière, s'il te plaît ? Les chatons ont besoin de litière fraîche. » Devinant sa crispation, il ajouta : « Je sais, c'est une tâche d'apprenti, mais nos deux novices sont parties à l'entraînement.

— Bien sûr. » Cœur Blanc se dirigea vers la sortie. « J'emmène Poil de Bourdon. Après avoir trouvé des toiles d'araignée, il n'aura aucun mal à repérer la mousse ! »

Le guérisseur se tourna ensuite vers Millie.

« Bois de Frêne a sans doute besoin d'aide pour creuser le trou à gibier.

— Tu es certain que Belle Églantine va bien ?

— Son état s'améliore chaque jour un peu plus.

— Tu ne crois pas qu'il est trop tôt pour qu'elle reprenne l'exercice ? s'inquiéta Millie en caressant sa fille. Elle me semble si fatiguée !

— Je la ménage, soupira le guérisseur.

— Et ça m'évite de m'ennuyer, ajouta Belle Églantine.

— Retourne travailler, murmura-t-il à la guerrière sceptique. T'inquiéter ne servira à rien. »

Lorsque Millie s'en alla, Œil de Geai entendit Belle Églantine remuer dans son nid.

« Tu aurais pu remercier Cœur Blanc et Poil de Bourdon pour les toiles, le réprimanda-t-elle. Ils en ont tant trouvé que tu devrais en avoir assez jusqu'à la saison des feuilles nouvelles. »

Avant qu'il ait pu répondre les ronces frémirent de nouveau à l'entrée de sa tanière.

« Œil de Geai ! s'écria Nuage de Colombe, dont il capta aussitôt l'angoisse.

— Qu'est-ce qui se passe ? s'enquit Belle Églantine.

— Je suis sûr que ce n'est rien, répondit le guérisseur pour rassurer sa patiente, alors même qu'il savait ce qui troublait la jeune apprentie. Suis-moi dehors. Je dois examiner Étoile de Feu. Il faut sans doute que je renouvelle certains pansements. »

La novice lui emboîta le pas.

« Je vous ai entendus ! cracha-t-elle dès qu'ils furent dans la clairière. Nuage de Lis s'entraîne avec les guerriers de Forêt Sombre !

— Chut ! Baisse d'un ton !

— Mais il faut faire quelque chose ! »

Œil de Geai grimaça en marchant sur une brindille.

« Comme quoi ? Lui ordonner de ne plus y aller ? Tu crois qu'elle obéira ?

— Et pourquoi pas ? répliqua-t-elle d'un ton où perçait la peur.

— Écoute, fit-il en l'attirant à l'écart. Elle a fait son choix. Le mieux est sans doute de la surveiller de loin. Nous pourrons peut-être apprendre quelque chose d'utile sur nos ennemis.

— Nuage de Lis n'est pas notre ennemie ! gémit Nuage de Colombe, au désespoir. C'est ma sœur. Je ne peux pas la laisser mal tourner. Le Clan des Étoiles seul sait ce qu'Étoile du Tigre va lui faire !

— Ce n'est ni l'endroit ni le moment d'en parler. »

La barrière de ronces venait de frémir au passage de Patte de Mulot, Œil de Crapaud et Pétale de Rose, qui revenaient chargés de gibier.

« Nous en rediscuterons plus tard. » Il fit quelques pas vers la Corniche avant de lancer : « Va aider tes camarades. Il y a beaucoup à faire. »

Lorsque nous aurons une chance d'aller dans la forêt, loin des oreilles indiscrètes et des regards curieux, je l'écouterai.

Aux fumets qui s'élevaient du tas de gibier, Œil de Geai devina que la patrouille de Patte de Mulot avait rapporté une grive, un campagnol et un pigeon.

« Nous allons devoir creuser plus profond pour conserver tout ça, miaula Millie.

— Pas avant que j'aie avalé un morceau, répondit Bois de Frêne, qui sortit du trou dans un bruit de terre écrasée.

— Patte de Mulot ! miaula Petite Cerise à l'entrée du camp. Tu as oublié ça ! »

Petite Cerise et Petit Loir traînaient un lourd fardeau dans la clairière.

« Un écureuil ! s'écria Bois de Frêne en se léchant les babines avant de s'élancer vers les deux chatons. Vous l'avez attrapé tout seuls ? les taquina-t-il.

— Nous l'avons trouvé dehors, expliqua Petit Loir. La patrouille de Patte de Mulot a dû le faire tomber.

— Personne n'a attrapé d'écureuil, répondit ce dernier, dérouté.

— Qu'est-ce que vous faisiez dehors ? les gronda Pavot Gelé, qui sortait en courant du petit coin. Et par ce temps, en plus !

— Nous allons avoir besoin de creuser deux trous, à ce rythme-là », déclara Millie tandis que Bois de Frêne tirait l'écureuil vers le tas de gibier.

Alors qu'Œil de Geai grimpait sur la Corniche, Tempête de Sable sortit la tête de la tanière d'Étoile de Feu.

« Comment va-t-il ? s'enquit le guérisseur en arrivant au sommet.

— Il est fatigué et il râle parce qu'il est obligé de rester dans son nid. »

Œil de Geai se faufila près d'elle pour entrer dans la caverne. Le chef du Clan du Tonnerre s'assit en bâillant.

« Tu souffres ? demanda-t-il en frôlant la plaie du bout de sa truffe pour s'assurer qu'elle n'était ni gonflée ni chaude.

— Non, je te préviendrai si ça me fait mal, lui assura le meneur en s'écartant. Griffe de Ronce est revenu ?

— Pas encore, répondit Tempête de Sable.

— J'espère que le marquage s'est bien passé, gronda Étoile de Feu. Le Clan de l'Ombre doit admettre que cette clairière est à nous. »

La queue d'Œil de Geai fouetta l'air. *Il pense que ce n'était qu'une querelle de frontière entre deux Clans.*

« Œil de Geai ? fit le chef, tendu. Tu as quelque chose à me dire ? »

Dois-je l'avertir, pour Nuage de Lis ? Dois-je lui dire que celle qui l'a convaincu de se battre pour la clairière aux Bipèdes suit l'entraînement des guerriers de la Forêt Sombre ? Le chef du Clan du Tonnerre ne devait-il pas être prévenu que le Clan des Étoiles n'était plus le seul à pouvoir envoyer des visions et des signes ?

Non. Les Trois peuvent gérer cela seuls.

« Ils sont de retour ! » Tempête de Sable tourna les talons et sortit ventre à terre. « Griffe de Ronce et Pelage de Poussière ! »

Des cailloux roulèrent dans la descente tandis qu'elle filait vers la clairière. Étoile de Feu passa devant le guérisseur pour la suivre. Du haut de la Corniche, Œil de Geai écouta le rapport des guerriers.

« Est-ce que le marquage est établi ? s'enquit le meneur.

— Le nôtre, oui, répondit Griffe de Ronce.

— En revanche, le Clan de l'Ombre n'a pas fait le sien, ajouta Pelage de Poussière.

— Ils refusent de reconnaître la nouvelle frontière ! s'indigna Millie, qui s'était approchée.

— Ils sont *obligés* de la reconnaître ! s'emporta Feuille de Lune.

— Rien ne les y oblige, contra Bois de Frêne.

— Mais ils ont perdu la bataille ! » s'emporta Millie, le pelage hirsute.

L'aveugle reconnut le pas lent et déterminé d'Isidore.

« Êtes-vous certains qu'ils savent qu'ils ont perdu ? miaula le vieux solitaire.

— Évidemment ! pesta Poil de Souris en passant devant son camarade de tanière. Pelage de Lion a tué leur lieutenant. »

Un silence gêné s'installa. Œil de Geai n'entendait plus que le bruit des pattes grattant le sol. Étoile de Feu s'avança soudain et déclara :

« Nous regrettons tous la mort de Feuille Rousse. »

Où est Pelage de Lion ? se demanda Œil de Geai, mal à l'aise. *Il devrait être là pour se défendre.*

« Pelage de Lion aurait dû faire plus attention », marmonna Griffe de Ronce.

Le guérisseur ravala sa rage. Il ne pouvait parler pour son frère, leurs camarades auraient alors l'impression que Pelage de Lion n'assumait pas ses actes. Œil de Geai entendit la barrière du camp frémir.

Nuage de Lis.

Elle se faufila dans la clairière pour rejoindre les autres au pied de la Corniche.

« Qu'est-ce qui se passe ? » lança-t-elle.

Œil de Geai eut soudain très froid. Un rayon de lumière transperça ses yeux bleus aveugles, et il vit Nuage de Lis aussi nettement que dans un rêve, son poil argenté se détachant sur la clairière couverte de givre. Un mauvais pressentiment saisit le cœur de l'aveugle lorsque la vision se poursuivit.

Surgies au sommet de la combe, des ombres se glissaient dans le camp, engloutissant les tanières et les guerriers du Clan du Tonnerre. Les esprits de la Forêt Sombre dévalaient les parois rocheuses tels des lézards rampant sur la pierre. Leurs yeux brillaient d'une lueur rouge, leurs crocs et leurs griffes étincelaient comme du cristal dans l'obscurité.

Dans un rugissement de fureur, le Clan du Tonnerre se dressa contre eux. Plume Grise donna un coup de griffes à un matou brun, qui le prit par le cou et le jeta dans le vide vers une mort certaine. Millie feula et fondit sur l'assassin de son compagnon, mais deux ennemis lui écorchèrent le dos et la tirèrent dans les ténèbres où elle sombra en hurlant.

En infériorité numérique, le Clan du Tonnerre était dépassé de tous côtés.

Bois de Frêne, qui criait de douleur et de rage, fut massacré par des griffes impitoyables. Pelage de Poussière s'effondra, la gorge tranchée par des crocs sauvages. L'un après l'autre, les guerriers du Clan du Tonnerre tombèrent jusqu'à ce que la clairière eut disparu sous un amas de cadavres. Du sang jaillissait de leurs gueules et se répandait sur le sol tel un linceul rouge enveloppant la terre. Il suintait des tanières, dégoulinait des parois de la combe et gouttait des ronces de la pouponnière si bien que le camp tout entier brillait d'un éclat écarlate.

Seule Nuage de Lis ne fut pas souillée.

Les guerriers de la Forêt Sombre tourbillonnaient autour d'elle, l'air triomphant. Aussi immobile qu'un roc, elle se dressait sans peur sous le clair de lune, indemne. Œil de Geai crut que son cœur allait s'arrêter lorsqu'elle leva le museau pour le fixer droit dans les yeux, ses iris aussi noirs que la nuit, son regard mort.

Un feulement horrifié retentit près de lui et il se tourna, les poils dressés sur l'échine.

Petite Feuille était tapie à côté de lui. Son expression abattue reflétait son désespoir.

« Je suis désolée, murmura-t-elle. Je n'ai rien pu faire pour empêcher ça. »

CHAPITRE 6

Alors qu'il filait vers le camp, Plume de Flamme dérapa sur les aiguilles de pin. Il sortit les griffes pour avoir une meilleure prise et repensa à Pelage de Lion. *Avec son poitrail bombé, il se prend pour le guerrier préféré du Clan des Étoiles ! C'est bien l'arrogance du Clan du Tonnerre, ça.*

Un merle lança un trille depuis une haute branche et Patte de Crapaud surgit soudain devant lui.

« Attention ! lança le chat roux en s'arrêtant net.

— Je testais juste tes réflexes, le taquina son camarade en s'écartant de son chemin.

— Teste donc ça ! » feula Plume de Flamme en se jetant sur le guerrier, qui roula au sol.

Son camarade se libéra et se releva en ronronnant.

« Je parie qu'aucun autre Clan ne peut se vanter d'avoir un guérisseur qui se bat aussi bien qu'un guerrier. » Il se secoua avant de reprendre : « Où étais-tu ?

— Près de la nouvelle frontière.

— Ils l'ont déjà marquée ?

— Griffe de Ronce s'en occupait, quand je suis parti.

— Les guerriers du Clan du Tonnerre ont des cervelles plus petites encore que ce que je pensais s'ils croient qu'on va leur laisser cette clairière.

— Ils doivent se douter que la bataille n'est pas finie.»

Le bruit d'un corps qu'on traîne sur le sol capta soudain l'attention de Plume de Flamme. Il fronça la truffe en flairant l'odeur de la mort.

«Ils sont en train d'enterrer Feuille Rousse, lui apprit Patte de Crapaud qui avait suivi son regard.

— Allons les rejoindre.»

Plume de Flamme se dirigea le premier vers l'endroit où Pelage Fauve et Dos Balafré emmenaient le corps raidi de la vieille chatte. Pour lui succéder, Pelage Fauve, le père de Plume de Flamme, avait été nommé lieutenant la veille au soir.

Des fourrures de toutes les couleurs se rassemblaient autour de la tombe.

«Sa sagesse nous manquera», déclara Fleur de Pavot, les yeux brillants, tandis qu'elle rejoignait les autres anciens.

Cœur de Cèdre et Eau Blanche s'écartèrent pour lui faire de la place. Alors que Feuille Rousse était amenée près de sa dernière tanière, Queue de Serpent releva la tête et déclara d'une voix éraillée :

«Avec la disparition de notre camarade, nous perdons un savoir-faire unique et de nombreux souvenirs.»

Dos Balafré et Pelage Fauve s'arrêtèrent près de la tombe et déposèrent Feuille Rousse au bord du trou. De l'endroit où il était, Plume de Flamme sentait la sève de pin dont il avait frotté la fourrure de la défunte lorsqu'il avait aidé Petit Orage à la préparer pour la veillée.

« Voilà des adieux difficiles, murmura Griffe de Chouette.

— Tu en connais des faciles ? lui glissa Patte de Musaraigne en se frottant contre son camarade.

— Elle est morte avec courage, déclara Étoile de Jais en s'approchant du corps de son ancien lieutenant. Nous n'attendons rien de plus de nos guerriers.

— Elle avait été mon mentor et m'avait bien formé, déclara Cœur de Cèdre, ému.

— Elle, qui était arrivée au sein du Clan de l'Ombre en tant que chatte errante, est morte en guerrière », ajouta Pelage Fauve.

Étoile de Jais leva la tête vers le soleil, qui peinait à dépasser la cime des pins.

« Le Clan des Étoiles l'accueillera comme elle le mérite. Ce que nous avons perdu leur sera précieux. Que ses souvenirs deviennent nos souvenirs et son savoir-faire notre savoir-faire. »

Il adressa un signe de tête à Pelage Fauve, et ce dernier saisit Feuille Rousse par la peau du cou. En silence, il la souleva au-dessus du trou et l'y laissa tomber.

Étoile de Jais se détourna, le regard animé d'un sombre éclat, et entraîna ses camarades vers le camp. Plume de Flamme se précipita alors vers son père.

« Où est Petit Orage ? lui demanda-t-il.

— Il est épuisé, il a passé la nuit à soigner les blessés. Étoile de Jais lui a ordonné de se reposer. Il reverra Feuille Rousse à la Source de Lune. Il pourra lui faire ses adieux à ce moment-là. Toi aussi, tu dois être fatigué. Tu l'as secondé jusqu'à l'aube. »

En effet, Plume de Flamme tenait à peine sur ses pattes, mais il n'était pas près de l'admettre.

« Je pourrai me reposer plus tard. Je voulais juste revoir le champ de bataille.

— Bien. Le souvenir de cette clairière perdue devra brûler dans ton esprit jusqu'à ce que nous la reconquérions. »

Du bout du museau, il frôla la tête de son fils et disparut dans le tunnel menant au camp. Plume de Flamme le suivit et, lorsqu'il arriva dans la clairière, il vit Étoile de Jais s'engouffrer dans sa tanière avec son père.

« Désolée de t'embêter, miaula soudain Patte de Musaraigne en tendant une patte vers lui. Tu veux bien y jeter un œil ? Petit Orage dort. »

Plume de Flamme examina l'articulation de la guerrière, enflée et chaude. La chatte grise grimaça lorsqu'il la toucha du bout de la truffe.

« Ce n'est qu'une foulure, la rassura-t-il. Je vais te donner une graine de pavot pour soulager la douleur. »

Il la fit entrer sous les ronces. À l'intérieur, le sol avait été creusé pour rendre la tanière plus spacieuse, puis garni d'aiguilles de pin.

Au fond du gîte, Petit Orage s'étira et s'assit dans son nid. Le matou tigré semblait plus chétif encore que d'habitude, avec ses yeux écarquillés et son pelage ébouriffé par le sommeil.

« Tout va bien ? » s'inquiéta le jeune guérisseur avant d'aller renifler la fourrure de son mentor.

Elle était plus chaude qu'il ne s'y attendait.

« Oui, ça va. Je suis fatigué, c'est tout, répondit le vieux matou.

— Reste dans ton nid. »

Petit Orage ne protesta pas. Il jeta un coup d'œil vers Patte de Musaraigne, qui attendait à l'entrée.

« Qu'est-ce qu'elle a ?

— Une foulure. Je vais lui donner du pavot.

— Inutile. Enveloppe-lui la patte dans de la consoude et des orties. » De la pointe du museau, il lui montra un tas de feuilles émiettées. « Patte de Musaraigne tolère mal le pavot, ça la fait dormir.

— Tu peux supporter la douleur si je traite juste le gonflement ? » demanda le jeune chat à la guerrière blessée.

Celle-ci hocha la tête et leva la patte. Plume de Flamme mâcha les remèdes, appliqua l'emplâtre sur l'articulation et maintint le tout avec une feuille d'oseille.

« Ça va déjà mieux, miaula-t-elle.

— Repose-toi une journée puis reprend l'exercice doucement », lui conseilla-t-il.

Patte de Musaraigne acquiesça et sortit de la tanière. Lorsque Plume de Flamme se tourna vers son mentor pour le prévenir qu'il s'en allait, il constata que ce dernier s'était déjà rendormi. Lui-même avait les pattes si lourdes qu'il dut se retenir de se lover dans son nid. Il devait aller examiner les blessés.

En ressortant, il fut aveuglé par la lumière qui se déversait dans la grande clairière entre les pins. Plusieurs de ses camarades étaient allongés dehors pour profiter de la maigre chaleur du soleil hivernal. Lorsque Oiseau de Neige roula sur le dos et s'étira, le guérisseur vit son ventre blanc couturé de cicatrices rouges. Il soupira. Au moins, elles étaient bien propres et imbibées de suc de souci. Près d'elle, Pelage Charbonneux sommeillait, la tête sur les pattes, ignorant la grive à moitié mangée posée devant lui. Devant la tanière des guerriers, Saule Rouge entreprit de faire sa toilette pour débarrasser sa fourrure de quelques brins de fougère ; il grimaça et se recoucha, le souffle court. Museau Olive et Griffe de Chouette se reposaient côte à côte, le poil en bataille, la truffe griffée.

La barrière de ronces frémit au passage de Cœur de Tigre, qui tenait un écureuil entre ses mâchoires. Alors qu'il le lançait sur le tas de gibier, Aube Claire arriva avec un pigeon.

Plume de Flamme se précipita vers son frère et sa sœur, reniflant l'odeur du sang.

« J'espère que vous n'avez pas rouvert vos blessures.

— Nous avons fait attention », lui promit la chatte, et elle se baissa pour lui montrer que l'entaille entre ses omoplates était toujours recouverte de toiles d'araignée.

Au même instant, Pelage d'Or sortit de la tanière des guerriers. Ses yeux verts s'illuminèrent lorsqu'elle vit ses trois petits rassemblés et elle leur donna un coup de langue à chacun.

Aube Claire s'écarta vivement.

« Berk ! On est trop grands pour ça !

— Où est votre père ? demanda Pelage d'Or en ronronnant.

— Dans la tanière d'Étoile de Jais, répondit Plume de Flamme. Il va y passer beaucoup de temps, maintenant qu'il est lieutenant.

— J'ai hâte qu'il soit chef, ajouta Cœur de Tigre en sortant les griffes.

— Chut ! le réprimanda sa sœur.

— Bah quoi ? C'est vrai, non ? Étoile de Jais ne va pas vivre éternellement.

— Ne dis pas des choses pareilles ! » rétorqua Pelage d'Or en lui plaquant la queue sur le museau.

Plume de Flamme vit que, de l'autre côté de la clairière, Pelage Fauve était sorti de l'antre d'Étoile de Jais ; il venait vers eux.

Cœur de Tigre s'amusait à faire rouler Aube Claire au sol.

« Un jour, je serai lieutenant et tu n'auras plus le droit de te moquer de moi.

— Jamais de la vie ! protesta-t-elle en se tortillant pour se libérer. C'est *moi* qui serai lieutenant ! »

Pelage Fauve s'arrêta devant les deux chamailleurs.

« J'ai déjà deux rivaux ? » miaula-t-il.

Les jeunes félins se redressèrent aussitôt.

« On jouait, se défendit Aube Claire.

— Je me réjouis que mes petits soient aussi ambitieux, ronronna Pelage Fauve. Mais j'aimerais rester lieutenant une ou deux lunes avant que vous me remplaciez. » Il considéra Plume de Flamme. « Toi aussi, tu veux être lieutenant ?

— Je suis satisfait d'être guérisseur.

— Me voilà rassuré, répondit le guerrier, l'œil brillant. Je ne crois pas que j'aurais pu vous affronter tous les trois. »

Pelage d'Or vint frotter son museau contre sa joue.

« Je suis très fière de vous tous », dit-elle.

Elle tourna la tête vers la tanière d'Étoile de Jais. Leur chef venait d'en sortir à son tour. Les yeux pétillants, le poil impeccable, il s'avança dans la clairière en clamant :

« Guerriers et apprentis ! Vous avez eu le temps de récupérer un peu ! Rassemblez-vous ! Il y a des leçons à tirer de notre défaite d'hier. Vous vous êtes battus vaillamment, poursuivit-il. Malgré cela nous avons perdu un bout de territoire. Si nous voulons le récupérer un jour, nous devons apprendre de nos erreurs. Cette défaite nous offre une chance de devenir plus forts. »

Laisse-moi le temps de soigner tout le monde avant de préparer la prochaine guerre. Plume de Flamme leva la truffe et perçut une odeur aigre. Les blessures que Petit Orage et lui avaient pansées la veille devaient être traitées de nouveau pour éviter qu'elles ne s'infectent. Dans son champ de vision Plume de Lierre sortit de la pouponnière en se tortillant. Son ventre s'arrondissait autour de sa première portée. Elle n'était pas près de retourner sur le champ de bataille. Elle pourrait peut-être l'aider.

« Plume de Lierre ! lança-t-il en s'approchant de la reine pour lui murmurer à l'oreille pendant que le chef poursuivait son discours. Tu veux bien m'aider à panser de nouveau certaines blessures ?

— Bien sûr. »

Elle le suivit dans la tanière des guérisseurs. Ils prirent les remèdes nécessaires sans réveiller Petit Orage puis ressortirent.

Dos Balafré faisait les cent pas dans la clairière. Les rayons du soleil illuminaient son pelage brun.

« Au nom du Clan des Étoiles, comment sommes-nous censés combattre des chats qui tombent des arbres comme des chouettes ? » s'emporta-t-il.

Plume de Flamme posa ses feuilles près de Museau Olive.

« Je dois renouveler ton traitement, déclara-t-il en reniflant les égratignures qui barraient le flanc de la guerrière. Tu n'as qu'à écouter Dos Balafré pendant que je te soigne. » Il fit signe à Plume de Lierre de s'approcher : « Observe bien mes gestes. »

Il se mit à lécher l'emplâtre sec sur les griffures de Museau Olive. Celle-ci planta les griffes dans le sol et se concentra sur le débat.

« Nous pouvons peut-être transformer ce qu'ils prennent pour une force en faiblesse, suggéra Pelage de Fumée en s'approchant.

— Comment cela ? s'enquit Étoile de Jais.

— Ils retombent lourdement. Il leur faut un moment pour recouvrer leur équilibre. Nous pouvons profiter de cet instant d'hésitation pour passer à l'attaque. »

Pelage Pommelé inclina la tête et miaula :

« Oui, la prochaine fois, nous nous attendrons à leur tactique de chouette. Tout ce que nous devons faire, c'est lever la tête. Il ne devrait pas être trop compliqué de nous écarter avant qu'ils nous tombent dessus. »

Corbeau Givré écarquilla les yeux, tout excité.

« C'est vrai ! Grimper aux arbres leur prend du temps. Les guerriers du Clan du Tonnerre ont oublié qu'ils n'étaient pas des oiseaux.

— Exactement, reprit Oiseau de Neige. Pendant qu'ils gaspillent leur temps et leur énergie à escalader les troncs, on peut se préparer à leur sauter dessus dès qu'ils touchent le sol.

— Il sera facile de les vaincre maintenant que nous connaissons leur ruse ! » renchérit Aube Claire. Elle leva la tête vers une branche de noisetier qui surplombait le camp. « Entraînons-nous ! »

Cœur de Tigre courait déjà vers le tronc de l'arbre, logé au milieu des ronces. Il l'escalada et s'avança prudemment sur la branche. Aube Claire l'observa en trépignant d'impatience, sa queue s'agitant tel un serpent.

Le guerrier se laissa tomber.

Sa sœur se jeta sur lui dès qu'il toucha le sol. Elle le renversa sans mal et le plaqua contre la terre froide.

Le regard d'Étoile de Jais s'illumina.

« Les guerriers du Clan du Tonnerre se croient malins, mais ce ne sont que des cervelles de pigeon, gronda-t-il.

— Ce n'est pas tout, l'interrompit Griffe de Chouette. Dans la clairière, ils ont réussi à briser notre ligne offensive.

— Nous devrions peut-être nous placer différemment ? suggéra Pelage Fauve. Les vétérans doivent épauler les plus jeunes. Ainsi, même s'ils brisent nos rangs en plusieurs morceaux, chaque groupe, par cette alternance, sera d'égale force.

— Bonne idée, Pelage Fauve, le félicita le meneur. Avant la prochaine bataille, nous associerons nos guerriers par deux. Faible et fort se battront côte à côte. »

Plume de Flamme était fier de ses camarades. Pour le Clan de l'Ombre, la défaite n'était qu'une occasion de devenir meilleur, plus fort, plus agile, pour le combat suivant. L'apitoiement, les reproches n'avaient pas leur place ici ; seule la certitude que, la prochaine fois, les choses se passeraient différemment.

Corbeau Givré s'était levé.

« Nous pourrions garder les plus aguerris en réserve, suggéra-t-il. Ainsi, quand l'ennemi penserait l'emporter, nous pourrions envoyer une nouvelle vague de combattants, les plus redoutables, pour les écraser.

— Bonne idée, répondit Pelage Fauve. Par ailleurs, la stratégie, c'est bien joli, mais nous ne devons pas oublier que c'est la force des combattants qui permet de remporter la victoire. » Il se tourna vers Nuage de Pin. « Tu t'es fait balayer par Plume de Noisette, rappela-t-il à l'apprentie.

— Elle est plus grande que moi, se défendit la jeune chatte, et elle m'a prise de court. En plus, c'est Cœur d'Épines que j'affrontais, pas elle.

— C'est vrai. Pourtant, je pense que tu aurais pu mieux parer son attaque.

— Comment ? s'enquit la novice, curieuse.

— Approchez. »

Pelage Fauve fit signe à Bois de Chêne et Nuage de Furet de les rejoindre au milieu de la clairière.

Plume de Flamme observait ses camarades d'un œil tout en appliquant un cataplasme frais sur les griffures de Pelage Charbonneux. Bois de Chêne boitait toujours, mais il avait le poil hérissé par l'excitation.

« Nuage de Furet, miaula le lieutenant en poussant le novice à sa place. Tu feras Cœur d'Épines.

— Bois de Chêne, tu seras Plume de Noisette . »

Bois de Chêne hocha la tête et se ramassa sur lui-même, prêt à bondir.

« Nuage de Pin, attaque Nuage de Furet comme tu as attaqué Cœur d'Épines hier. Mais quand Bois de Chêne se jettera sur toi, laisse-toi rouler au sol pour que son propre poids l'entraîne. »

Nuage de Pin réfléchit un instant à la tactique puis sauta sur l'autre novice. Tandis que Nuage de Furet se débattait sous elle, Bois de Chêne bondit, la saisit entre ses pattes et l'arracha de son adversaire. La jeune chatte fit la morte et son opposant chancela sous son poids. Elle en profita pour se retourner, le mordre à la gorge et échapper à son emprise. Le guerrier recouvra bientôt son équilibre, mais l'apprentie était déjà sur son dos, les crocs plantés dans son cou.

« Parfait ! lança Étoile de Jais. Nous avons appris une leçon importante, aujourd'hui.

— Bel enchaînement, Nuage de Pin ! » la félicita Dos Balafré.

La novice hocha la tête, flattée par les compliments de son mentor et de ses camarades.

Plume de Flamme finissait de soigner Pelage Charbonneux.

« Comment ça va ?

— Mieux », reconnut le matou gris.

Étoile de Jais lorgna le tas de gibier.

« Pelage Fauve, dit-il, dépêche deux patrouilles de chasseurs, s'il te plaît.

— Et le marquage de la nouvelle frontière ? s'enquit le lieutenant en sortant les griffes.

— Pas tant que le corps de Feuille Rousse sera encore tiède, cracha-t-il. Étoile de Feu s'est engagé sur un sentier bien sombre lorsqu'il nous a réclamé cette clairière. Est-ce qu'un véritable guerrier demanderait à récupérer ce qu'il a donné ?

— Langue de serpent !

— Cœur de Renard ! »

Les insultes résonnèrent au-dessus du camp. Le meneur fit claquer sa queue pour ramener le silence.

« Plume de Flamme ! »

Le guérisseur releva la tête, surpris.

« Rejoins-moi dans ma tanière, avec Petit Orage. Je souhaite m'entretenir avec mes guérisseurs. » Le chef du Clan de l'Ombre se tourna vers Pelage Fauve. « Occupe-toi des patrouilles de chasse, répéta-t-il. Et évitez la clairière aux Bipèdes. Je ne veux pas de bagarre tant que nous ne sommes pas complètement guéris. »

Plume de Flamme se précipita vers sa tanière ; il réveilla Petit Orage en le secouant du bout du museau. Celui-ci lui paraissait toujours anormalement chaud.

« Qu'est-ce qu'il y a ? marmonna-t-il.

— Étoile de Jais veut nous parler dans sa tanière. »

Petit Orage s'extirpa aussitôt de son nid et fila vers la sortie. Plume de Flamme fut rassuré de le voir marcher d'un si bon pas. Il le rattrapa devant la tanière d'Étoile de Jais et le laissa entrer en premier.

« Est-ce que le Clan des Étoiles vous avait mis en garde avant la bataille ? » s'enquit Étoile de Jais, les prunelles luisantes dans la pénombre.

Le chat roux répondit négativement et jeta un coup d'œil vers son mentor.

« Rien », confirma le vieux guérisseur.

Plume de Flamme se rendit compte que sa respiration était sifflante.

« Pas le moindre signe ? » insista le meneur.

Les deux guérisseurs secouèrent la tête.

« Je pensais que le Clan des Étoiles aurait accordé davantage de valeur à la vie de Feuille Rousse, marmonna le chef.

— Nos ancêtres ignoraient peut-être qu'une bataille ferait rage, suggéra Plume de Flamme. À moins que sa mort n'ait été inévitable.

— Rien n'est inévitable ! protesta le meneur avant de se tourner vers Petit Orage. Va communier avec le Clan des Étoiles. Découvre pourquoi ce combat a eu lieu. Je veux savoir si le Clan du Tonnerre trame autre chose. Ils pourraient vouloir s'enfoncer davantage dans nos terres. Cette bataille n'est peut-être que

95

le début. Ils ont déjà atteint l'orée de la pinède, ce qui est déjà bien trop près de notre camp. »

Petit Orage le regarda en clignant des yeux.

« Le Clan du Tonnerre ne nous avait pas volé de territoire depuis le Grand Périple. »

Plume de Flamme se tortilla légèrement, gêné d'entendre son mentor défendre un autre Clan. Ce n'était pas la première fois que Petit Orage traitait le Clan du Tonnerre en ami plutôt qu'en ennemi.

« Je croyais que le règne d'Étoile de Feu avait mis un terme à leurs ambitions territoriales, ajouta le matou.

— En tout cas, leur arrogance est intacte ! gronda Étoile de Jais. Ils ont toujours essayé de dicter aux autres Clans ce qu'ils devaient faire. Ils ont peut-être l'impression d'avoir gaspillé leur salive et qu'il leur faut passer à l'action. » Il sortit ses longues griffes et conclut : « Va à la Source de Lune. Partage les rêves du Clan des Étoiles. Découvre tout ce que tu peux. »

Petit Orage baissa la tête et ses flancs frémirent.

« C'est moi qui irai », lâcha Plume de Flamme.

Son mentor n'était pas en état de passer la nuit dehors, qui plus est par ce froid.

Étoile de Jais observa Petit Orage, dont les yeux étaient recouverts d'un voile blanc. Sa queue tremblait. Si le meneur fut choqué de voir son guérisseur malade, il n'en laissa rien paraître.

« Très bien. »

Plume de Flamme suivit Petit Orage dehors, où ce dernier se mit à trembler plus encore.

« Tu vas t'en tirer, tout seul ?

— Je serai content de savoir que tu te reposes, au chaud. Tu dois te ménager, Petit Orage. Plume de

96

Lierre pourra t'aider à effectuer les tâches les plus simples. »

Le vieux matou ouvrit la gueule pour protester mais il fut pris d'une quinte de toux.

« Merci ! » souffla-t-il.

Plume de Flamme s'inclina devant lui, gêné que son camarade ait cédé si facilement. Il devait être très atteint.

« Bonne route, miaula le vieux guérisseur, et il se dirigea vers sa tanière.

— Que voulait Étoile de Jais ? lui demanda Plume de Lierre en s'approchant.

— Il m'envoie consulter le Clan des Étoiles, à la Source de Lune, expliqua-t-il tandis que son mentor disparaissait dans les ronces. Tu veux bien garder un œil sur Petit Orage ? Il n'est pas bien, il doit se reposer.

— J'y veillerai. Et je m'occuperai des blessures jusqu'à ton retour.

— Tu te souviens de ce que tu dois faire ?

— Si elles sentent mauvais, je lèche le vieux cataplasme et je mâche de nouvelles herbes.

— Voilà. Petit Orage pourra te dire lesquelles prendre. Je reviendrai demain, vers midi.

— Bonne route. »

Plume de Flamme s'engagea dans le tunnel de ronces. Dans la forêt, le vent froid lui fit cligner des yeux. Il se mit à courir sur une vieille sente de blaireaux qui descendait jusqu'au lac, projetant des aiguilles de pin dans son sillage. Son souffle formait des panaches blancs.

Tandis qu'il dévalait la pente, il aperçut le scintillement du lac et, au sortir de la pinède, il fut ébloui par les reflets des rayons du soleil sur les vagues. Des galets roulèrent sous ses pattes quand il sauta sur la plage. Son pouls battait à ses tempes, son cœur palpitait dans son poitrail.

Le Clan de l'Ombre n'allait pas se laisser faire par le Clan du Tonnerre. Ils n'étaient pas de ceux qui craignent les intimidations. Leurs voisins arrogants méritaient une bonne leçon et ils s'assureraient de la leur donner.

CHAPITRE 7

« QU'EST-CE QUI SE PASSE ? »

Quand Nuage de Lis était rentrée au camp elle boitait, car elle s'était fait mal à la patte en s'entraînant avec Plume de Faucon pendant la nuit. Elle était toujours contrariée par sa dispute avec Nuage de Colombe.

Comment ose-t-elle me juger ?

Elle avait traversé le tunnel toute crispée pour dissimuler sa claudication, et personne n'avait remarqué son arrivée dans la clairière. Ses camarades étaient rassemblés autour d'Étoile de Feu, le pelage hirsute.

« Qu'est-ce qui se passe ? » répéta-t-elle.

Du haut de la Corniche, Œil de Geai la fixait comme si elle était un fantôme. Un frisson glacé lui parcourut l'échine lorsque le guérisseur soutint son regard. *Peut-il me voir ? Il sait que je m'entraîne dans la Forêt Sombre.* Elle écarta cette idée. *Une fois qu'il comprendra que je suis devenue meilleure, pour mieux servir mon Clan, il comprendra !*

Le miaulement de Pluie de Pétales la tira de ses pensées :

« Le Clan de l'Ombre n'a pas marqué la nouvelle frontière.

— C'est tout ? soupira-t-elle, soulagée. Je pensais que le Clan des Étoiles avait envoyé un mauvais augure. »

Elle jeta un autre coup d'œil vers Œil de Geai, mais celui-ci avait recouvré son regard vague d'aveugle.

« Comment ça, "c'est tout" ? Ça veut dire que le Clan de l'Ombre ne reconnaît pas que ce territoire nous appartient. C'est très grave. »

Nuage de Lis changea de position et grimaça parce que la douleur lui irradiait dans la patte.

« C'est vrai, reconnut-elle. Enfin, tant qu'ils ne franchissent pas *notre* marquage...

— Ils n'ont pas intérêt, marmonna Pluie de Pétales en se dirigeant vers la tanière des guerriers. Tu viens nous aider à finir le repaire ? »

Nuage de Colombe s'y trouvait déjà. Avec Feuille de Lune, elle s'efforçait de faire glisser une branche sous une autre.

« Tout à l'heure, lança-t-elle.

— Où étais-tu ? » Le miaulement de Cœur Cendré la fit sursauter. Était-ce de la méfiance qu'elle discernait dans les yeux de son mentor ? « Nuage de Colombe est rentrée depuis longtemps.

— Je voulais m'entraîner encore », mentit-elle pour ne pas avouer qu'elle avait passé son temps à fulminer sur le bord du lac.

Je suis aussi loyale que n'importe quel membre du Clan. Plus loyale, même ! Je suis la seule à m'entraîner jour et nuit pour mon Clan.

« Tu dois avoir faim, reprit la guerrière. Va manger. Ensuite, tu pourras aider Nuage de Colombe et Feuille de Lune.

— Je ne peux rien faire d'autre ?

— Pourquoi ? Tu t'es encore disputée avec ta sœur ? » Ses moustaches frôlèrent la joue de la novice. « Tu ne dois pas être jalouse d'elle, tu sais. Tu es aussi douée pour la chasse et le combat qu'elle. »

Évidemment ! J'ai été entraînée par les meilleurs !

« J'étais fière de toi, hier, continua Cœur Cendré. Tu t'es battue comme une guerrière.

— Merci », grommela-t-elle.

Plume de Faucon, lui, n'avait pas perdu de temps à la complimenter. Il l'avait observée durant le combat et, lorsqu'ils s'étaient revus dans la Forêt Sombre, il lui avait montré comment elle pouvait s'améliorer encore pour la prochaine bataille. Elle s'était tordu la patte, et alors ? Elle avant tant appris !

Quand elle eut terminé son repas, Feuille de Lune et Patte de Renard s'approchèrent d'elle.

« Cœur Cendré m'a dit que tu nous aiderais à finir la nouvelle section de la tanière des guerriers », miaula l'ancienne guérisseuse.

Patte de Renard tenait à peine en place.

« Ça va être génial, ensuite, miaula-t-il. Il y aura de la place pour Pluie de Pétales et Poil de Bourdon.

— D'accord, j'arrive », soupira-t-elle.

Elle ne pourrait pas éviter sa sœur indéfiniment. Elle prit un tas de brindilles empilées près de la réserve de gibier et se mit en route.

« Moi aussi, je vais vous aider ! déclara Pétale de Rose qui traversait la clairière pour les rejoindre.

— Je m'occupe de ce côté, annonça Patte de Renard en montrant du bout du museau un trou dans la paroi où de longues branches de hêtre avaient déjà été recourbées et plantées dans la terre. On ne voit presque plus que c'est un arbre tombé.

— Oui, confirma Pétale de Rose. Il fait partie du camp, maintenant.

— Sauf qu'il n'y a presque plus de place dans la clairière, marmonna Patte de Renard en se glissant entre deux branches.

— Juste ce qu'il faut, miaula Pétale de Rose. Et il y a moins de courants d'air. »

Nuage de Lis déposa ses brindilles devant Nuage de Colombe.

«Tiens», miaula-t-elle.

Sans lui laisser le temps de répondre, elle contourna la tanière pour se placer près de la paroi tordue où elle commença à introduire des petites branches dans les trous.

«Tes pattes sont engourdies, lui dit Pluie de Pétales avant de l'aider. Tiens.» Elle glissa une longue tige de saule dans une trouée. «Tu la guides et moi je tire dessus.»

Nuage de Lis enfonça une autre tige en miaulant :

«Pourquoi est-ce que personne ne parle de la bataille ? À croire qu'il ne s'est rien passé.

— Pourquoi en discuter ? s'étonna Pluie de Pétales, qui resserrait les tiges tissées. Nous avons gagné. Que veux-tu qu'on fasse d'autre ?

— On devrait travailler sur les points à améliorer pour mieux nous battre.

— Mais on a *gagné* ! répéta sa camarade.

— Ça ne veut pas dire que nous serons victorieux la prochaine fois. Et je te parie que le Clan de l'Ombre va s'entraîner plus dur que jamais pour l'emporter à la prochaine bataille.

— Comment le sais-tu ?

— C'est le Clan de l'Ombre !

— C'est ça... Eh bien, nous, nous sommes le Clan du Tonnerre, et la mauvaise saison est là. Nous avons autre chose à penser qu'à nous battre. »

Nuage de Lis renifla. *Pas étonnant que Plume de Faucon ne t'ait pas choisie...*

Nuage de Lis tourna en rond dans son nid en soufflant. Elle avait mangé avec Pluie de Pétales et, au lieu de faire sa toilette avec ses camarades, elle s'était couchée aussitôt, espérant s'endormir avant que Nuage de Colombe ne vienne la rejoindre. Maintenant que Poil de Bourdon et Pluie de Pétales avaient regagné l'antre des guerriers, il serait difficile d'ignorer sa seule compagne de tanière.

Nuage de Lis venait de glisser la truffe sous sa patte et de fermer les yeux lorsque Nuage de Colombe entra dans le gîte :

« Nuage de Lis ? » Elle s'installa dans son propre nid et répéta : « Nuage de Lis ? »

Cette dernière respira fort et profondément en faisant semblant de ne pas l'entendre. La journée avait été longue, et rien ne pourrait l'empêcher de dormir, pas même la douleur qui lui mordillait le cœur. Le sommeil l'enveloppa bientôt dans sa chaude étreinte.

Elle ouvrit les yeux en plein rêve. De la brume s'enroulait autour de ses pattes et des feulements retentissaient dans l'air froid et stérile. Pour la première fois, elle ne se réjouit guère de se trouver dans la Forêt Sombre. Elle aurait tant voulu se reposer toute la nuit ! Les égratignures récoltées au cours de la bataille lui picotaient et elle avait toujours mal à la patte. S'entraîner jour et nuit était épuisant. Elle ferma les yeux, espérant que le songe se dissiperait, mais la brume glacée lui saisit un peu plus les coussinets.

Elle rouvrit les yeux. Une petite pente herbeuse montait devant elle et, au-dessus, un ciel noir dépourvu d'étoiles s'étendait à l'infini. Nuage de Lis s'étira pour se préparer. Au moins, ses camarades de la Forêt Sombre ne la comparaient jamais à Nuage de Colombe, eux.

Elle se retourna comme elle entendait un bruit de pas derrière elle. Un matou brun avec une oreille noire – à sa silhouette fine et sa petite taille elle devina qu'il venait du Clan du Vent – approchait. Il s'arrêta et la salua d'un signe de tête. Nuage de Lis chercha son nom. Elle l'avait déjà vu lors des Assemblées. Une voix retentit avant que la mémoire lui revienne :

« Pelage de Fourmi ! »

Pelage de Fourmi. Bien sûr.

Tandis que le guerrier filait vers celui qui l'avait appelé, Nuage de Lis se dressa sur ses pattes arrière pour voir de qui il s'agissait. Une douleur fulgurante lui transperça son membre foulé. Elle retomba lourdement à quatre pattes sans avoir vu personne.

Un miaulement derrière elle la fit sursauter :

« Tu as l'air fatiguée.

— Bonjour, Cœur de Tigre. » Elle était contente de croiser quelqu'un qu'elle connaissait. Si ses muscles saillaient sous son épais pelage tacheté, il paraissait las. « Toi aussi, tu as l'air fatigué.

— Je ne cracherais pas sur une bonne nuit de sommeil, bâilla-t-il.

— J'imagine qu'ils veulent nous endurcir.

— Nuage de Colombe n'est pas venue avec toi, ce soir, par hasard ? demanda-t-il comme s'il n'avait pas entendu sa réponse.

— C'est moi qu'ils ont choisie, pas elle ! » répliqua-t-elle.

Sur ces mots, elle fila vers les arbres au sommet de la pente, emprunta le sentier que Pelage de Fourmi avait tracé dans l'herbe. Une fois à couvert, elle plongea dans l'ombre, folle de rage. Dire qu'elle pensait être débarrassée de sa sœur, ici !

Et pourquoi Cœur de Tigre voulait-il voir Nuage de Colombe ? Est-ce qu'il avait un faible pour elle ?

Elle renifla avec mépris. *Il perd son temps.* Nuage de Colombe ne fricoterait jamais avec un guerrier d'un autre Clan. Elle appréciait bien trop les compliments de Pelage de Lion pour se risquer à enfreindre le code du guerrier.

Nuage de Lis filait entre les arbres en grognant. Elle vit trop tard la chatte au poil roux et blanc épais qui se tenait devant elle et elle lui rentra dedans. Dès qu'elle eut recouvré son équilibre, elle se tourna vivement vers celle qui s'était mise en travers de son chemin.

« Tu ne pouvais pas t'écarter !? » feula-t-elle.

Aussitôt, la guerrière lui sauta dessus et la cloua au sol, les pattes sur sa gorge. Terrifiée, Nuage de Lis tentait de respirer. Elle s'immobilisa quand l'autre se pencha sur elle et lui souffla son haleine putride au museau :

« Respecte un peu tes aînés, apprentie ! » Elle sortit les griffes et la novice les sentit s'enfoncer dans sa peau. « Crois-moi, il vaut mieux éviter de mourir dans un endroit pareil. Après, il n'y a plus rien. Que les ténèbres. »

Nuage de Lis vit du coin de l'œil un matou tacheté s'approcher.

« C'est bon, Ombre d'Érable. » La jeune chatte poussa un soupir de soulagement : c'était la voix de Plume de Faucon. « Lâche-la. »

Son ton était un peu menaçant. Ombre d'Érable relâcha son étreinte.

Nuage de Lis inspira une grande goulée d'air et fut secouée par une quinte de toux. Elle se releva tant bien que mal sans cesser de tousser, elle tremblait comme une feuille.

« Reprends-toi », lui ordonna Plume de Faucon.

Ombre d'Érable fouetta l'air avec sa queue.

« Essaie un peu de contrôler tes visiteurs. » Elle leur tourna le dos et s'éloigna en marmonnant : « Je préférais quand cet endroit ne grouillait pas de cervelles de souris.

— Désolée, miaula Nuage de Lis en levant la tête vers Plume de Faucon.

— Ne fais pas attention à elle, répondit-il sèchement. Elle est ici depuis longtemps, mais ce ne sera bientôt plus le cas. »

Nerveuse, la jeune chatte jeta un coup d'œil furtif vers la guerrière. Les ombres semblaient l'engloutir et la novice s'aperçut qu'elle distinguait les arbres à travers le pelage roux et blanc. Elle frémit.

« Est-ce que tous les guerriers disparaissent peu à peu, comme ça ?

— Au bout du compte, oui, gronda Plume de Faucon. S'ils survivent ici assez longtemps. »

Lorsqu'il se mit en route, Nuage de Lis eut un instant d'hésitation ; elle ne voulait jamais disparaître comme ça. Elle s'ébroua puis s'élança à la suite du guerrier.

« Ça va ? lui demanda-t-il comme elle le rejoignait en claudiquant.

— Oui, ce n'est rien.

— Si tu n'es pas en forme pour l'entraînement, rentre chez toi », dit-il alors qu'il sautait par-dessus un petit ravin.

Elle franchit l'obstacle après lui et serra les dents lorsque sa patte toucha le sol.

« Tu devrais t'estimer heureux que je sois là, répondit-elle. Œil de Geai est au courant. » Les mots lui avaient échappé. Elle n'avait pas eu l'intention de le lui dire mais la vérité était trop lourde à porter.

« Au courant de quoi ?

— Que je viens ici. C'est Nuage de Colombe qui me l'a dit.

— Alors elle aussi le sait. » Il se tut un instant et reprit : « Et donc ? »

Que veut-il que je lui dise de plus ?

« Et... rien. »

Plume de Faucon acquiesça et poursuivit sous les arbres.

« Après tout, je ne fais rien de mal, pas vrai ? lança-t-elle en pressant le pas pour suivre l'allure du matou. Ils devraient tous les deux me féliciter pour mes entraînements supplémentaires. Les guerriers du Clan du Tonnerre n'accordent guère d'importance à l'art martial. J'ai passé ma journée à construire des tanières.

— Non, tu ne fais rien de mal, lui assura-t-il. Ne crois-tu pas que je t'aurais prévenue ? »

Il la conduisit vers une clairière où se dressait un rocher gris et noir qui ressemblait au dos voûté d'un vieux blaireau. Des félins entouraient la pierre, parmi lesquels Pelage de Fourmi et Cœur de Tigre. Ce dernier la salua d'un signe de tête qu'elle ignora. Elle préférait chercher d'autres connaissances. Elle n'avait jamais vu autant de monde dans la Forêt Sombre. Elle reconnut le poil gris sombre et lustré d'Écaille d'Anguille, une guerrière de la Rivière, et plus loin, Pelage de Brume faisait les cent pas devant un pin foudroyé.

Nuage de Lis s'arrêta près d'un petit chat blanc. Elle frémit en voyant la longue cicatrice qui courait sur son ventre, se tordait sur son épaule et remontait jusqu'à la pointe de son oreille tel un serpent rose et dodu.

Plume de Faucon fit les présentations.

« Lui, c'est Patte de Neige. »

Nuage de Lis hocha timidement la tête et s'efforça de ne pas regarder l'estafilade.

« Lui, Queue de Rat, et elle, Œil de Moineau », poursuivit Plume de Faucon en lui désignant un matou au pelage tigré couvert de balafres et une femelle à la fourrure pommelée et dont le museau semblait avoir été ravagé par un chien.

La novice sortit les griffes et releva le menton. Elle ne voulait pas montrer à ses nouveaux camarades à quel point elle était nerveuse.

« Griffes d'Épine ! »

L'appel de Plume de Faucon la fit sursauter. Elle avait entendu des histoires de pouponnière à propos de Griffes d'Épine. Il avait été le mentor d'Étoile du Tigre et on disait même que c'était lui qui avait transmis sa cruauté à l'ennemi juré d'Étoile de Feu. Elle tourna la tête et vit un matou imposant s'avancer dans la clairière. Son museau blanc portait des taches grises irrégulières. Les muscles de ses épaules roulaient à chacun de ses pas, et sa longue queue grise fouettait l'air.

« Bonsoir, Plume de Faucon. » Il braqua son regard vert sur son allié de la Forêt Sombre. « Nous ne sommes pas nombreux, ce soir.

— Il n'y a que les meilleurs », répondit Plume de Faucon.

Griffes d'Épine fit lentement le tour du rocher. Nuage de Lis retenait son souffle. Quel entraînement leur réservait-il ? Elle fit basculer son poids pour soulager sa patte endolorie et pria pour qu'elle tienne le coup.

« Toi, lança Griffes d'Épine à Queue de Rat. Grimpe sur le rocher. »

Ce dernier obéit aussitôt et se retrouva perché sur le roc lisse.

« Je veux que vous travailliez ensemble, poursuivit Griffes d'Épine en s'adressant aux autres guerriers présents. Vous devez le faire tomber du roc sans le laisser vous toucher la tête. » Il leva les yeux vers Queue de Rat. « Tu as compris ? »

Ce dernier opina. Griffes d'Épine recula et donna le signal du départ.

Œil de Moineau fut la première à tenter sa chance. Elle était petite mais puissante et elle réussit à déséquilibrer un instant le matou en le frappant au museau de toutes ses forces. Nuage de Lis sentit ses poils se hérisser lorsqu'elle vit le sang couler sur la joue du guerrier. Ils étaient censés s'entraîner en sortant les griffes ? Alors qu'elle se préparait à sauter à son tour, elle fut bousculée par Pelage de Fourmi, décidé à attaquer avant elle.

« J'ai dit que vous deviez coopérer ! » hurla Griffes d'Épine. Il frappa Pelage de Fourmi à l'oreille.

Des gouttes de sang chaud éclaboussèrent Nuage de Lis, qui évita de regarder son voisin, peu désireuse de savoir quelle avait été sa punition. Elle contourna le rocher et se plaça près de Cœur de Tigre. Campé sur ses pattes arrière, celui-ci enchaînait coups et esquives face à Queue de Rat. Nuage de Lis se dressa à son tour pour l'imiter.

Le matou sur le roc se défendait avec frénésie contre les guerriers qui l'assaillaient de toute part. Nuage de Lis para de justesse lorsqu'il voulut la frapper et, comme il se tournait pour couvrir ses arrières, elle bondit et le percuta de ses deux pattes avant, ravie de le voir chanceler.

Je l'ai eu !

Mais le chat fit volte-face en feulant, les crocs découverts. Elle recula d'un bond lorsqu'il essaya de lui griffer les yeux. Il la rata de si peu qu'elle sentit ses cils frémir.

Il aurait pu me rendre aveugle ! pensa-t-elle, horrifiée. Elle retomba sur ses quatre membres en tremblant. Queue de Rat écarquilla soudain les yeux et tomba sur le ventre. Œil de Moineau l'avait fauché et s'efforçait de le tirer vers le bord du roc, les crocs plongés dans la chair du matou. Queue de Rat poussa un cri de douleur. Ses griffes crissaient sur la roche.

« Non ! » rugit Griffes d'Épine en donnant à Œil de Moineau une tape si brutale que celle-ci s'écroula dans l'herbe.

Nuage de Lis retint son souffle. *Elle ne bouge plus !*

Le guerrier blanc et gris balaya du regard le groupe de chats effrayés.

« Je vous ai dit de le frapper, fit-il d'une voix terriblement mielleuse. Pas de le traîner. » Il lança un
regard à Œil de Moineau, qui redressa un peu la tête.
« Tu as triché, cracha-t-il.

— Désolée », articula-t-elle avec peine.

Griffes d'Épine lui tourna lentement autour puis
planta sa patte dans son flanc.

« Lève-toi, ordonna-t-il. C'est à ton tour. » Il la
regarda se relever et se hisser tant bien que mal sur
la pierre. « Et, cette fois, pas de triche. »

CHAPITRE 8
❧

PLUME DE FLAMME ÉTAIT ÉPUISÉ.

Il s'était traîné jusqu'à la barrière végétale en haut du chemin de pierre et descendait à présent le sentier semé d'empreintes de chats qui menait à la Source de Lune. Fourbu après sa nuit blanche, il s'écroula près du bassin tel un guerrier vaincu, les coussinets gelés, à vif.

Les parois givrées de la combe scintillaient. La bise faisait onduler la surface claire où se miraient les étoiles. Les yeux clos, le guérisseur posa le menton sur ses pattes et lapa l'eau glaciale. Aussitôt, un mur de flammes s'éleva autour de lui. Le givre sur la roche fondit en grésillant dès que le feu le toucha.

Le guérisseur se leva d'un bond et se tourna de tous côtés. L'incendie lui barrait la route. Le cœur serré, les oreilles rabattues, il recula d'un pas. *Que le Clan des Étoiles me vienne en aide !* En désespoir de cause, il courut aveuglément vers la source.

« Non, imbécile ! »

Ce miaulement l'arrêta net. Une forme féline se découpait sur le mur de flammes.

« Qui es-tu ? »

Lorsque l'inconnu s'approcha, Plume de Flamme vit qu'il s'agissait d'un mâle au pelage gris tigré. Il ne l'avait jamais vu, mais son odeur évoquait les pins du Clan de l'Ombre.

« Ne t'approche pas de l'eau, gronda le guerrier gris.

— N'aie pas peur. Patte Claire voulait juste t'aider. »

Une chatte venait d'apparaître. Les flammes projetaient des ombres dansantes sur son pelage couleur de neige. Plume de Flamme reconnut Moustache de Sauge, l'ancienne guérisseuse du Clan de l'Ombre.

Les deux membres du Clan des Étoiles l'observaient.

« Vous ne voyez pas les flammes ? gémit-il.

— Regarde autour de toi », murmura Moustache de Sauge.

Plume de Flamme obéit. Et hoqueta de stupeur.

Des guerriers au poil couvert de poussière d'étoiles étaient perchés sur le moindre surplomb, la moindre corniche de la combe. Le feu ne les touchait pas, il faisait seulement scintiller leur fourrure. Le guérisseur leva la truffe, la gueule entrouverte. Le froid lui mordit la langue. Et la bise nocturne l'enveloppait toujours ; l'incendie n'était qu'une vision. Il flamboyait en silence autour de lui et baignait d'une lumière froide la Source de Lune.

Rasséréné, il inspira longuement pour se calmer. Il promena son regard sur ses ancêtres et repéra Rhume des Foins, Étoile Noire, Fleur de Fougère. Son cœur bondit dans sa poitrine lorsqu'il aperçut Feuille Rousse. Elle paraissait plus jeune et plus forte, comme elle devait l'être avant qu'il naisse. Son pelage roux sombre était luisant et sa queue, enroulée autour de ses pattes. La lumière des flammes se reflétait dans ses prunelles noires et fixes.

« Qui vois-tu ? lui demanda Moustache de Sauge.

— Rhume des Foins, Fleur de Fougère... », récitat-t-il. *Pourquoi me poser cette question ? Elle voit bien ceux qui sont là.* « Feuille Rousse, Plume de Corbeau... » Il en reconnaissait de plus en plus. « Croc de Pierre, Cœur de Renarde... » Des guerriers du Clan de l'Ombre morts depuis longtemps, qu'il avait déjà rencontrés à la Source de Lune. « Il n'y a que nos ancêtres. »

Pourquoi Moustache de Sauge le fixait-elle si intensément ?

« Qui d'autre ?

— Fleur de Houx, Croc de Silex... Tous nos ancêtres », répéta-t-il. Ses poils se dressèrent soudain sur son échine. Il n'y avait que d'anciens membres du Clan de l'Ombre. « Est-ce que le Clan de l'Ombre va périr dans un incendie ? s'alarma-t-il. Est-ce là votre message ?

— Non. Notre message n'est pas si simple, j'en ai bien peur.

— Où sont les autres membres du Clan des Étoiles ? s'enquit-il, mal à l'aise.

— Avec leurs propres Clans.

— Mais, dans la mort, vous ne formez tous qu'un seul et même Clan, répondit-il, perplexe. Les frontières disparaissent. »

Un guerrier massif au sombre pelage tigré surgit d'entre les flammes et sauta sur une pierre plate. C'était Étoile Grise, le noble chef du Clan de l'Ombre.

« Naguère, il n'y avait pas de frontières au sein du Clan des Étoiles, confirma-t-il de sa voix grave. Mais les temps ont changé.

— Ah bon ? Et pourquoi ?

— La bataille qui nous a opposés au Clan du Tonnerre était injuste. Les ancêtres du Clan du Tonnerre n'ont rien fait pour l'éviter. Feuille Rousse a perdu la vie. »

Il adressa un signe de tête respectueux à l'ancien lieutenant du Clan de l'Ombre.

« Quelque chose d'horrible va se produire, lança Moustache de Sauge, les yeux brillants. On ne peut se fier à aucun autre Clan. Chacun devra œuvrer seul pour survivre.

— Mais qu'est-ce qui va se passer, exactement ? feula Plume de Flamme, le poil hérissé.

— La traîtrise d'un autre Clan ne nous fera pas sombrer, répondit Moustache de Sauge en s'approchant de lui.

— Vous ne pouvez pas me dire ce qui va se produire ? » insista-t-il.

Comme la chatte blanche secouait la tête, Plume de Flamme se tourna vers Étoile Grise.

« Qu'est-ce qui nous attend ? » demanda-t-il d'un ton suppliant.

L'ancien meneur jeta un coup d'œil désespéré à la guérisseuse.

« Pourquoi on ne le lui dirait pas ?

— À qui se fierait-il, s'il connaissait la vérité ? gronda la guérisseuse. La méfiance paralyserait le Clan tout entier.

— Cela nous dépasse largement, admit le matou, les yeux baissés.

— Qu'est-ce qui peut bien vous dépasser ? s'indigna Plume de Flamme. Vous êtes le Clan des Étoiles !

116

— Nous vous guidons, miaula Moustache de Sauge. Nous vous conseillons. En revanche, nous ne pouvons pas empêcher ce qui doit advenir.

— Dans ce cas que pouvez-vous me dire ? »

Du bout du museau, Étoile Grise lui montra le mur de flammes.

«Tu dois briller aussi vivement que cet incendie pour protéger ton Clan. La survie est plus importante que le code des guérisseurs. Tu dois oublier le serment d'entraide que tu as prêté devant tes condisciples et ne te dévouer qu'à ton Clan. À partir de maintenant, le Clan de l'Ombre n'a plus aucun allié. N'oublie jamais cela : la guerre approche, et tes ancêtres se tiendront à tes côtés. Personne d'autre. »

La guerre approche. Le feu commença à se dissiper et, avec lui, les guerriers de jadis. *Tu dois briller aussi vivement que cet incendie pour protéger ton Clan.*

Plume de Flamme rouvrit les yeux en frémissant. Il était étendu près de la Source de Lune, dans l'obscurité. Le silence régnait, mis à part le murmure de la brise sur l'eau. Le parfum du Clan de l'Ombre l'enveloppait encore.

Je m'en souviendrai, promit-il. *Je protégerai mon Clan, quel qu'en soit le prix.*

CHAPITRE 9

❧

Nuage de Colombe se réveilla en sursaut. Les parois de la tanière frémissaient autour d'elle et elle se crispa en sentant un courant d'air glacé. Sans Poil de Bourdon et Pluie de Pétales, il y faisait plus froid que jamais. Elle dressa les oreilles : Nuage de Lis gémissait dans son sommeil.

Qu'est-ce qui se passe ?

« Réveille-toi ! » miaula-t-elle en la secouant du bout de la patte.

Et si les guerriers de la Forêt Sombre étaient en train de lui faire du mal ?

Au même instant, Aile Blanche glissa la tête entre les fougères.

« Tout va bien, par ici ? s'inquiéta-t-elle.

— Oui, Nuage de Lis fait un cauchemar, répondit Nuage de Colombe. J'essaie de la réveiller...

— Ça tombe bien, Griffe de Ronce organise les patrouilles de l'aube. »

Elle ressortit la tête de la tanière et les fougères se refermèrent derrière elle.

« Debout ! reprit Nuage de Colombe en secouant sa sœur avec ses deux pattes avant.

— Qu...quoi ? » fit Nuage de Lis en cillant.

Nuage de Colombe remarqua que sa sœur avait un œil enflé.

« Tu es blessée !

— Ce n'est rien, grommela l'autre.

— C'est arrivé dans ton rêve ? Tu es retournée te battre dans le Lieu sans Étoiles, pas vrai ?

— Tais-toi ! feula sa sœur en collant son museau au sien.

— Tu ne dois pas aller là-bas ! insista Nuage de Colombe.

— Arrête de mettre ta truffe dans mes affaires, cracha Nuage de Lis en fonçant dans les fougères.

— Pourquoi refuses-tu de voir à quel point c'est dangereux ? »

Mais Nuage de Lis était déjà sortie.

Aidez-la, guerriers de jadis ! Aidez-la à comprendre qu'elle se trompe. Et protégez-la. Nuage de Colombe ferma les yeux. *Pitié, Clan des Étoiles...* Elle inspira un grand coup pour se donner du courage et sortit à son tour.

Plume de Noisette, Poil de Fougère et Œil de Crapaud patientaient autour de Griffe de Ronce. Poil de Bourdon et Pluie de Pétales étaient juste derrière eux. Flocon de Neige et Cœur Blanc allaient et venaient près du groupe tandis que Tempête de Sable et Cœur d'Épines attendaient à l'écart.

Du seuil de la tanière des apprentis, Nuage de Colombe ne voyait que les oreilles de son lieutenant.

« Pelage de Poussière ! appela celui-ci. Tempête de Sable et toi, vous irez voir si le Clan de l'Ombre a marqué la nouvelle frontière. » Il se tourna vers Flocon de Neige et poursuivit : «Toi, tu iras chasser avec Pluie de Pétales et Poil de Bourdon.» Du museau, il désigna Poil de Fougère et ajouta : «Toi, tu partiras avec Plume de Noisette et Œil de Crapaud, pour chasser aussi. Je veux qu'on ait rempli un autre creux à gibier avant le crépuscule.»

Où est Nuage de Lis ? Nuage de Colombe chercha sa sœur du regard mais ne la trouva nulle part dans le camp. En revanche, elle aperçut Pelage de Lion à l'autre bout de la clairière, en grande conversation avec Poil d'Écureuil et Patte d'Araignée. Ils murmuraient, leurs têtes collées l'une contre l'autre. Nuage de Colombe se concentra pour épier leur échange.

« Les empreintes étaient de quelle taille ? demanda Pelage de Lion, inquiet.

— Trop grandes, lui apprit Patte d'Araignée. Un renard, sans doute.

— Ce n'est pas la première fois qu'il utilise ce sentier, ajouta Poil d'Écureuil.

— Sa tanière n'est pas loin, conclut le guerrier doré.

— Nous allons devoir le traquer, et le chasser de notre territoire, déclara Poil d'Écureuil.

— Nous ferions peut-être mieux d'attendre, temporisa Pelage de Lion. La forêt est inhospitalière pendant la mauvaise saison. Il partira peut-être de lui-même. Les renards préfèrent la chair à corbeau au gibier frais, quand la chasse devient difficile.» Il leva soudain la tête et lança à Nuage de Colombe : «Joins-toi à la patrouille de Poil de Fougère !»

Nuage de Colombe se tortilla, gênée qu'il ait deviné son indiscrétion.

« Et l'entraînement ?

— Ça peut attendre. »

Sur ces mots, il reporta son attention vers Patte d'Araignée.

Œil de Crapaud et Plume de Noisette s'engouffraient déjà dans le tunnel, derrière Poil de Fougère. Nuage de Colombe s'élança à toute vitesse pour les rejoindre.

« Pelage de Lion m'a demandé de vous accompagner, expliqua-t-elle au chef de la patrouille.

— Tant mieux, miaula Poil de Fougère avant de lever la truffe. Plus on est de chasseurs, plus on rapportera de gibier. La chasse sera difficile, aujourd'hui. Il fait trop froid pour sentir quoi que ce soit.

— Et ton pelage brun doré va ressortir aussi nettement que celui d'un renard au milieu de la neige », déclara Plume de Noisette en lui tournant autour.

Les feuilles gelées craquaient sous les pattes de la guerrière.

« Tu ferais mieux de passer devant, dans ce cas », ronchonna-t-il.

Plume de Noisette s'engagea donc la première dans la montée, son pelage clair à peine visible au milieu des broussailles blanchies par le givre. Nuage de Colombe fermait la marche, les oreilles aux aguets pour repérer Nuage de Lis.

« Attendez ! » lança Plume de Noisette qui marquait une pause en haut de la pente.

Elle se tapit, le regard braqué droit devant elle. Un merle sautillait sur le sol. Nuage de Colombe retint son souffle, tandis que Poil de Fougère et Œil de Crapaud s'étaient immobilisés tels des chats de pierre. Plume de Noisette commença à ramper.

Crac ! Une brindille venait de se briser sous la patte de Nuage de Colombe. L'oiseau s'envola aussitôt.

« Désolée ! lança la novice en rentrant la tête dans les épaules.

— Les brindilles sont plus cassantes par temps froid, répondit Poil de Fougère.

— On ferait peut-être mieux de se séparer, suggéra Plume de Noisette.

— Qu'en penses-tu ? demanda Poil de Fougère à Œil de Crapaud.

— Bonne idée, répondit le matou noir et blanc. Comme ça, si nous rentrons bredouilles, nous ne pourrons nous en prendre qu'à nous-mêmes.

— Bon, on se sépare, reprit Poil de Fougère. Est-ce que ça gêne quelqu'un si je prends le bord du lac ? »

Nuage de Colombe fit non de la tête. Elle préférait rester à l'abri des arbres.

« Je vais voir près du ruisseau, miaula-t-elle.

— On se revoit au camp, lança Plume de Noisette qui se remit en route.

— Je vais tenter ma chance vers la lande, annonça Œil de Crapaud. Je trouverai peut-être un lapin égaré.

— Tu vas t'en tirer, toute seule ? demanda Poil de Fougère à Nuage de Colombe.

— Oui. Je réviserai mon approche silencieuse. »

Le guerrier brun doré disparut au sommet de la pente et Nuage de Colombe s'enfonça plus profondément dans la forêt. Tous ses sens en éveil, elle traquait la moindre trace de Nuage de Lis. Elle se ravisa. Sa sœur lui avait déjà dit de ne pas mettre sa truffe dans ses affaires. D'ailleurs, pourquoi l'espionner alors qu'elle était éveillée ? C'était pendant son sommeil qu'elle avait besoin qu'on la protège.

Nuage de Colombe avança entre les troncs jusqu'à ce qu'elle entende le murmure de l'eau, droit devant. Elle s'approcha du bord d'un ruisseau et se pencha pour boire. De la glace se brisa sous ses pattes et elle recula, surprise. Le cours d'eau, peu profond, avait commencé à geler sur les bords. De l'autre côté, il y avait une petite plage de sable où elle serait plus à l'aise. Elle franchit donc le ru et but longuement. Le menton dégoulinant, elle releva la truffe pour humer l'air. Nul fumet chaud de gibier, rien que le parfum glacial de la neige à venir. Oui, il neigerait bientôt. Nuage de Colombe dressa les oreilles, déroutée par le silence.

Le cri strident d'un étourneau résonna dans la forêt.

Une proie !

Tout excitée, Nuage de Colombe se dirigea vers le cri, aussi silencieusement que possible. L'oiseau chanta de nouveau, plus proche. L'apprentie sortit les griffes et scruta les branches au-dessus de sa tête. Elle grimperait aux arbres s'il le fallait.

Un frémissement dans les fougères derrière elle la fit se retourner. Un étourneau dans les frondes ? *Bizarre.* Elle sauta dans les fourrés avec impatience.

« Hé ! »

Ce miaulement de surprise lui hérissa le poil. Au même instant, ses griffes se refermèrent sur de la fourrure et non des plumes. Ce n'était pas un étourneau. Méfiante, elle sortit des fougères à reculons.

« Qui est-ce ? » miaula-t-elle, apeurée, avant d'avoir identifié l'odeur de l'inconnu.

Le Clan de l'Ombre !

L'âcre puanteur la suffoqua et elle se crispa, prête à se battre. Qu'est-ce qu'un guerrier rival faisait sur le territoire du Clan du Tonnerre ? Les frondes frémirent de nouveau et Cœur de Tigre en jaillit.

Nuage de Colombe le dévisagea, stupéfaite.

« Comment oses-tu venir ici ? le défia-t-elle en ignorant le petit frisson de plaisir qui descendait le long de son échine.

— Tu peux parler ! rétorqua le jeune matou, les yeux ronds. Qu'est-ce que *toi* tu fais sur le territoire du Clan de l'Ombre ?

— Du Clan de l'Ombre ? répéta-t-elle. Mais tu es chez nous ! »

Elle jeta un coup d'œil autour d'elle. Là, les pins se mêlaient aux chênes et aux frênes. Elle huma l'air. Les odeurs des Clans du Tonnerre et de l'Ombre se mélangeaient. Où était la frontière ? Elle releva la truffe.

Là ! La frontière était derrière Cœur de Tigre.

Il pivota et fixa la zone de marquage, comme s'il était tout aussi surpris qu'elle de la découvrir derrière lui.

« Désolé ! balbutia-t-il, navré. Le froid atténue les odeurs. Je ne sens rien d'autre que le gel.

— Je vois ce que tu veux dire ! ronronna-t-elle. Je n'ai pas flairé une seule proie de toute la matinée.

— Tu me rassures. » Il jeta de nouveau un coup d'œil en arrière. « Tu ne vas pas me chasser, si ? gloussa-t-il.

— Oh, non ! C'était déjà difficile de devoir t'affronter pendant la bataille... » Elle eut soudain chaud aux oreilles lorsqu'il la dévisagea de son regard ambré. « Enfin... je sais qu'on était censés se battre... »

Incapable de finir sa phrase, elle se contenta de le regarder.

« Les frontières font plus de mal que de bien, marmonna-t-il.

— Quoi ? »

Elle n'arrivait pas à en croire ses oreilles. Pourtant, il avait raison. Sans les frontières, ils pourraient se retrouver quand ils le voudraient. Cette idée lui serra le cœur.

Cœur de Tigre s'éclaircit la gorge et reprit :

« Bien sûr, les frontières sont les frontières, il faut les respecter...

— Même quand on ne les repère pas », plaisanta Nuage de Colombe.

Pourquoi l'observait-il comme ça ?

Des bruits de pas martelèrent le sol, non loin.

« Une patrouille ! » le mit-elle en garde.

Cœur de Tigre avait dressé les oreilles.

« Rentre de ton côté, lui dit-elle. Je vais les retarder. » Voyant qu'il hésitait, elle insista : « Vite ! »

Les pas se rapprochaient. Cœur de Tigre fila vers la frontière et se retourna.

« Je veux te revoir !

— Hein ? Quand ça ?

— Ici ! Ce soir. D'accord ?

— D-d'accord. »

Nuage de Colombe n'arrivait pas à croire qu'elle ait accepté. Elle tourna les talons et fonça vers la patrouille.

Les fourrures de Pelage de Lion, Patte d'Araignée et Poil d'Écureuil se détachaient nettement dans les sous-bois clairs. Nuage de Colombe fonça à leur rencontre, les obligeant à suspendre leur course.

« Qu'est-ce que tu fais là ? l'interrogea Pelage de Lion en dérapant sur le givre.

— Je chasse, répondit-elle en toute innocence.

— Et qu'est-ce que tu as pris ? demandèrent Poil d'Écureuil et Patte d'Araignée à leur tour.

— Rien, pour le moment.

— Où est Poil de Fougère ? s'enquit Pelage de Lion.

— Près du lac. Nous nous sommes séparés. »

Pelage de Lion griffa les feuilles mortes.

« Les proies se terrent dans leurs tanières pour échapper à ce froid. Tu n'arriveras à rien, ici, toute seule. Autant que tu rentres au camp et que tu aides à reconstruire la tanière des guerriers.

— Poil de Fougère ne va pas s'inquiéter ? » répondit-elle.

Elle ne voulait pas rentrer dans la combe rocheuse. Elle voulait rester dans les bois et songer au regard ambré de Cœur de Tigre.

« Nous irons le prévenir. Une fois que nous aurons pisté ce renard.

— Il est passé par ici ? s'inquiéta Nuage de Colombe en regardant alentour.

— Tu ne le sens pas ? » s'étonna Poil d'Écureuil.

Nuage de Colombe leva la truffe et tous ses poils se hérissèrent. Comment avait-elle pu rater une puanteur pareille ? La forêt empestait le prédateur...

« Je... je guettais le gibier, pas le renard, balbutia-t-elle.

— Retourne au camp », répéta Pelage de Lion, les yeux plissés.

Nuage de Colombe hocha la tête, soulagée de ne pas devoir trouver une autre excuse. Alors qu'elle s'éloignait ventre à terre, Poil d'Écureuil lança :

« Reste sur tes gardes !

— Promis ! » dit-elle.

Dans l'intervalle, Cœur de Tigre avait sans doute eu le temps de déguerpir. Dire qu'elle allait le revoir ! Elle repensa à son épais pelage et à son beau regard ambré, et dévala la pente vers le camp ; l'émotion lui donnait des ailes. Son cœur battait la chamade lorsqu'elle pénétra dans la clairière.

Elle s'arrêta brusquement. Devant la pouponnière, Chipie et Pavot Gelé étaient penchées en avant, les oreilles dressées. Poil de Souris avait sorti le museau de la tanière des anciens. Près de la réserve de gibier, Truffe de Sureau tenait un moineau dans la gueule, figé sur place. Feuille de Lune, qui travaillait toujours dans le repaire des guerriers, laissa échapper des feuilles mortes de ses pattes.

Toutes les têtes étaient tournées vers Millie et Œil de Geai. Les deux félins se faisaient face au milieu du camp.

« Tu es trop exigeant avec elle ! feula la guerrière.

— Elle a besoin de se dépenser ! contra le guérisseur.

— Mais elle est épuisée !

— C'est mieux que de la laisser suffoquer dans son nid.

— Tu en es bien sûr ? insista la chatte, toute tremblante.

— Tu veux qu'elle meure ? s'étrangla Œil de Geai.

— Je veux qu'elle soit en bonne santé ! Je veux qu'elle coure dans la forêt. Qu'elle chasse et qu'elle se batte. Je veux qu'elle connaisse les joies d'une guerrière !

— Ça n'arrivera jamais, miaula Œil de Geai avec douceur.

— Alors quel est l'intérêt ? s'énerva Millie.

— Le simple fait d'être en vie n'est-il pas une source de joie suffisante ? demanda le guérisseur en s'approchant de sa camarade bouleversée.

— Quelle joie ? cracha la chatte blanche, sceptique.

— Je refuse de l'abandonner à son sort, déclara Œil de Geai, tête haute.

— Tout ce que tu fais, c'est prolonger sa souffrance.

— Elle ne souffre pas, intervint Feuille de Lune, qui s'était approchée d'eux. Œil de Geai s'en assure.

— Mais son état ne s'améliore pas, répliqua la mère anxieuse.

— Être guérisseur, c'est se reposer sur la foi autant que sur les remèdes », répondit Feuille de Lune en caressant du bout de la queue le flanc de son fils.

Ce dernier s'écarta d'elle en miaulant :

« Je peux régler ça moi-même ! »

Mais Millie avait plaqué sa truffe contre le museau de l'ancienne guérisseuse.

« La foi ? crachait-elle. Si vos ancêtres sont si puissants, pourquoi ne la soignent-ils pas ? Si c'était arrivé dans mon ancien foyer, mes maisonniers l'auraient guérie !

— Millie…, murmura Plume Grise, qui revenait justement au camp. Tu le penses vraiment ?

— Je ne sais plus quoi penser, admit-elle d'une voix rauque. Tout ce que je vois c'est ma fille, brisée, impotente, pour qui chaque jour est un combat où la mort la traque tel un renard… »

Elle laissa son miaulement en suspens.

« Mais elle est en vie, murmura Plume Grise. Elle est là, avec nous.

— Oui, et elle doit regarder son frère et sa sœur vivre leur vie de guerriers, pendant qu'elle gémit, tousse et se traîne jusqu'à la réserve de gibier ! »

Le rideau de ronces qui couvrait l'entrée de la tanière d'Œil de Geai frémit. Les pattes de Belle Églantine apparurent entre les tiges piquantes et elle commença son déplacement laborieux. Un silence de mort s'abattit sur la combe. On n'entendait que le frottement du ventre de la blessée contre le sol. Elle tourna la tête vers sa mère.

« Je vais mieux, n'est-ce pas ? »

Millie se précipita vers elle et lui lécha ardemment la joue.

« Mais oui, ma chérie.

— Je ferai tous mes exercices, promit Belle Églantine.

— Je le sais, souffla Millie. Et je t'y aiderai.

— Ils me fatiguent, mais je n'ai pas mal. »

Nuage de Colombe sursauta quand Pavot Gelé lui murmura à l'oreille :

« Heureusement que Poil de Bourdon et Pluie de Pétales n'étaient pas là pour entendre ça. »

L'apprentie ferma les yeux et déploya ses sens jusqu'aux deux jeunes guerriers qui faisaient la course sur la berge du lac en ronronnant.

Ils avaient de la chance. En sécurité dans leur petit monde, ils ne pouvaient entendre ce qui se disait ailleurs.

Nuage de Colombe balaya le camp du regard. Feuille de Lune avait repris son travail sur la tanière. Truffe de Sureau avait emporté son moineau dans un coin et le dévorait à pleine gueule. Plume Grise se tenait seul au milieu de la clairière. Il avait commencé à neiger et les flocons minuscules se prenaient sur son pelage ardoise.

Nuage de Colombe se sentit soudain coupable. Elle, elle avait le cœur en fête. Ce soir, elle reverrait Cœur de Tigre.

CHAPITRE 10

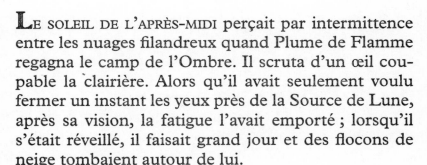

Le soleil de l'après-midi perçait par intermittence entre les nuages filandreux quand Plume de Flamme regagna le camp de l'Ombre. Il scruta d'un œil coupable la clairière. Alors qu'il avait seulement voulu fermer un instant les yeux près de la Source de Lune, après sa vision, la fatigue l'avait emporté ; lorsqu'il s'était réveillé, il faisait grand jour et des flocons de neige tombaient autour de lui.

Plume de Lierre faisait sa toilette devant la pouponnière. Elle releva la tête lorsque le guérisseur traversa la clairière. Il la salua et lui passa devant sans un mot. Il devait avant tout faire son rapport à son mentor puis à Étoile de Jais.

Lorsqu'il pénétra dans la tanière qu'il partageait avec Petit Orage, il fut soulagé de voir ce dernier sorti de son nid, en train de trier un tas de remèdes. Ils étaient si secs qu'ils s'émiettaient et cela faisait tousser le vieux matou.

« Nous aurons besoin de pousses fraîches avant que le gel ne brûle tout, miaula-t-il sans lever la tête.

— Tu devrais peut-être avaler un peu de ce pas-d'âne, suggéra Plume de Flamme. Cela soulagera ta toux.

— C'est la poussière qui me fait tousser.

— Comment te sens-tu ? » insista-t-il.

Le jeune guérisseur devinait que la fièvre était un peu tombée. Cependant les yeux de son mentor étaient toujours vitreux.

« Mieux, lui assura son aîné. Une bonne nuit de sommeil, voilà tout ce dont j'avais besoin. Que s'est-il passé, à la Source de Lune ? Tu y es resté longtemps.

— Je me suis endormi pour de bon, avoua-t-il, tête basse.

— Le trajet est long, jusque là-bas, et tu étais déjà épuisé.

— Mais j'aurais dû revenir aussitôt, après une pareille vision !

— Quoi ? s'alarma Petit Orage.

— Le Clan des Étoiles m'a prévenu qu'une période de troubles nous attendait.

— Quel genre de troubles ?

— Nos ancêtres n'ont pas été très clairs, mais c'est grave, répondit-il en frémissant. La combe était en feu. Étoile Grise m'a dit que la guerre était proche.

— La guerre ? reprit Petit Orage, les oreilles dressées. A-t-il ajouté autre chose ?

— Que nous devons oublier tous nos serments et veiller seuls sur notre Clan.

— Nos serments ?

— Ceux qui nous unissent aux autres guérisseurs.

— Mais cela n'est jamais arrivé !

— Le Clan des Étoiles est divisé, à présent, expliqua Plume de Flamme pour que son mentor le comprenne. Nous ne pouvons plus faire confiance à personne. Nous ne devons nous fier qu'à nous-mêmes et à nos propres ancêtres.

— Allons avertir Étoile de Jais », miaula Petit Orage en filant vers la sortie.

Dehors, Étoile de Jais avait rejoint Pelage Fauve au fin fond de la clairière. Bois de Chêne partait à la tête d'une patrouille comptant Oiseau de Neige et Dos Balafré. Corbeau Givré et Pelage Charbonneux attendaient les ordres, tandis que Museau Olive et Griffe de Chouette trépignaient.

Petit Orage croisa le regard de leur chef. Ce dernier hocha la tête et lança :

« Corbeau Givré !

— Oui ? fit le guerrier noir et blanc en se redressant.

— Finis d'organiser les dernières patrouilles de chasse. Je veux que la réserve de gibier soit remplie avant le coucher du soleil. Pelage Fauve, suis-moi. »

Les chasseurs impatients de partir se tournèrent vers Corbeau Givré tandis qu'Étoile de Jais se retirait dans sa tanière. Pelage Fauve suivit son chef, ainsi que Petit Orage. Plume de Flamme les rejoignit à l'intérieur.

Le regard du meneur, qui brûlait dans l'obscurité, se braqua sur le jeune guérisseur.

« Tu as eu une vision, à la Source de Lune ?

— Oui. La guerre est proche. Nos ancêtres sont divisés en quatre Clans, comme ici-bas. Nous devons briser tous nos serments d'entraide et veiller sur nous-mêmes.

— Mais nous n'avons prêté aucun serment à qui que ce soit, répondit Étoile de Jais, dérouté.

— Le code des guérisseurs va au-delà des frontières, lui rappela-t-il en observant Petit Orage. Jusqu'ici, les guérisseurs s'entraidaient.

— Tu es certain que telle est la signification de ton rêve ? » renifla ce dernier.

Plume de Flamme sentit ses poils se dresser sur ses épaules.

« Étoile Grise a été très clair.

— Nous ne pouvons pas tourner le dos aux autres guérisseurs pour autant, protesta Petit Orage. Pas après des lunes d'entraide. »

Plume de Flamme planta ses griffes dans le sol couvert d'aiguilles de pin mais il tint sa langue. Petit Orage refusait-il de comprendre ?

« Je pense que nous devons interpréter ce rêve avec prudence, poursuivit le vieux mâle. Le Clan des Étoiles nous a mis en garde contre des troubles à venir et nous devons nous y préparer. En revanche, pourquoi détruire des amitiés qui nous ont permis de traverser nos pires difficultés ? Il est trop tôt pour oublier le Grand Périple, et le rôle que les guérisseurs ont joué lorsque nous nous sommes installés ici. »

Étoile de Jais plissa les yeux.

« Je te fais confiance, Petit Orage. » Il adressa un signe de tête à Plume de Flamme avant d'ajouter : « Merci de t'être rendu à la Source de Lune et d'avoir rapporté cet avertissement. Nous ne sommes pas idiots au point de nous sacrifier pour un autre Clan. D'un autre côté, nous ne sommes pas non plus entêtés au point de refuser de l'aide si nous en avons besoin. »

Une quinte de toux reprit Petit Orage.

« Va te reposer », lui ordonna le meneur.

Le vieux chat sortit de la tanière.

« Merci encore, Plume de Flamme », conclut le chef en faisant claquer sa queue, signe qu'il le congédiait.

Contrarié, le jeune chat roux regagna la clairière ensoleillée.

«Toi aussi, tu devrais te reposer. »

Le miaulement de Pelage Fauve, qui l'avait suivi dehors, le fit sursauter.

«Tu dois être épuisé, poursuivit son père. Qu'est-ce qui ne va pas ? »

Plume de Flamme détourna le regard.

«Tu avais autre chose à dire, n'est-ce pas ?

— Je sais ce que j'ai vu à la Source de Lune, gronda Plume de Flamme. J'ai transmis le message que l'on m'avait confié. Petit Orage est trop attaché au Clan du Tonnerre.

— Il est guérisseur depuis bien plus longtemps que toi, lui rappela le lieutenant. Pas étonnant qu'il se soit fait des amis dans les autres Clans.

— Cela trouble son jugement. La guerre arrive. Tu as entendu ce que j'ai dit ? Étoile Grise a été formel sur l'attitude que nous devions adopter. Pourquoi Petit Orage et Étoile de Jais refusent-ils d'admettre qu'aucun autre Clan ne nous aidera si notre survie est en jeu ?

— Ne sous-estime pas Étoile de Jais, lui conseilla Pelage Fauve. Ce n'est pas une cervelle de souris.

— Il ne m'a pas écouté ! s'emporta le jeune chat. Il se fie davantage à Petit Orage, alors que ce dernier est trop proche de ses amis guérisseurs.

— Ne t'inquiète pas, voulut le rassurer Pelage Fauve en lui caressant le dos du bout de la queue. Le Clan de l'Ombre s'est toujours débrouillé seul.

— Les guerriers, peut-être, répondit-il en esquivant la caresse de son père. Mais les guérisseurs, jamais. Il se passe quelque chose au sein même du Clan des Étoiles. » Une détermination nouvelle irrigua ses muscles fourbus. « Tous les Clans en seront affectés. Cette fois-ci, nous ne pouvons compter sur personne d'autre que nous-mêmes. »

CHAPITRE 11

NUAGE DE COLOMBE se dandinait sur place. Il faisait trop froid pour rester immobile. Une fine couche de neige poudrait le sol. Le ciel s'était dégagé et les étoiles scintillaient au-dessus de la forêt. Transie jusqu'aux os, la novice reprit ses allées et venues le long de la frontière, les oreilles dressées. Est-ce que Cœur de Tigre arrivait ? Elle projeta son esprit entre les arbres, au-delà des hêtres, jusqu'au camp du Clan de l'Ombre.

« Pousse-toi, Nuage de Pin ! Tu écrases mon nid. »

« Avale quelques baies de genièvre avant de dormir, Petit Orage. Pour te dégager les bronches. »

Elle percevait d'autres bruits venus de plus loin ; elle déploya encore ses sens.

« Aile d'Hirondelle ! »

Les bourrasques qui balayaient la lande emportaient au loin les voix des guerriers du Vent.

« Où est Aile Rousse ?

— Elle dort dans la tanière d'Étoile Solitaire, cette nuit. »

Au bord du camp de la Rivière, des vaguelettes léchaient la rive.

« Feuille de Saule ? appela Papillon. Tu as bien changé la litière de Patte de Grenouille ? »

Un aboiement furieux lui parvint ensuite du territoire des chevaux. Nuage de Colombe songea au renard et elle recentra ses perceptions autour d'elle, au cas où l'air glacé aurait une fois de plus trompé son odorat.

Des pas crissèrent sur la neige, à quelques longueurs de queue d'elle. Nuage de Colombe se raidit, releva la tête pour scruter la pinède. Les pas s'accéléraient. La novice se tapit en entendant des griffes frôler le sol.

« Nuage de Colombe ? »

Cœur de Tigre !

« Tu m'as fait peur !

— Je pensais que tu m'entendrais arriver, ronronna-t-il. Tu as l'ouïe la plus fine que je connaisse. »

Trop fine. Elle était à l'affût de tant de sons qu'elle avait raté celui qu'elle attendait.

« Nuage de Colombe ? miaula-t-il, ses yeux luisant dans la pénombre.

— Désolée ! »

Elle refusait de laisser ses pouvoirs la distraire de Cœur de Tigre. Il ne devait pas la voir comme autre chose qu'une chatte ordinaire.

Le guerrier frotta doucement son museau contre l'épaule de l'apprentie.

« Arrête de t'excuser. »

Le croissant de lune ressemblait à une griffe perdue au milieu du ciel noir. Le pelage de Cœur de Tigre brillait et Nuage de Colombe sentit son cœur chavirer.

« Viens, lui dit-il.

— Où va-t-on ?

— Je connais un endroit où personne ne nous trouvera. »

La novice se hâta de le suivre. Longeant la frontière du Clan de l'Ombre, il s'éloignait du lac. Le terrain montait en pente douce et les arbres s'espaçaient de plus en plus. Il alla si loin qu'elle finit par manquer de souffle.

« Tu vas adorer cet endroit, lui lança-t-il. Personne ne le connaît sauf Plume de Flamme et moi. »

Les odeurs des Clans du Tonnerre et de l'Ombre s'atténuaient un peu plus à chaque pas. L'apprentie jeta un coup d'œil en arrière. Le lac n'était plus qu'une flaque lointaine et scintillante.

« Est-ce qu'on quitte les territoires des Clans ? » demanda-t-elle, tout excitée.

Était-ce le parfum de la montagne, qu'elle sentait déjà ? Et quel était ce fumet musqué ? Ses poils se hérissèrent soudain lorsqu'elle reconnut une odeur très familière.

Œil de Geai.

Elle s'arrêta pour renifler un buisson épineux. Les effluves du guérisseur s'accrochaient au bout des branches. Ceux de Pelage de Lion aussi, d'ailleurs. Qu'étaient-ils venus faire ici ? Du bout de la langue, elle toucha une tige. Les traces étaient éventées. Des lunes s'étaient écoulées depuis leur passage.

« Dépêche-toi. »

Cœur de Tigre l'attendait un peu plus haut. Avec sa silhouette qui se découpait dans le clair de lune, ses pattes fièrement plantées dans le sol, son menton relevé, il avait l'allure d'un chef de Clan.

« J'arrive ! » lança-t-elle en écartant cette idée.

Elle gravit la montée et déboucha dans une clairière, où se dressait un nid de Bipèdes. Plus petit que la tanière abandonnée du Clan du Tonnerre, il évoquait une souche d'arbre grise. La moitié des murs s'était écroulée, ainsi qu'une bonne partie du toit.

« Ça alors ! » s'écria-t-elle avant de presser le pas pour doubler Cœur de Tigre et remonter le sentier caillouteux qui menait au nid. Elle s'y arrêta et se tourna vers son ami. « On peut y entrer sans risque ? »

Le matou opina.

Nuage de Colombe franchit la pierre lisse qui marquait le seuil et pénétra à l'intérieur. Le clair de lune baignait le sol de pierre. En levant la tête, elle vit que de gros morceaux de bois se croisaient sur la voûte céleste. Ils avaient dû soutenir le toit lorsque la tanière était en bon état.

« Comment as-tu découvert cet endroit ? demanda-t-elle à Cœur de Tigre lorsqu'il entra à son tour.

— Plume de Flamme et moi l'avons trouvé lorsque nous étions apprentis. On venait y jouer », ajouta-t-il en se perchant sur une pierre qui dépassait d'une ouverture dans le mur.

Il sauta de nouveau et se retrouva en équilibre sur l'une des branches croisées, aux bords plats. Il s'y promena tout à fait à l'aise.

Nuage de Colombe sauta à son tour sur la pierre et son cœur se serra lorsqu'elle chancela. En battant des pattes pour se relever, elle projeta une averse de poussière sur le sol. Elle fixa le bout de bois où se tenait Cœur de Tigre pour évaluer la distance et bondit. La branche grinça sous son poids, mais elle put y planter les griffes pour se stabiliser. Le cœur battant, elle regarda en bas.

« Ce n'est pas très haut, lança le guerrier, à l'autre bout de la branche. N'aie pas peur. »

Il fouetta l'air avec sa queue et bondit encore. Grâce à un long saut en cloche, il sembla voler jusqu'à la poutre voisine, se réceptionna sans mal et se tourna vers Nuage de Colombe.

« Regarde ça ! »

Sans s'arrêter, il traversa ainsi tout le nid, passant d'une branche à l'autre, puis recommença dans le sens inverse, à croire qu'il sautait de pierre en pierre pour franchir un cours d'eau.

« Fais attention ! » cria-t-elle.

À chaque saut, le cœur de la novice faisait lui aussi un bond dans sa poitrine.

« Ce n'est rien ! » lui assura-t-il en revenant près d'elle.

Il leva la tête vers deux poutres montantes qui se rejoignaient plus haut. Sans prévenir, il se dressa sur ses pattes arrière et s'élança pour s'accrocher à la poutre, suspendu par les griffes de ses pattes avant. Il se balança un instant, s'y hissa complètement et grimpa vers le sommet.

« Arrête ! »

Nuage de Colombe en avait le souffle coupé. Elle ne pouvait imaginer guerrier plus fort, plus agile... et plus courageux.

Cœur de Tigre redescendit le long de l'autre poutre et sauta de branche en branche pour la rejoindre. Un morceau de bois craqua sous son poids et Nuage de Colombe repensa aussitôt à la chute du hêtre dans la combe rocheuse – son tronc géant grinçant et explosant en des milliers d'échardes.

« Attention ! » hurla-t-elle.

D'un bond, elle franchit le vide qui les séparait, saisit Cœur de Tigre entre ses pattes et le fit tomber avec elle. Ils atterrirent sans heurt dans un moelleux tas de mousse. Un nuage de poussière les enveloppa.

Les yeux larmoyants, la gorge en feu, Nuage de Colombe se releva tant bien que mal.

« Tu vas bien ? »

Cœur de Tigre ne répondit pas.

Ô, Clan des Étoiles, faites qu'il n'ait rien !

« Cœur de Tigre ?

— Oui, je crois que ça va, fit une voix étouffée qui venait de sous elle. Mais il faudrait que tu descendes de mon dos pour que j'en sois sûr. »

Toute honteuse, Nuage de Colombe s'écarta de lui en se tortillant.

« Désolée ! Je ne voulais pas t'écraser. »

Cœur de Tigre se redressa, leva une patte, puis l'autre.

« Je survivrai, annonça-t-il en ronronnant. Que s'est-il passé ?

— J'ai entendu un craquement, expliqua-t-elle, la tête levée vers la poutre. J'ai cru qu'elle allait se briser.

— Ça alors ! s'écria-t-il en suivant son regard.

— Quoi donc ?

— Tu vois, cette petite fissure ? »

Nuage de Colombe plissa les yeux et distingua effectivement une fissure toute fraîche dans le bois.

« Ton ouïe est encore plus fine que ce que je pensais. » Cœur de Tigre remua les moustaches. « Tu m'as sauvé la vie ! » Il se releva et se mit à tourner autour de la novice, la queue bien haute. « Sans toi, je serais mort, à présent. Tu es mon héroïne. Comment puis-je te remercier ? »

Nuage de Colombe releva le menton et répondit d'un ton taquin :

« Tu devras m'apporter des souris… et un écureuil frais, tous les jours pendant une lune. Et de la mousse fraîche pour mon nid. Et… » Du bout de la queue, elle lui donna une pichenette. « Tu devras me suivre partout toute la journée et m'ôter la bardane prise dans mes poils. »

La lueur amusée disparut du regard ambré de son ami. Elle se demanda si elle était allée trop loin.

« Je ferais tout ça pour toi avec joie, dit-il sur un ton aussi sérieux que son regard. Tu n'avais pas besoin de me sauver la vie pour ça.

— Je ne t'ai pas vraiment sauvé la vie, murmura-t-elle sans baisser les yeux. Ce n'était qu'une petite fissure. Cette poutre pouvait encore supporter ton poids.

— Peut-être, reconnut-il. Mais tu t'inquiétais pour moi. Ça veut dire que tu tiens à moi, non ? » Nuage de Colombe vit un éclat incertain illuminer les prunelles du jeune guerrier. « Plus que si nous étions juste amis ? » précisa-t-il.

Nuage de Colombe avala sa salive avec peine. Pour la première fois de sa vie, elle avait l'impression de tenir le pouvoir des étoiles entre ses pattes.

« Oui, souffla-t-elle. Oui, je tiens à toi. » Son cœur fit un bond dans sa poitrine, partagé entre la joie et la peine. « Je ne devrais pas, pourtant c'est le cas. »

Elle ronronna de bonheur lorsque Cœur de Tigre se pencha pour que leurs museaux se frôlent. Leurs souffles ne formaient plus qu'un seul panache blanc. Le guerrier enroula sa queue autour de celle de Nuage de Colombe et une douce chaleur envahit la novice.

Le jeune matou soupira.

« On ferait mieux de rentrer, avant qu'on remarque notre absence. »

Côte à côte, ils gagnèrent la sortie. Depuis le roc lisse qui marquait le seuil du nid, Nuage de Colombe contempla la forêt qui s'étendait jusqu'au lac.

« Ça va marcher, entre nous, pas vrai ?

— Oui, lui promit-il. Nulle frontière ne sera jamais assez puissante pour nous séparer.

— Vraiment ? »

Elle voulait le croire. Elle *devait* le croire. Rien ne lui avait jamais semblé aussi important.

« Revoyons-nous avant la demi-lune, suggéra-t-il.

— Demain, contra-t-elle avec audace.

— Tu crois qu'on peut s'éclipser deux soirs d'affilée ? Tu prendrais un tel risque ?

— Ça en vaut la peine. »

Du bout de la truffe, elle lui frôla la joue. Son odeur chaude imprégna la langue de la novice. Il était tout à elle, à présent. Il n'appartenait plus au Clan de l'Ombre. Ils appartenaient l'un à l'autre.

« Et tes camarades de tanière ? s'inquiéta-t-il. Ils vont remarquer ton absence.

— Il n'y a plus que Nuage de Lis, avec moi, répondit-elle. Elle ne dira rien.

— Nuage de Lis ? » fit-il, crispé.

Nuage de Colombe eut l'impression de prendre un coup dans l'estomac. Elle se rappelait le regard que Cœur de Tigre et sa sœur avaient échangé durant la bataille.

« Tu... tu la connais ?

— Je l'ai vue pendant les Assemblées, expliqua-t-il en lui enlevant d'un air gêné un brin d'herbe sèche pris dans sa fourrure.

— Et c'est tout ? »

Cœur de Tigre s'assit et la regarda droit dans les yeux.

«Tu veux savoir si je lui ai déjà demandé de me retrouver au milieu de la nuit pour l'amener ici et risquer ma vie devant elle en tombant d'une poutre ? » Il pencha la tête avant d'ajouter : « Laisse-moi réfléchir... »

Nuage de Colombe se retint de lui sauter dessus.

« ... Non, je suis presque sûr que non. » Il posa sa truffe contre l'oreille de l'apprentie. « Il n'y a qu'une des deux sœurs qui m'intéresse. »

Son souffle était si chaud... Comment avait-elle pu douter de lui ? Il avait pris tant de risques pour venir ici et lui confier ses sentiments ! Son imagination avait dû lui jouer des tours durant la bataille.

Je lui fais confiance.

«Viens. »

Elle s'élança en premier dans la descente et fila jusqu'au cœur de la forêt. Il la rattrapa et écarta les ronces de leur chemin. Son cœur se serra quand les odeurs de leurs Clans respectifs se précisèrent, et plus encore lorsqu'elle reconnut les arbres qui longeaient la frontière. Le lendemain soir lui paraissait bien loin. Une fois arrivés au bouquet de hêtres où ils s'étaient retrouvés, ils ralentirent.

« Le temps va passer vite jusqu'à demain soir », lui chuchota-t-il, comme s'il partageait ses pensées.

Elle pressa son museau contre le sien et murmura :

«À demain, alors.

— Oui. Fais de beaux rêves. »

CHAPITRE 12

LE LENDEMAIN MATIN, l'aube éclatante inondait le camp. Pelage de Lion observait ses camarades : ils allaient et venaient dans la clairière, impatients que Griffe de Ronce et Étoile de Feu donnent la liste des patrouilles.

« Pelage de Poussière, Œil de Crapaud et Patte de Renard, lança Étoile de Feu. Allez chasser près du Vieux Chêne. Tempête de Sable, Aile Blanche et Bois de Frêne, récupérez tout ce que vous pouvez dans la lande sans franchir la frontière du Clan du Vent. »

« On chasse ou on s'entraîne, aujourd'hui ? demanda Nuage de Colombe à son mentor dans un bâillement.

— Les deux, déclara le guerrier doré, qui s'étonna de voir son apprentie si fatiguée. On va partir en même temps que Cœur Cendré et Nuage de Lis. » Il avait préparé cette séance d'entraînement la veille au soir, lorsque la guerrière et lui s'étaient promenés sur la rive du lac. « Nous voulons voir comment vous vous débrouillez pour chasser dans la neige. »

Ses pensées dérivèrent jusqu'à la nuit passée et il revit le pelage de la chatte sous le clair de lune, les étoiles étincelant comme si le ciel aussi était couvert de givre. « Sommes-nous vraiment *plus* que des amis ? avait-il murmuré à l'oreille de sa camarade.

— Tu n'avais pas deviné ? avait-elle répondu en pressant sa joue contre celle du guerrier.

— Non, mais je l'avais *espéré.* »

Elle avait enroulé sa queue autour de la sienne en ronronnant. « Cervelle de souris. »

Le miaulement d'Étoile de Feu le tira de sa rêverie :

« Plume Grise, prends Millie, Cœur Blanc et Pluie de Pétales pour aller chasser près du lac. »

À l'autre bout de la clairière, Nuage de Lis trépignait autour de Cœur Cendré. La novice au poil argenté et blanc avait bien grandi et s'était musclée au cours de la dernière lune. La séance du jour ne viserait pas seulement à voir comment Nuage de Colombe chassait. Pelage de Lion voulait aussi observer Nuage de Lis. Œil de Geai l'avait persuadé de traquer d'éventuels changements liés à ses visites dans la Forêt Sombre. Il avait accepté et promis de ne pas interroger tout de suite la jeune chatte. Mais il n'était toujours pas convaincu que c'était la bonne solution. Cœur Cendré s'inquiétait à cause des blessures qui apparaissaient chaque jour sur son apprentie. Nuage de Lis avait dit à son mentor qu'elle était tombée de son nid, qu'elle avait foncé dans des ronces en s'exerçant devant le camp. À l'évidence, les guerriers de la Forêt Sombre entraînaient leurs recrues à la dure.

Étoile de Feu lança d'autres instructions :

« Poil d'Écureuil, Poil de Bourdon et Patte de Mulot, vous pourrez tenter votre chance au bord du ruisseau. Il y aura peut-être des campagnols. »

Tandis que les guerriers se dirigeaient vers la sortie, Chipie traversa la clairière à toute allure. Petit Loir et Petite Cerise la suivaient de près.

« Il n'y aura presque plus de guerriers dans le camp, lança-t-elle au chef. Que des chatons et des anciens. Et si le Clan de l'Ombre décidait de se venger ? »

Petite Cerise se dressa sur ses pattes arrière et frappa dans le vide.

« Je les réduirai en pièces ! pépia-t-elle.

— Et moi, je leur arracherai la queue ! renchérit Petit Loir en se pressant contre la chatte crème.

— Merci, les petits, répondit-elle avant de lever son regard sombre vers Étoile de Feu. Alors ?

— Les guerriers du Clan de l'Ombre n'attaqueront pas des chatons et des anciens sans défense », la rassura le meneur.

« Tout le monde est prêt ? »

Pelage de Lion releva la tête, surpris par le miaulement de Nuage de Lis, qui s'était approchée de lui sans un bruit. *Elle est plus rapide et plus discrète qu'avant.*

Cœur Cendré les rejoignit en bâillant elle aussi.

« Allons-y avant de geler sur place. »

À l'extérieur, Pétale de Rose, Poil de Châtaigne et Poil de Fougère levaient la truffe.

« Nous allons perdre notre temps, sur la rive, miaula Poil de Fougère à sa compagne.

— Mieux vaut s'enfoncer dans la forêt, confirma-t-elle.

— Par où va-t-on ? leur demanda Pétale de Rose.

— Là-haut », fit Poil de Châtaigne, la queue tendue vers une montée couverte de ronces.

Pétale de Rose s'élança si brusquement qu'elle fit tomber de la neige des buissons. Poil de Châtaigne secoua la tête.

« Elle ferait mieux de ralentir, sinon elle va effrayer plus de proies qu'elle n'en attrapera. »

Poil de Fougère ronronna et se dirigea vers la montée au côté de Poil de Châtaigne. Ils semblaient avancer d'un seul mouvement, fourrure contre fourrure.

Pelage de Lion les suivit des yeux. Il espérait qu'un jour Cœur Cendré et lui marcheraient ainsi. Ses moustaches tressaillirent lorsqu'il imagina une portée de chatons bondissant autour d'eux, menaçant de les faire trébucher à chaque pas. Un doux museau frôla le sien et il se rendit compte que sa camarade l'observait.

« Moi aussi, j'aimerais bien cela », murmura-t-elle.

Le cœur du matou s'emballa lorsqu'il se fondit dans le regard tendre de la guerrière. Il sentait toujours le parfum de la brise nocturne sur son pelage gris.

« Comment savais-tu à quoi je pensais ? »

« Hé ! »

En entendant le miaulement surpris de Nuage de Colombe, le matou tourna la tête.

Son apprentie s'ébroua pour chasser la neige de son pelage. Nuage de Lis était perchée sur une branche, juste au-dessus de sa sœur. D'un mouvement de la queue, elle fit tomber une autre avalanche sur Nuage de Colombe.

Celle-ci fonça vers le tronc et commença à grimper en fulminant :

« Tu vas voir !

— Descendez de là, toutes les deux ! ordonna le matou. Vous pourrez vous amuser *après* la chasse.

— De quel côté va-t-on ?» demanda Nuage de Lis qui sauta avec grâce de son perchoir, les yeux brillants.

Elle a pris confiance en elle.

«Vers la pinède, suggéra Cœur Cendré. Nous y serons davantage à l'abri.

— La première arrivée a gagné !» lança Nuage de Lis à Nuage de Colombe en filant ventre à terre.

La novice grise descendit de l'arbre et prit sa sœur en chasse. Elle soulevait des jets de neige dans son sillage. Pelage de Lion se renfrogna soudain.

« Qu'est-ce qu'il y a ? s'inquiéta Cœur Cendré. Tu voulais chasser ailleurs ?

— Le renard... il traînait vers les pins, lui rappela-t-il.

— Dans ce cas, mieux vaut les suivre de près. »

La guerrière détala. Pelage de Lion l'imita, et ils rattrapèrent bientôt leurs apprenties à l'orée de la pinède. La frontière du Clan de l'Ombre était si proche qu'ils en sentaient le goût sur leur langue.

« Regardez ! lança Nuage de Lis qui tournait en rond au pied d'un pin, la truffe au sol. Ce sont des empreintes de renard ? »

Elle a développé son sens de l'observation.

« Oui, confirma-t-il après avoir examiné les traces qui se découpaient parfaitement dans la neige.

— Je n'entends rien, miaula Nuage de Colombe, les oreilles dressées.

— Remontons sa piste », suggéra Nuage de Lis.

Cœur Cendré se mit aussitôt en route. Pelage de Lion la doubla, ignorant le grognement de sa compagne. Il refusait de lui laisser prendre des risques juste pour épargner sa fierté. S'ils croisaient le renard, ce serait à lui de l'affronter.

Les grosses empreintes menaient à un buisson de sureau.

« Attendez ici », cracha-t-il aux autres.

La truffe à l'affût d'odeurs fraîches, il se glissa lentement sous les branches et découvrit un trou. La puanteur de renard qui s'en échappait le suffoqua. Heureusement, la trace était éventée.

« Est-ce qu'on le rebouche ? »

Le miaulement de Cœur Cendré le fit sursauter.

« Je croyais t'avoir dit d'attendre dehors. »

Comme elle le défiait du regard, il préféra ne pas insister.

« Si nous rebouchons sa tanière, il risque d'en creuser une autre, plus près du camp », répondit-il.

Il sortit du buisson à reculons et s'ébroua pour faire tomber la neige de son pelage. Cœur Cendré ressortit après lui. Nuage de Lis trépignait d'impatience.

« Est-ce qu'on doit faire notre rapport à Étoile de Feu ? »

Elle nous est toujours loyale.

« Après l'entraînement, lui apprit-il. Le renard ne nous a pas encore dérangés. Aucune raison qu'il s'y mette maintenant.

— Mais ouvrez grand vos yeux, ajouta Cœur Cendré.

— Et vos oreilles », précisa Pelage de Lion en regardant Nuage de Colombe avec insistance, contrarié de la voir scruter les arbres.

Où était passée sa concentration ?

« Allez chasser !

— Maintenant ? s'étonna son apprentie.

— À ton avis, qu'est-ce qu'on est venus faire ici ? »

Nuage de Lis grattait le sol enneigé, pressée de s'y mettre.

« On chasse seules ou en équipe ?

— Seules, répondit Cœur Cendré. Nous pourrons mieux vous évaluer.

— D'accord. »

Nuage de Lis dépassa le sureau et sa silhouette argentée et blanche disparut bientôt entre les arbres. Cœur Cendré se lança à sa poursuite.

Pelage de Lion les regarda partir, soucieux. Il aurait dû suggérer qu'elles chassent ensemble pour qu'il puisse continuer à étudier Nuage de Lis.

« Et moi, je pars de quel côté ? demanda Nuage de Colombe.

— C'est toi qui chasses, lui rappela-t-il. C'est toi qui décides. »

La novice parcourut la forêt du regard, les oreilles dressées, la truffe frémissante, et elle se dirigea vers un monticule qui dominait la frontière du Clan de l'Ombre. Pelage de Lion attendit qu'elle disparaisse de sa vue pour la suivre.

Il s'arrêta près du talus et tendit le cou pour voir de l'autre côté. La neige tombait plus abondamment, à présent, et il distinguait à peine son apprentie entre les flocons. En revanche, il entendait ses pas crisser et, chaque fois qu'elle levait le museau, elle reniflait comme pour se retenir d'éternuer. C'était un temps épouvantable pour chasser.

La piste de Nuage de Colombe contournait une roncière puis partait en ligne droite dans une érablière. Ses empreintes étaient déjà recouvertes de poudreuse fraîche. Celles, plus menues, du gibier seraient impossibles à repérer. Le guerrier aperçut tout à coup la novice entre les troncs, tache grise filant au loin. Il la vit soudain se tapir, sans doute pour traquer une proie. Aussi silencieux que possible, il s'approcha en priant pour que la neige étouffe le bruit de ses pas.

Il flaira bientôt une odeur d'écureuil. Nuage de Colombe en suivait un dans des racines qui formaient de petites bosses sur le sol. Elle allait bondir lorsqu'elle trébucha en criant de rage. Le rongeur se réfugia dans l'arbre, d'où il lui fit tomber des flocons sur la tête.

« Dommage, miaula Pelage de Lion en la rejoignant.

— Cette stupide ronce m'a fait tomber, grommela-t-elle. Je ne l'ai pas vue, sous la neige.

— Ce sont des conditions difficiles, même pour des vétérans, la réconforta-t-il. Et c'est la première fois que tu chasses par ce temps. »

Nuage de Colombe leva la tête vers les branches, les yeux réduits à deux fentes.

« Et si on chassait en hauteur ? » suggéra-t-elle. C'est là que le gibier se cache. »

Pelage de Lion sortit les griffes. Il détestait l'escalade, mais elle avait raison.

« D'accord. »

Il attendit que son apprentie ait gravi un érable pour se hisser derrière elle. Il ne fut soulagé que lorsqu'il parvint à la première branche. Nuage de Colombe grimpait déjà sur la suivante et, quand il l'atteignit à son tour, la jeune chatte se préparait à sauter dans l'arbre voisin.

Pelage de Lion secoua la tête pour chasser la neige de ses moustaches. Il avait l'impression d'être un blaireau en train de traquer un écureuil. Toutes griffes dehors, il peinait à garder l'équilibre sur l'écorce glissante.

« Je vois un merle ! cracha Nuage de Colombe par-dessus son épaule.

— Je t'attends là. »

Pelage de Lion voyait les plumes noires de l'oiseau à travers la neige. Il s'abritait dans un pin, à un petit saut de là où ils se trouvaient. L'apprentie s'approcha lentement de lui en rampant. Elle se ramassa sur elle-même et bondit.

Alors qu'elle percutait sa proie – qui poussa un cri de détresse – l'arbre vacilla et la branche ploya tant que la chatte en tomba pour atterrir dans un tas de poudreuse.

« Ça va ? » hurla le guerrier en descendant du tronc à toute vitesse.

Dressée sur ses membres postérieurs, Nuage de Colombe bataillait avec le merle qu'elle tenait tou-jours entre ses pattes avant et qui battait des ailes pour s'enfuir. Elle le plaqua contre le sol et s'apprê-tait à l'achever d'un coup de crocs lorsque des hurle-ments terrifiés résonnèrent au loin dans la forêt.

La novice relâcha aussitôt sa prise.

« Le renard est dans le camp ! » feula-t-elle.

Elle partit ventre à terre tandis que l'oiseau s'envo-lait dans un trille indigné et se perchait de nouveau sur le pin.

Le matou se lança à la poursuite de l'apprentie. Aveuglé par la neige, il ne vit pas Cœur Cendré avant qu'elle surgisse soudain près de lui.

« Que se passe-t-il ? haleta-t-elle, tandis que Nuage de Lis se lançait à la poursuite de sa sœur.

— Le renard est dans la combe rocheuse ! » gronda-t-il avant de doubler l'allure, les griffes sorties.

À l'approche du camp, ils furent rejoints par Millie, qui dévalait une pente, suivie de Pluie de Pétales.

Plume Grise et Cœur Blanc étaient juste derrière elles.

Les cris de leurs camarades restés au camp se firent plus désespérés encore.

Pelage de Lion fonça dans la barrière de ronce piétinée et fut choqué de voir le renard au milieu de la clairière. Il y tournait en rond follement, et son poil roux semblait en feu dans la poudreuse. Il paraissait immense, à côté des petites tanières. Campées devant la pouponnière, Pavot Gelé et Fleur de Bruyère, en furie, feulaient et le frappaient dès qu'il se tournait vers elles. Les oreilles rabattues, il claquait des mâchoires et lançait des coups de queue dans les repaires reconstruits. Chipie se colla à l'entrée de l'antre d'Œil de Geai, la fourrure en bataille ; elle crachait comme un serpent acculé.

La patrouille de Griffe de Ronce avait précédé de peu Nuage de Colombe et Pelage de Lion. Le lieutenant plongea entre les pattes avant du renard, roulant au sol pour éviter ses crocs, et se plaça devant lui.

Lorsque Pelage de Poussière lui griffa le museau, une giclée de sang éclaboussa la clairière blanche. Le prédateur glapit et fit claquer ses mâchoires plus fort encore. Pelage de Poussière l'esquiva de justesse et Œil de Crapaud entailla le flanc de l'animal, arrachant des touffes de poils roux.

Les oreilles du matou doré se mirent à bourdonner. Le temps parut ralentir. Ramassé sur lui-même, Pelage de Lion sentit la fureur monter en lui et irriguer le moindre de ses muscles. Il braqua son regard sur l'ennemi et tout le reste disparut de son champ de vision.

Alors il bondit.

Il atterrit sur les épaules de l'adversaire et plongea ses crocs au plus profond de sa chair. La créature hurla et se jeta par terre pour le faire tomber. Le jeune combattant roula sur le sol enneigé. Cœur Blanc feula et mordit à pleines dents la queue de l'animal, qui se tourna si vivement que la guerrière borgne fut projetée contre une branche de hêtre. Mais elle ne lâcha pas prise.

Nuage de Colombe se glissa sous le ventre de la bête afin de lui mordre les pattes arrière pendant que Nuage de Lis lui griffait les pattes avant. Cœur Cendré se cabra pour lui zébrer le museau. Patte de Renard se jeta sur son flanc. Terrorisé, désorienté, le renard rampa vers la sortie. Il s'ébroua, rua pour déloger Cœur Blanc et fonça dans la barrière. Poussant une dernière plainte, il disparut dans la forêt.

Griffe de Ronce grimpa sur le demi-roc et observa la clairière.

« Qui est blessé ? » s'enquit-il.

Pelage de Lion passa ses camarades en revue, ils examinaient leurs fourrures en secouant la tête. Œil de Geai sortit de sa tanière pour renifler tous les combattants.

« Belle Églantine va bien ? demanda Griffe de Ronce.

— Oui, fit le guérisseur en s'approchant de Pelage de Poussière.

— Tant mieux. Truffe de Sureau, Bois de Frêne et Patte de Renard, commencez à réparer la barrière. Plume Grise, va au-devant de la patrouille d'Étoile de Feu et avertis notre chef. » Il se tourna vers Fleur de Bruyère et lança : « Les chatons vont bien ?

— Oui, il n'a pas pu les approcher, le rassura la chatte.

— J'ai vu sa tanière, annonça Pelage de Lion.

— Allons lui donner une bonne leçon ! feula Pelage de Poussière en faisant le gros dos.

— Je crois que c'est ce qu'on vient de faire », répondit Griffe de Ronce.

Pelage de Lion sentit un souffle chaud contre sa joue.

« Tu es sûr que tu vas bien ? lui demanda Cœur Cendré.

— Oui, et toi ? s'inquiéta-t-il en voyant le pelage ébouriffé de sa compagne.

— Je suis un peu secouée, mais ça va. »

Nuage de Lis accourut vers eux.

« On lui a montré de quoi on était capables, pas vrai ? lança-t-elle gaiement.

— J'aurais dû l'entendre plus tôt, se lamenta Nuage de Colombe, qui la suivait.

— Tu étais en train de chasser, lui rappela Pelage de Lion. Même si tu es douée, tu ne peux pas tout entendre. »

Il n'en était pas certain. Nuage de Colombe ne devrait peut-être pas chasser. Et se concentrer plutôt sur la détection d'éventuels dangers.

Nuage de Lis se tourna brusquement vers sa sœur.

« Et pourquoi tu aurais dû l'entendre ? Nous étions les plus éloignés de la combe ! Pourquoi faut-il toujours que tu agisses comme si tu étais spéciale ? »

Cœur Cendré se crispa. Pelage de Lion fouetta l'air avec sa queue. Il s'en voulait. Pourquoi avait-il complimenté Nuage de Colombe devant Nuage de Lis ?

« Ne vous disputez pas », supplia-t-il.

Les ronces frémirent à l'entrée du camp, des tiges brisées chutèrent et Étoile de Feu apparut dans la

clairière. Cœur d'Épines et Tempête de Sable le suivaient de près avec Plume Grise. Le chef tenait un
étourneau dans sa gueule. Il le lâcha pour inspecter
ses guerriers.

« Tout le monde va bien ? Est-ce que les tanières
sont endommagées ?

— C'est la barrière du camp qui a tout pris »,
répondit Griffe de Ronce.

Tempête de Sable s'était déjà précipitée sur le seuil
de la pouponnière pour réconforter Fleur de Bruyère.

« Les chatons vont bien. Vous avez fait le nécessaire. »

Voyant qu'Œil de Geai enveloppait un membre de
Patte de Renard dans une feuille de consoude, Étoile
de Feu interrogea le jeune guerrier :

« Tu es blessé ?

— Il a perdu une griffe, expliqua Œil de Geai.
Mais ça guérira. »

Pétale de Rose traversa la clairière à toute vitesse
pour lui demander :

« Tu as mal ?

— Un peu », reconnut le blessé.

Œil de Geai relâcha doucement la patte du jeune
guerrier.

« Nous avons de la chance qu'il n'y ait pas d'autres
blessés, déclara le guérisseur. » Il replia avec soin une
feuille de consoude. « Mes réserves sont au plus bas.
Si la neige continue à tomber, je ne pourrai pas les
renouveler.

— Et si les chatons se mettent à tousser ? s'inquiéta Fleur de Bruyère.

— J'ai récolté tout ce que je pouvais de mes plants
près du nid de Bipèdes abandonné, expliqua-t-il. Je ne
peux pas en prendre plus, autrement les remèdes ne

repousseront pas. Nous devons en chercher d'autres dans la forêt.

— On en trouve, par cette neige ? s'étonna Pelage de Lion.

— Pour l'instant oui, mais il faut nous hâter. Toutes les feuilles qui restent vont noircir à cause du gel. Nous devons les cueillir maintenant.

— J'y vais, se proposa Cœur Blanc. Je sais ce qu'il te manque.

— Je vais t'aider, ajouta Feuille de Lune. Moi, je sais où les trouver.

— Merci, miaula Étoile de Feu avant de se tourner vers Cœur d'Épines et vers Pelage de Poussière. Vous deux, escortez-les. Juste pour le cas où le renard reviendrait. Griffe de Ronce, forme d'autres patrouilles de chasseurs. » Il donna un coup de patte dans son étourneau avant d'ajouter : « Ça ne suffira pas à nourrir tout le Clan. »

Il traversa la clairière et escalada l'éboulis tandis que le lieutenant rassemblait ses chasseurs.

Pelage de Lion suivit le meneur sans prêter attention aux regards curieux de Cœur Cendré et Nuage de Colombe.

« Laisse-moi affronter le renard », implora-t-il, une fois dans l'antre de son chef.

Celui-ci le dévisagea, les yeux ronds.

« Je le chasserai de notre territoire une bonne fois pour toutes, insista Pelage de Lion en soutenant le regard du meneur roux sans sourciller. Tu sais que je ne me ferai pas blesser. »

Étoile de Feu s'assit.

« Ainsi, nous pourrions chasser en toute sécurité, insista le guerrier.

— Tu es certain que tu en sortirais indemne ? lui lança le chef, la mine sombre. Le fait que tu n'aies jamais été blessé ne prouve pas que tu ne peux pas l'être. Pourquoi risquer ta vie pour un renard quand nous savons que des ennemis plus dangereux encore sont tapis dans l'ombre ?

— La mauvaise saison promet d'être rude, insista Pelage de Lion. Pourquoi la rendre plus difficile encore en partageant le peu de gibier que nous avons avec un renard ?

— Et comment expliqueras-tu à tes camarades que tu as chassé un renard à toi tout seul ? Je pensais que tu voulais garder secrets tes pouvoirs.

— Ils n'en sauront rien. Je leur dirai que j'ai pris le renard par surprise. Que j'ai eu de la chance de le vaincre. Qu'il était déjà blessé, après avoir attaqué notre camp. »

Étoile de Feu enroula sa queue autour de ses pattes avant de répondre.

« D'accord, miaula-t-il. Mais emmène Nuage de Colombe avec toi.

— Nuage de Colombe ? Elle risque de se faire blesser.

— Garde-la à bonne distance, ordonna Étoile de Feu. Elle pourra courir chercher de l'aide, au besoin.

— Je n... »

Pelage de Lion ravala son objection. *Je n'aurai pas besoin d'aide.* Il avait obtenu ce qu'il voulait. Inutile d'en exiger davantage.

CHAPITRE 13

Pᴇʟᴀɢᴇ ᴅᴇ Lɪᴏɴ s'étira dans sa litière. Son dos frôla celui de Cœur Cendré. Elle murmura dans son sommeil sans se réveiller. L'aube pointait tout juste entre les branches entrelacées. Le guerrier doré resta un instant immobile, respirant doucement, tandis que des ombres remuaient autour de lui. Pelage de Poussière bâilla avant de sortir du nid, prêt pour la première patrouille.

Aile Blanche s'assit et tendit une patte pour secouer Poil de Fougère.

« C'est l'heure, murmura-t-elle.

— Est-ce qu'il a encore neigé, cette nuit ? grommela-t-il en se levant.

— Je n'ai pas encore regardé. »

La guerrière blanche se fraya un passage entre les nids et sortit dans la clairière, où ses pas crissèrent.

Pelage de Lion attendit que Poil de Fougère quitte l'antre et il se redressa. Il aurait préféré affronter le renard la veille, tant que ses blessures étaient fraîches et avant que l'animal ait eu le temps de se reposer.

Mais Étoile de Feu lui avait ordonné de prendre patience.

« Si tu le chasses maintenant, les autres guerriers se sentiront spoliés de leur chance de protéger le Clan. Si tu attends, ils seront plus enclins à croire que tu l'as croisé par hasard. »

Cœur Cendré roula sur le dos, les oreilles frémissantes, comme si elle rêvait. La fourrure grise de son ventre semblait chaude et duveteuse. Pelage de Lion se sentit soudain coupable. Elle ignorait tout de ses pouvoirs. Il ne lui avait jamais parlé de la prophétie. À présent qu'ils étaient si proches, la lui cacher lui donnait l'impression de mentir. Comment le lui dire ? Leur amour était solide, mais survivrait-il à la vérité ?

Pelage de Lion écarta ses soucis et huma le parfum chaud de sa compagne. *Je vaincrai ce renard pour toi, Cœur Cendré, pour que tu puisses chasser en toute sécurité, pendant toute la mauvaise saison.* Du bout de la patte, il la caressa doucement puis il se dirigea vers la sortie. Une couche de neige fraîche était tombée et la clairière était lisse comme un plan d'eau. On ne voyait que les empreintes de la patrouille de l'aube. Le ciel rosé projetait une lumière douce dans la combe rocheuse.

Dehors, il vit qu'Étoile de Feu était perché sur la Corniche, il inspectait le camp désert. Le meneur plissa les yeux lorsqu'il aperçut le guerrier doré puis hocha la tête. D'un mouvement de la queue, Pelage de Lion fouetta l'air et se hâta vers la tanière des apprentis.

« Nuage de Colombe ! »

Il avait murmuré pour ne pas réveiller les autres. Un instant plus tard, la novice était devant lui.

164

« On va déjà s'entraîner ? »

Elle s'étira si longuement que son ventre frôla la neige.

« Nous avons une mission particulière.

— Œil de Geai nous accompagne ? s'enquit-elle en se relevant.

— Nous n'avons pas besoin de ses pouvoirs pour ça. »

Et je n'ai pas non plus besoin des tiens...

Il se dirigea vers la sortie, son apprentie sur les talons.

« Où allons-nous ?

— Tu verras bien quand nous y serons.

— Tu as besoin que je guette un bruit particulier ?

— Non. »

Il n'était pas d'humeur à répondre à ses questions. Il aurait dû exécuter cette besogne la veille, seul. Il emprunta un sentier bien délimité, concentré sur le renard. Nuage de Colombe lui parlait de nouveau. Il ne l'écoutait pas. Il s'imaginait le prédateur tournant avec frénésie dans le camp, tentant de mordre Fleur de Bruyère, fouettant Chipie avec sa queue. La colère montait peu à peu en lui. Comment cette créature avait-elle osé menacer ses camarades ?

Une silhouette grise se dressa soudain sur son chemin.

« Où allons-nous ? »

Le miaulement frustré de Nuage de Colombe le stoppa net.

« Je vais chasser le renard de notre territoire, expliqua-t-il en lui repassant devant.

— Quoi ? Juste nous deux ?

— Juste *moi*. Étoile de Feu m'a dit de t'emmener pour que tu puisses aller chercher des renforts en cas de besoin.

— Étoile de Feu est au courant ? s'étonna-t-elle.

— Et pourquoi ne le serait-il pas ? C'est notre chef. Et il connaît mes pouvoirs. Il sait que je ne risque rien.

— Mais ce n'est pas pour ça que nous avons reçu nos pouvoirs ! »

Pelage de Lion planta son regard dans celui de son apprentie.

« Tu penses que je devrais laisser ce renard terroriser mes camarades sans rien faire ?

— Ce n'est pas ce que j'ai dit, se défendit-elle. Les autres Clans doivent affronter les prédateurs sans pouvoirs particuliers. Pourquoi accomplir seul ce qu'une patrouille de guerriers ordinaires pourrait faire ? »

Son ton était presque envieux quand elle avait dit « ordinaires ».

« Ce sera plus simple comme ça, promit-il. Et personne ne se fera blesser.

— Ça me paraît injuste, poursuivit-elle en s'écartant. C'est presque de la triche. »

Elle se remit en route sur le sentier et contourna une zone couverte de lierre.

« De la triche ? reprit le guerrier. Tu penses vraiment qu'on triche en se servant de nos pouvoirs pour défendre notre Clan ?

— Dans un Clan, tout le monde veille sur tout le monde, répondit-elle en continuant à marcher. C'est ça qui nous unit. Si tu t'acquittes seul des devoirs de tous les guerriers, quel intérêt ?

— L'intérêt, c'est que je ne peux pas être blessé. Eux, si.

— Je suis certaine que Cœur d'Épines et Pelage de Poussière seraient ravis d'apprendre qu'ils peuvent rejoindre tout de suite la tanière des anciens. À l'évidence, on n'a plus besoin d'eux maintenant que tu es là.

— Pour l'amour du Clan des Étoiles ! gronda-t-il. Pourquoi faut-il que tu compliques tout ?

— Je dis juste ce que je pense. J'ai le droit, non ? Ou alors c'est interdit, maintenant ? Est-ce que seule ton opinion compte ?

— Tu sais bien que non, dit-il, étonné par la véhémence de son apprentie. J'ai juste l'esprit pratique.

— J'aimerais que tu te conduises de la même façon avec Nuage de Lis, rétorqua-t-elle en agitant la queue avec humeur.

— Comment ça ?

— Tu lui as dit de ne plus se rendre dans la Forêt Sombre ?

— Œil de Geai pense que nous devons attendre.

— Attendre quoi ? Qu'elle se réveille avec une blessure si grave que tout le Clan la remarquera ?

— Écoute, fit-il en s'arrêtant. Œil de Geai pense que, en l'observant, nous pourrions apprendre comment les guerriers de la Forêt Sombre entraînent leurs recrues. »

Nuage de Colombe le dévisagea, songeuse.

« Pourquoi ne pas le lui demander ?

— Elle nous le dirait ?

— Évidemment ! s'emporta-t-elle. Elle ne comprend pas qu'ils se servent d'elle. Elle pense qu'ils l'entraînent pour qu'elle devienne une guerrière hors pair.

— Dans ce cas, qu'y a-t-il de mal à ce que nous l'observions un peu plus longtemps ? »

Au moment précis où il lui répondait, il fut saisi d'un doute. Nuage de Lis n'était qu'une apprentie.

Quoi qu'il se passe dans le Lieu sans Étoiles, elle n'y était pas en sécurité.

« Et si elle se fait grièvement blesser ? répliqua son apprentie. Comment te sentiras-tu, sachant que tu aurais pu l'éviter mais que tu n'as rien fait ? »

Elle lui tourna le dos et frappa un coup de patte dans la neige.

Ce n'était pas le moment de discuter. Ils approchaient du sureau où le renard se terrait. Pelage de Lion lui passa devant et leva la queue.

« Cache-toi sous ce houx et tends l'oreille, au cas où il y aurait du grabuge.

— Sois prudent, murmura-t-elle, les poils dressés sur l'échine.

— Ça ira. Et si jamais ça tourne mal, cours chercher des renforts au camp. »

Elle hocha la tête.

Pelage de Lion ouvrit la gueule pour laisser la puanteur de l'animal envahir ses sens. La discussion avec Nuage de Colombe l'avait distrait et il devait se concentrer. *Le renard a pénétré notre territoire,* se rappela-t-il. Il avait attaqué le camp. Des chatons auraient pu mourir. Le guerrier sentit de nouveau la colère monter en lui et il s'engouffra sous le sureau.

Nulle empreinte fraîche ne partait du trou. *C'est qu'il est toujours à l'intérieur.* Il jeta un coup d'œil dans la renardière, la truffe froncée de dégoût. Des fourmis lui picotèrent les pattes. Il faisait trop sombre dans la tanière. Tous ses poils se hérissèrent.

Je vais le faire sortir de là.

Il se tapit au bord de l'ouverture et poussa un feulement rageur.

Silence.

Trouillard !
Puis il se souvint avec fureur que cet animal préférait s'en prendre aux petits sans défense. Il se pencha plus bas encore et tendit le cou. Malgré la puanteur qui le submergeait, il émit un petit miaulement tremblant.

Il dressa l'oreille. Rien.

Prudemment, il glissa une patte, puis l'autre, et rampa dans le noir. Sous son ventre, la terre avait remplacé la neige. Les remugles étaient puissants. Le matou retint son souffle et s'aventura plus loin dans la tanière obscure.

Tout à coup, une douleur fulgurante lui transperça la queue : des crocs s'y étaient plantés et le tiraient en arrière. Il eut beau gratter le sol pour tenter de se tourner, le renard le saisit entre ses mâchoires et le jeta dehors, dans la neige, en grognant. Pelage de Lion se redressa d'un bond et fit face au mastodonte, qui sortit de son trou sous le sureau. Il soutint son regard : les yeux noirs brûlaient de haine. Le museau du renard portait encore les cicatrices de la veille.

Le chat plongea ses griffes dans la poudreuse en crachant. La bête retroussa les babines. Et se rua sur lui. Le guerrier se cabra, lui assena une pluie de coups. Dans son élan, le prédateur le repoussa. Pelage de Lion atterrit dans la neige, le souffle coupé. Il pivota, la queue battante tandis qu'il essayait de se relever, mais de lourdes pattes le plaquèrent au sol. Des mâchoires claquèrent près de son oreille et des postillons lui éclaboussèrent la truffe.

Hors d'haleine, Pelage de Lion planta ses griffes dans le sol et poussa de toutes ses forces pour se redresser. La puissance de la créature l'avait surpris.

Il n'avait jamais affronté d'animal aussi gros que celui-ci. Il lui fallait être plus rapide. Avec un peu de chance, l'ennemi ne pourrait suivre le rythme. Le guerrier se tourna, les griffes en avant.

Trop tard !

Le renard l'avait saisi à l'épaule, il le soulevait ! Le matou battit des pattes, pris de panique. Les crocs du prédateur s'enfonçaient de plus en plus dans sa chair. Pour la première fois de sa vie, il eut peur d'être blessé.

Nuage de Colombe ne se tenait qu'à quelques longueurs de queue, stupéfaite.

« Je vais chercher de l'aide ! cria-t-elle.

— Non ! »

Ignorant la douleur, Pelage de Lion se retourna pour griffer son adversaire. Il réprima un cri triomphant en sentant les chairs de l'ennemi se déchirer sous ses griffes. La bête le relâcha en hurlant.

Le temps ralentit alors.

Le matou retomba sur ses pattes, attaqua aussitôt, toutes griffes dehors, touchant l'autre au museau. Le renard para avec un coup de truffe qui fit chanceler le guerrier. Lorsque le prédateur fondit sur lui, Pelage de Lion attaqua le premier avec un autre coup puissant. Le sang gicla. La bête gémit.

La fourrure rousse n'était plus qu'une tache floue. Le guerrier bondit. Il évita les mâchoires du renard et lui atterrit sur l'échine. L'animal rua dans tous les sens, tentant en vain de mordre Pelage de Lion dans son dos. Mais ce dernier se cramponna, prenant soin de rester hors d'atteinte.

Les griffes plantées un peu plus profondément dans la chair ennemie, il plongea ses crocs dans la fourrure rousse et serra de toutes ses forces. Le sang jaillit, emplissant la gueule de Pelage de Lion. Le prédateur s'affaissa sous lui en hurlant. Le matou se figea, les crocs toujours plantés dans la chair. Il attendit.

La bête ne bougeait plus. Le souffle court, effondré sur le flanc, le renard gémissait à chaque inspiration. Le guerrier le relâcha et sauta au sol. Tapi à bonne distance, il observa sa proie à travers un brouillard de sang. La créature remua, se hissa péniblement sur ses pattes. Hoquetant, gémissant, elle se dirigeait vers sa tanière. Pelage de Lion prit les devants et, feulant, il lui bloqua le passage. Le renard le fixa, les yeux écarquillés, terrifiés, et contourna le buisson de sureau. Après avoir agité sa queue rousse poissée de sang, il fonça dans les broussailles.

Nuage de Colombe sortit du houx, les poils hérissés. Sans un mot, elle s'approcha du prédateur et le força à reculer encore et, à eux deux, les félins lui firent longer la frontière de l'Ombre. Ils s'assurèrent qu'il ne pénètre pas chez leurs voisins, grondèrent férocement quand il tentait de retourner au cœur de leur propre territoire. Ensemble, ils parvinrent à le chasser du pourtour du lac et à l'envoyer loin des terres des Clans.

La pente raidit sous leurs pattes, les chênes laissèrent place aux frênes, alors l'animal pressa l'allure et disparut sous un roncier.

« Ça suffit, nous sommes assez loin », haleta Pelage de Lion en s'asseyant.

Nuage de Colombe s'arrêta près de lui et regarda les feuilles frémir derrière le renard.

« Il ne reviendra pas. » Le guerrier se releva, les membres tremblants. « Rentrons au camp.

171

— Tu es blessé ? s'inquiéta-t-elle.

— Juste fatigué. »

Le combat l'avait vidé de toute son énergie et il dut s'appuyer sur elle tout au long du chemin. Il voyait à peine où il mettait les pattes et la laissait le guider. Lorsque le parfum de la combe lui caressa la truffe, il marqua une pause et se délecta de la froide caresse de la neige sur ses griffes brûlantes.

« Laisse-moi reprendre mon souffle, miaula-t-il à Nuage de Colombe.

— Tu es certain que tu n'es pas blessé ? Tu es couvert de sang. »

Il baissa la tête pour s'examiner. Soudain un cri déchira l'air de la forêt. Il se crispa en voyant Cœur Cendré devant lui, pétrifiée, les yeux écarquillés.

« Pelage de Lion ? »

Elle se précipita vers lui et le renifla désespérément.

« Qu'est-ce qui s'est passé ? Où es-tu blessé ? » Elle tourna les talons. « Je vais chercher de l'aide ! »

Pelage de Lion voulut la rattraper pour lui dire que ce n'était pas son sang, mais ses pattes étaient lourdes et son esprit embrouillé. Des gouttes dégoulinaient de sa fourrure et éclataient en fleurs écarlates sur la neige. Cœur Cendré allait semer un vent de panique dans le camp.

« On ferait mieux de se dépêcher, grommela-t-il.

— Tu devrais d'abord te nettoyer un peu », conseilla Nuage de Colombe.

Lorsque Pelage de Lion donna un coup de langue à ses poils, le goût infect du sang de renard fit monter un jet de bile dans sa gorge.

« Roule-toi dans la neige », suggéra la novice.

Il s'allongea et se frotta aussi fort que possible dans la poudreuse glacée. Quand il se releva, une large empreinte pourpre marquait le sol immaculé de la forêt.

« Espérons que nous arriverons avant que les secours partent à notre rencontre. »

Pelage de Lion sentit un regain d'énergie irriguer ses membres. La neige l'avait rafraîchi et son cœur palpitait à l'idée que sa compagne était sans doute en train de hurler à leurs camarades qu'il était gravement blessé.

Ils croisèrent la patrouille envoyée à leur secours à l'entrée du camp.

« Tu vas bien ? » s'inquiéta Étoile de Feu, en tête du groupe.

Griffe de Ronce, Plume Grise et Bois de Frêne leur tournèrent autour, les oreilles et la queue frémissantes.

« Au nom du Clan des Étoiles, que t'est-il arrivé ? demanda Plume Grise en le reniflant.

— On a croisé le renard, gronda Pelage de Lion.

— Où ça ? feula Bois de Frêne, les oreilles rabattues, son regard sondant les sous-bois.

— Nous l'avons chassé de notre territoire, les rassura le guerrier doré. Il ne reviendra pas. »

Plume Grise guida Pelage de Lion jusqu'à la barrière de ronces.

« On ferait mieux de t'accompagner à la tanière d'Œil de Geai. Cœur Cendré l'aide déjà à te préparer des remèdes. À l'entendre, tu étais à l'article de la mort. »

Amusé, Pelage de Lion remua les moustaches. Il imaginait Cœur Cendré en train de forcer son frère à préparer des remèdes pour traiter des blessures imaginaires, et ce dernier d'obéir en marmonnant.

Étoile de Feu considéra Nuage de Colombe.

« Et toi, tu vas bien ? s'inquiéta-t-il.

— Oui. C'est surtout Pelage de Lion qui l'a combattu. Moi, je l'ai juste aidé à le chasser.

— Il n'est pas entré sur le territoire du Clan de l'Ombre ? s'enquit le chef.

— Non, lui assura Pelage de Lion. Nous l'avons repoussé vers les montagnes. »

Pourquoi Étoile de Feu s'inquiétait-il toujours pour les autres Clans ? C'était à eux de régler leurs propres problèmes.

Le meneur plissa les yeux.

« On ferait mieux de rentrer. Griffe de Ronce, rassemble une patrouille, et assurez-vous que le renard est parti pour de bon. »

Le lieutenant obéit aussitôt.

« Allez, viens, miaula Plume Grise en poussant gentiment le guerrier doré vers la combe. On te ramène chez nous. »

Lorsqu'ils pénétrèrent dans le camp, Pelage de Lion vit que ses camarades s'étaient rassemblés au milieu de la clairière.

« Bravo, Pelage de Lion ! » lança Fleur de Bruyère.

Poil de Souris secoua la tête et miaula :

« On racontera encore cette histoire dans la tanière des anciens bien après que je l'aurai quittée.

— Comment as-tu réussi à le battre ? demanda Poil de Châtaigne qui le dévisageait avec admiration.

— Tu es grièvement blessé ? » s'inquiéta Chipie.

Plume Grise le poussa vers l'antre du guérisseur.

« Assez de questions. Œil de Geai doit l'examiner avant toute chose. »

Pelage de Lion entra dans la tanière de son frère, soulagé d'y trouver un peu de calme. Cœur Cendré releva la tête, un paquet de feuilles entre les pattes.

« Tu vas vraiment bien ? gémit-elle. Je pensais qu'ils seraient obligés de te porter pour te ramener. »

La guerrière avait la gorge serrée.

« Je lui ai demandé de mélanger des remèdes pour toi, expliqua Œil de Geai à son frère. Merci pour ton aide, Cœur Cendré, tu peux y aller, maintenant. Je vais avoir besoin de calme pour le soigner.

— Je pourrais t'aider, répondit la guerrière.

— Non. Merci. »

Il la fixa de ses yeux bleus aveugles jusqu'à ce qu'elle acquiesce et s'en aille.

Allongée dans son nid, Belle Églantine se tordait le cou pour essayer de voir le blessé.

« Je croyais que t'étais mort, vu comme elle paniquait, miaula-t-elle.

— Fais tes exercices », rétorqua Œil de Geai en lui jetant une boule de mousse.

La malade ronchonna mais obéit docilement : elle lançait la boule d'une patte à l'autre en s'étirant de plus en plus vers le haut.

Œil de Geai conduisit Pelage de Lion au fond de la tanière.

« T'es content, maintenant ? Tu es le héros du Clan ! feula-t-il.

— Il fallait que ce soit fait.

— Pas par toi tout seul.

— Le renard est parti, cracha Pelage de Lion. Personne n'a été blessé.

— Eh bien, tu leur expliqueras ce prodige.

— Tu ne peux pas me nettoyer et me mettre quelques onguents sur la fourrure pour que ce soit convaincant ?

— D'accord », soupira l'autre.

Il conduisit son frère à la petite flaque et le nettoya avec un morceau de mousse imbibée d'eau glacée.

Tandis que, épuisé par son combat, Pelage de Lion le laissait lui faire sa toilette, il se remémora la dispute avec Nuage de Colombe.

«Tu es certain qu'on ne devrait pas empêcher Nuage de Lis de se rendre dans la Forêt Sombre? murmura-t-il à Œil de Geai après avoir vérifié que Belle Églantine continuait à jongler dans son coin. Nuage de Colombe s'inquiète pour elle.

— Nuage de Lis ne risque rien, lui assura l'aveugle en trempant un nouveau bout de mousse dans l'eau. Elle n'est pas venue me voir pour ses blessures et n'a montré aucun signe de déloyauté envers le Clan du Tonnerre. Autant l'utiliser pour garder un œil sur Étoile du Tigre.

— Dans ce cas, nous devrions le lui dire.

— Lui dire quoi? Qu'elle l'espionne pour nous?» Œil de Geai récura les oreilles de son frère avec des gestes brusques. «Tu as oublié ce qui s'est passé quand on a demandé la même chose à Nuage de Colombe? Attendons un peu, *ensuite* nous lui parlerons. Elle pourra nous apprendre davantage de choses et elle n'aura pas l'impression que nous nous servons d'elle.»

Pelage de Lion grogna. Il garda les yeux fermés jusqu'à ce que son frère ait terminé.

«Voilà qui devrait convaincre nos camarades que tu as reçu au moins un ou deux coups de griffes.»

Œil de Geai plaqua un dernier cataplasme entre les omoplates de son frère.

La boule de mousse de Belle Églantine roula jusqu'aux pattes de Pelage de Lion. Celui-ci la ramassa et la lui renvoya.

« Ça va mieux ? lui demanda la blessée.

— Je suis en pleine forme. »

Œil de Geai renifla et se mit à ranger les remèdes sortis de sa réserve.

« Merci, Œil de Geai, murmura Pelage de Lion.

— Est-ce qu'il servirait à quelque chose que je te dise d'être plus prudent la prochaine fois ? marmonna son frère sans lever la tête. Nous ne savons pas jusqu'où vont tes pouvoirs. »

Du bout de la truffe, Pelage de Lion toucha l'oreille du guérisseur.

« D'accord, miaula-t-il avant de se diriger vers la sortie. À plus tard, Belle Églantine. »

Cœur Cendré l'attendait à l'extérieur. Elle se précipita vers lui et renifla les cataplasmes.

« Je ne pensais pas que tu ressortirais si vite… » Elle laissa sa phrase en suspens et renifla plus fort. « Je ne sens que l'odeur des remèdes. Pas celle du sang. »

Pelage de Lion s'écarta d'elle et répondit :

« Œil de Geai a utilisé des plantes très fortes. Leur parfum masque tous les autres.

— À t'entendre, on croirait qu'il ne s'est rien passé, déclara-t-elle, les yeux ronds, d'un ton presque irrité. Tu viens d'affronter un renard, à toi tout seul. Tu étais couvert de sang.

— J'ai été entraîné pour ça.

— Tu avais l'air de te vider de ton sang ! insista-t-elle, angoissée. J'ai cru que j'allais te perdre.

— Tu ne me perdras jamais, lui assura-t-il, un peu coupable, en lui collant son museau contre la joue.

— Tu ne peux pas dire ça ! s'écria-t-elle en s'écartant. Et je ne peux pas vivre comme ça. Mourir de peur chaque fois que tu pars au combat…

— Ne dis pas ça ! s'étrangla Pelage de Lion, le cœur serré. Tous les guerriers partent au combat. Ça ne les empêche pas d'avoir un compagnon ou une compagne.

— La plupart ne se jettent pas systématiquement au cœur de la mêlée, et ne partent pas chasser le renard pendant que tout le monde dort !

— Mais je vais bien ! Regarde-moi !

— Je ne peux pas le croire ! » Elle le dévisageait, les yeux vitreux. « Tout ce sang ! »

La guerrière tremblait.

Pelage de Lion scruta la clairière. Pelage de Poussière rassemblait des patrouilles de chasse pendant que Chipie faisait la toilette de Petite Cerise. Petit Loir s'occupait en grimpant sur le large dos de la chatte crème. Truffe de Sureau et Plume de Noisette étaient concentrés sur la reconstruction de la barrière.

Personne ne les écoutait.

« Je dois te dire quelque chose », murmura-t-il à Cœur Cendré. Il lui passa la queue autour des épaules et la conduisit dans un roncier près de la tanière d'Œil de Geai. Il se glissa dans l'enchevêtrement de branches et lui fit signe de le suivre. Elle y rampa derrière lui, les yeux écarquillés.

« Tu dois comprendre une chose, reprit-il. Une chose qui te convaincra qu'il ne m'arrivera jamais rien de grave. »

Elle cilla sans comprendre.

« Personne ne peut me blesser, avoua-t-il.

— Tu as eu de la chance, jusqu'à maintenant, renifla-t-elle.

— Non ! Il y a des lunes de cela, Étoile de Feu a reçu une prophétie. À propos de trois chats qui auraient plus de pouvoirs que n'importe quels autres guerriers de tous les Clans. »

La guerrière inclina la tête, attentive.

« Je suis l'un d'eux. L'un de ces chats. Je ne peux pas être blessé. C'est ça, mon pouvoir. Ni au combat, ni face à un renard, ni autrement. »

Il l'observa, priant pour qu'elle comprenne. Pour qu'elle le croie.

Cœur Cendré s'assit sans le quitter des yeux.

« Il y a une prophétie ? murmura-t-elle. Qui te concerne ? »

Pelage de Lion acquiesça. Elle comprenait !

« Et tu ne peux pas te faire blesser. »

Elle jeta un coup d'œil aux cataplasmes du guerrier. « Voilà.

— Pour que tu puisses protéger le Clan.

— Oui. » Pelage de Lion se pencha vers elle, soulagé qu'elle le prenne avec tant de calme. « Tu n'auras plus jamais de raison de t'inquiéter pour moi. » Il lui lécha la joue et son parfum lui réchauffa le cœur.

« Tout ira bien.

— Non ! » Elle s'écarta de lui et sortit des ronces, les yeux brillants. « Ça ne peut pas marcher. Je ne peux pas être ta compagne. Pas si le Clan des Étoiles t'a donné ce pouvoir.

— C-comment ça ? gémit-il.

— Ta destinée dépasse de loin la mienne ! murmura-t-elle. Nous ne pouvons plus continuer à nous voir ! »

Elle fit volte-face en gémissant et fila vers la tanière des guerriers.

CHAPITRE 14

❧

ŒIL DE GEAI commença à ramasser les remèdes qui parsemaient le sol de sa tanière. *Quel gaspillage...* Même s'il s'était servi des plantes les plus communes pour panser les « blessures » de Pelage de Lion, les tiges d'ortie et la tanaisie seraient difficilement remplaçables, après les chutes de neige. La nuit passée, Cœur Blanc et Feuille de Lune étaient rentrées avec un peu de mauve et de thym, c'est tout. Dire qu'il leur avait fallu une demi-journée pour rapporter si peu...

« Millie ! »

Le miaulement de Belle Églantine fit sursauter Œil de Geai. Une odeur de souris lui fit monter l'eau à la gueule.

« Je t'ai apporté du gibier, annonça la guerrière en lâchant le rongeur près du nid de sa fille. Je me disais que tu aurais peut-être un petit creux. Tu n'as presque rien mangé ce matin.

— Je te l'ai déjà dit..., marmonna la jeune chatte. Je n'ai pas faim.

— Prends-en au moins un morceau, insista sa mère en déchiquetant la proie.

— Ce n'est pas ça qui va m'ouvrir l'appétit !

— Juste un petit bout, l'amadoua Millie.

— Je n'ai pas faim ! »

Œil de Geai s'approcha du nid de sa patiente et posa sa truffe contre son museau. Il était humide mais pas trop chaud. Si elle n'avait pas de fièvre, il percevait dans la tête de la blessée un tourbillon d'idées noires et de regrets.

« Est-ce que l'infection pulmonaire est revenue ? s'inquiéta sa mère.

— Laisse le gibier, suggéra-t-il. Je vais examiner Belle Églantine et tenter de lui faire avaler quelque chose.

— Je veux savoir si elle va bien, répondit la chatte en s'asseyant.

— Retourne dans la clairière », insista le guérisseur. Il se doutait que cela serait plus facile de trouver ce qui inquiétait sa patiente sans la présence de sa mère. « J'aurai une plus grande liberté d'action. »

Millie hésita.

« Je t'avertirai dès que j'aurai fini », promit-il.

La guerrière s'éloigna à contrecœur, d'un pas lourd.

« Je ne sais pas pourquoi elle s'inquiète autant pour moi, souffla Belle Églantine.

— Vraiment ? » Sans attendre de réponse, il se pencha pour renifler son haleine. Elle était fraîche. Aucun signe d'infection. Il lui posa une patte sur le poitrail. « Inspire aussi profondément que possible. »

Sa respiration était claire et profonde.

« Alors, comme ça, tu as perdu l'appétit ? »

Malgré la détermination de la jeune chatte, il perçut la terrible sensation de faim qui lui tenaillait le ventre.

« Oui.

— Menteuse.

— Quoi ? »

La surprise de sa patiente était palpable.

« Tu peux tromper Millie, mais pas moi. Tu crois vraiment qu'il est juste de la laisser s'inquiéter parce que tu t'es mis dans la tête que tu ne méritais pas de manger sous prétexte que tu ne peux plus chasser ?

— Qu'est-ce que tu racontes ? » demanda-t-elle.

Devinant sa gêne, Œil de Geai reprit d'un ton plus doux :

« Je sais que ça te paraît logique, mais c'est plus compliqué que ça.

— Je ne chasse pas. Je ne devrais pas manger, rétorqua-t-elle en tournant la tête.

— Chipie non plus ne chasse pas. Elle devrait se laisser mourir de faim, elle aussi ?

— Elle veille sur les chatons ! grogna-t-elle.

— Et pendant qu'elle se repose, c'est toi qui les occupes en leur lançant une balle de mousse, non ?

— N'importe qui pourrait le faire.

— Et Isidore et Poil de Souris, alors ? insista Œil de Geai. Eux non plus, ils ne chassent plus.

— Ils sont vieux, ils ont chassé assez longtemps pour le Clan.

— Mais ils ne le peuvent plus. Pourquoi est-ce qu'on ne les laisse pas mourir tout de suite ?

— On ne pourrait jamais faire ça ! s'indigna-t-elle. Ils font partie du Clan. Il est de notre devoir de nous occuper d'eux. » Elle remua dans son nid. « En plus, le Clan ne serait plus le même, sans eux. »

Œil de Geai lui laissa le temps de penser à ce qu'elle venait de dire avant d'ajouter :

« Et tu crois que le Clan serait le même sans toi ? »

Elle ne répondit pas.

« Nos camarades t'apportent à manger parce qu'ils pensent que tu le mérites et parce que veiller sur les autres fait partie de leur devoir de guerriers. Ils sont fiers de t'aider.

— J'aimerais juste pouvoir faire quelque chose pour les aider en retour, avoua-t-elle, la gorge serrée.

— D'accord. » Œil de Geai se releva. « Sors de ce nid. »

Le nid crissa lorsqu'elle s'en extirpa.

« Si veiller sur Petite Cerise et Petit Loir, ce n'est pas assez de travail pour toi, tu peux faire plein d'autres choses, ici. » D'un geste de la queue, il lui désigna sa tanière. « J'aime bien avoir une réserve de mousse près de la flaque. C'est pratique, je peux en imbiber d'eau dès que j'ai besoin de nettoyer une blessure ou de donner à boire à un malade. Cœur Blanc m'en rapporte régulièrement. À partir de maintenant, ton travail sera de vérifier qu'il n'y a pas d'échardes ou d'épines dedans, puis d'en faire des boules que tu empileras près de l'eau.

— Entendu. » Œil de Geai sentait que le moral de Belle Églantine remontait déjà. « Et quoi d'autre ?

— Tu pourras t'assurer que le sol de la tanière reste propre. En ce moment, tout le monde entre et sort de là comme il veut et mes remèdes volent partout. Balaye la terre et, si tu vois une herbe égarée, ramasse-la et pose-la près de la réserve.

— Aucun problème.

— Je dois aussi faire l'inventaire des plantes médicinales qu'il me reste. Tu pourras m'aider. » Il s'approcha de la fissure au fond du gîte et, après s'être glissé à l'intérieur, il lança : « Je vais te les passer, tu les empileras près de la paroi. Nous les examinerons ensemble. »

Il sortit un par un ses paquets de remèdes. Beaucoup étaient trop secs et tombaient en poussière. Tendant la patte jusqu'au fond, il sentit quelque chose de duveteux sous ses coussinets. Il l'attrapa du bout des griffes. C'était une petite touffe de fourrure. Lorsqu'il la renifla, son cœur se mit à palpiter. Fleur de Houx ! Comment ses poils étaient-ils arrivés là ? Était-elle revenue d'entre les morts ?

Cervelle de souris, tu racontes n'importe quoi !

Pendant quelque temps, Feuille de Houx avait été l'apprentie de Feuille de Lune. Cette touffe devait dater de cette époque. Le parfum chaud de sa sœur lui serra la gorge. L'espace d'un instant, il se retrouva dans la pouponnière, à se chamailler avec Petit Lion et Petit Houx pendant que Fleur de Bruyère soupirait de lassitude.

Attrape ça, Petit Geai !

Petit Houx est lente comme un escargot !

Une voix le tira soudain de ses souvenirs :

« Œil de Geai ?

— Il n'y a rien d'autre, Belle Églantine, dit-il en replaçant la touffe de poils tout au fond.

— Œil de Geai ! répéta la voix.

— Commence à empiler ensemble les feuilles identiques. J'arrive.

— Œil de Geai. »

Cette fois-ci, il sentit un souffle chaud sur son oreille.

Il sursauta, si bien qu'il se racla le museau sur la paroi rocheuse. Il n'y avait personne. Pourtant, l'odeur d'un autre félin imprégnait lourdement l'atmosphère.

Croc Jaune !

Il sortit avec peine de sa réserve et entendit Belle Églantine qui rangeait les remèdes à l'autre bout de la tanière.

« Je les classe par variétés, lui lança-t-elle.

— C'est bien, c'est bien... »

Inquiet, Œil de Geai tourna sur lui-même, la truffe en l'air. L'odeur de l'ancienne guérisseuse était partout. C'était la demi-lune. Le soir même, il irait communier avec le Clan des Étoiles à la Source de Lune. Pourquoi venir le voir avant ?

« *Suis-moi*, souffla une voix rauque derrière lui. *Ne t'inquiète pas. Personne ne m'entend à part toi.*

— Que fais-tu ici ? murmura-t-il.

— *J'ai un message pour toi.*

— Qu'est-ce que tu dis ? lui lança Belle Églantine.

— Rien, se hâta-t-il de répondre. Je... je dois sortir un instant. Continue comme ça, je reviens tout de suite. »

Il suivit l'odeur de Croc Jaune dehors, en direction de la forêt.

« Tu ne pouvais pas attendre ce soir ? feula-t-il une fois que la combe rocheuse fut derrière lui.

— Tu crois que j'ai quitté la chaleur du territoire du Clan des Étoiles pour venir dans cet endroit glacé par plaisir ? »

Une silhouette lumineuse apparut devant Œil de Geai. Il distinguait même le pelage négligé de Croc Jaune et le contour irrégulier des arbres derrière elle.

« Alors pourquoi es-tu venue ? s'impatienta-t-il, ses pattes gelées dans la neige.

— Je devais te dire une chose avant que tu retrouves les autres à la Source de Lune !

— D'accord, d'accord... Alors parle et nous pourrons tous deux rentrer chez nous.

— J'ai vu Pelage de Lion combattre le renard.

— Et ?

— C'était un signe.

— Un signe de quoi ? De sa stupidité ?

— Il l'a affronté seul.

— Oui. Je sais. C'est une cervelle de souris, répondit-il en claquant des dents. Tu pourrais en venir au fait ? »

L'haleine fétide de la chatte lui chatouilla le museau comme elle se penchait vers lui.

« Arrête de te plaindre et écoute-moi, cracha-t-elle. Comme Pelage de Lion, le Clan du Tonnerre devra se battre seul.

— Quand ?

— Quand la Forêt Sombre se soulèvera. Le Clan du Tonnerre devra affronter seul la pire menace qui soit.

— Mais la Forêt Sombre menace *tous* les Clans, répliqua-t-il, perplexe.

— Un seul survivra, gronda Croc Jaune. Hier, quatre patrouilles n'ont pas réussi à vous débarrasser du renard. Aujourd'hui, Pelage de Lion l'a chassé de votre territoire comme s'il s'agissait d'un vulgaire chat domestique. Dans la grande bataille qui se profile à l'horizon, le Clan du Tonnerre devra se battre seul.

— Pourtant, les guerriers de la Forêt Sombre entraînent des chats de *tous* les Clans !

— Si bien que *tous* les Clans peuvent trahir !

— Nous sommes *tous* en danger. Nous devrions nous battre ensemble !

— Et pourquoi les Trois appartiennent-ils au Clan du Tonnerre et pas à un autre ? cracha Croc Jaune, le regard brûlant. Ce doit être le destin du Clan du Tonnerre de survivre quand les autres périssent. »

Quoi ? Il doit y avoir quatre Clans ! Autour de lui, le vent qui soufflait sur la neige formait des congères.

« Croc Jaune ! »

La vieille chatte disparaissait peu à peu et, avec elle, la vision du guérisseur. L'aveugle se retrouva plongé dans les ténèbres.

Lorsque la patrouille du crépuscule rentra au camp et s'installa pour la cérémonie du Partage, Œil de Geai se glissa hors de sa tanière.

« Bonne chance ! lui lança Millie tandis qu'il se dirigeait vers la sortie.

— Fais attention à toi ! » ajouta Belle Églantine.

La jeune guerrière partageait un rouge-gorge rachitique avec son frère et sa sœur. Œil de Geai distinguait le soulagement de Millie. Il ne lui avait pas dit pourquoi Belle Églantine avait refusé de manger et Millie ne le lui avait pas demandé. Lorsque, plus tôt dans la journée, la chatte grise était venue prendre des nouvelles de sa fille et l'avait découverte en train de dévorer la souris, les pattes salies par les remèdes, elle avait sauté de joie.

« Occupe-la sans arrêt, lui conseilla Œil de Geai. Elle a toujours deux pattes valides et elles s'agiteront dans le vide si elles n'ont rien à faire. »

Pelage de Lion et Nuage de Colombe décrivaient pour la énième fois la défaite miraculeuse du renard à leurs camarades. Personne ne semblait remarquer que l'histoire changeait vaguement à chaque version.

Pétale de Rose et Patte de Renard suppliaient pour qu'ils donnent plus de détails.

« Quel a été le coup de grâce ?

— Comment avez-vous échappé à ses crocs ? »

Œil de Geai ne leur avait pas parlé de sa vision. Il voulait d'abord se rendre à la Source de Lune et s'assurer que le reste du Clan des Étoiles était d'accord avec Croc Jaune. Il franchit la barrière de ronces et les voix de ses camarades ne furent plus que murmures.

Lorsqu'il parvint dans la lande, le vent lui cingla la fourrure. Les oreilles rabattues, il gravit la montée vers la petite cuvette où les guérisseurs se retrouvaient pour cheminer ensemble jusqu'à la Source de Lune. Ses pattes s'enfonçaient profondément dans la neige. Elle lui arrivait au ventre par endroits, et il était déjà hors d'haleine quand il flaira les odeurs de Plume de Crécerelle et Feuille de Saule.

« Ce n'est pas un temps à voyager, leur lança-t-il.

— Au moins, il ne neige plus, répliqua Plume de Crécerelle.

— Est-ce qu'on peut y aller tout de suite ? demanda Feuille de Saule en secouant sa fourrure qui sentait le poisson. Il gèle à pierre fendre.

— Où sont Petit Orage et Plume de Flamme ? s'enquit Œil de Geai, qui ne les avait pas flairés dans les environs.

— Ils nous rattraperont plus tard, soupira la guérisseuse de la Rivière, qui s'était déjà mise en route. Il fait trop froid pour rester immobile. »

La neige crissa sous leurs pattes quand Feuille de Saule et Plume de Crécerelle se mirent en route. Ce dernier miaula :

« Avec un peu de chance, nos traces rendront leur passage plus aisé. »

Ce qui était certain, c'est que leurs traces aidèrent Œil de Geai. Et pourtant, alors qu'il suivait le sillon laissé par les deux autres, il devait se concentrer pour garder l'équilibre sur les rochers bordant le torrent ; il n'eut pas le loisir de sonder les pensées de ses compagnons. Lorsqu'il parvint enfin au sommet de la combe, il était à bout de souffle.

« Aucun signe de Petit Orage ni de Plume de Flamme, déclara Feuille de Saule. J'espère que le Clan de l'Ombre n'a pas d'ennuis.

— Nous le découvrirons bientôt, miaula Plume de Crécerelle.

— On les attend ? demanda la guérisseuse.

— Si tu ne les vois pas dans la montée, c'est qu'ils ne viendront pas », lui assura Œil de Geai en s'engageant sur le dernier sentier.

La neige avait recouvert les empreintes de leurs nombreux prédécesseurs.

« Est-ce que la Source de Lune est gelée ? s'inquiéta Plume de Crécerelle sur ses talons.

— Non », fit Œil de Geai après y avoir plongé la patte.

Les parois de la combe avaient dû la préserver des vents les plus froids. Il s'étendit dans la poudreuse et attendit que les deux autres prennent place.

« J'espère que Petit Orage et Plume de Flamme vont bien », reprit Feuille de Saule.

Œil de Geai l'entendit s'allonger et l'imagina tendre le museau vers l'eau. La respiration de Plume de Crécerelle s'était déjà ralentie. Ils seraient tous deux bientôt en transe.

L'aveugle attendit. Lui n'avait pas besoin de vision puisque Croc Jaune lui avait déjà parlé. Il se concentra donc sur Plume de Crécerelle et laissa son esprit entrer dans les rêves du jeune guérisseur du Clan du Vent.

Une brise tiède et taquine l'enveloppa. Œil de Geai regarda autour de lui et cligna des yeux devant une vaste étendue de terre et le ciel. Il se tenait au sommet d'une éminence rocheuse aux versants couverts d'arbres. Au loin, les cimes étaient noires. *Est-ce la Forêt Sombre ?*

Des miaulements résonnèrent en contrebas et Œil de Geai se dissimula derrière un rocher. Lorsque les félins se rapprochèrent, il reconnut Plume de Crécerelle en compagnie d'Écorce de Chêne. Le vieux guérisseur du Clan du Vent avançait tête baissée, la queue traînant au sol, comme si le ciel pesait lourd sur son dos. Une camarade cheminait avec eux. Œil de Geai plissa les yeux mais ne reconnut pas la chatte au pelage brun clair tacheté de roux. Ses iris étaient plus bleus que le lac à la saison des feuilles vertes.

« Explique-lui, Plume de Pâquerette, miaula Écorce de Chêne avec humeur. Je savais qu'il ne me croirait pas.

— Je n'ai pas dit ça ! protesta le jeune guérisseur. C'est juste difficile à avaler. »

La chatte s'exprima d'une voix aussi vive que le vent qui ébouriffait l'aveugle.

« Jadis, je me suis levée pour défendre mes camarades, et leur avenir. J'ai convaincu les reines de se dresser contre un meneur qui voulait entraîner des chatons avant leurs six lunes. » Son regard se voila et Œil de Geai perçut la fierté et le chagrin qui

191

l'animaient encore. « Dans la vie, il vient un jour où l'on ne peut plus éviter le combat.

— Mais je suis guérisseur, lui rappela Plume de Crécerelle. Mon code n'est pas celui des guerriers.

— Tout est en train de changer, gronda Écorce de Chêne. La plus grande bataille que le Clan du Vent ait à mener approche. Nous ne pouvons pas laisser la traîtrise des autres Clans saper nos forces.

— Nous devons affronter seuls l'ennemi », insista la chatte.

Pourquoi ? se demanda Œil de Geai. *Quatre patrouilles n'ont pas réussi à vous débarrasser du renard. Aujourd'hui, Pelage de Lion l'a chassé de votre territoire comme s'il s'agissait d'un vulgaire chat domestique.* La prophétie de Croc Jaune était-elle donc vraie ?

« Tu peux faire confiance à tes ancêtres, mais pas aux autres Clans, le mit en garde Écorce de Chêne. Tu puiseras ta force dans le passé, pas dans le présent.

— Qui affronterons-nous ? voulut savoir Plume de Crécerelle. Et pourquoi nous battre seuls ? Pour Étoile Solitaire, s'allier aux autres afin d'être plus forts n'a jamais été une faiblesse.

— Étoile Solitaire était aveuglé par ses sentiments », rétorqua Plume de Pâquerette.

Œil de Geai se demanda si elle faisait référence à la longue amitié entre Étoile de Feu et le meneur du Clan du Vent.

« Ça veut dire qu'on va devoir affronter un autre Clan ? insista le jeune guérisseur en sondant le regard de son ancien mentor.

— Vous ne connaissez pas encore vos ennemis, répondit celui-ci d'une voix rauque. Cela viendra en temps et en heure. »

Œil de Geai sentit ses poils se dresser sur sa nuque. Pourquoi ne pas lui dire la vérité ? Ne devrait-il pas savoir que son Clan allait affronter une armée constituée par les guerriers les plus cruels que la forêt, la lande ou la rivière aient jamais portés ?

Plume de Pâquerette se plaça devant le jeune chat pour lui barrer la route.

« Ne dis rien de tout cela aux autres guérisseurs, le mit-elle en garde.

— Ne seront-ils pas au courant, eux aussi ?

— La trahison pourrait venir de n'importe où, gronda Écorce de Chêne. Vous devrez vous dresser seuls, vos ancêtres seront à vos côtés. »

Tout à coup, Plume de Pâquerette se tourna, la truffe en l'air. Œil de Geai recula derrière le rocher. Est-ce qu'elle l'avait repéré ? Dans le doute, il descendit un peu le versant de la colline ; des gravillons roulèrent sous ses pas. Il se glissa dans une ravine étroite et la suivit à toute allure. Œil de Geai continua jusqu'à ce que les parois du ravin s'aplanissent et se couvrent d'herbe. Le guérisseur se retrouva bientôt sur la berge caillouteuse d'un torrent bordé de saules pleureurs et de fougères.

Instinctivement, il fila s'y cacher. Ce n'était toujours pas son rêve. À couvert, il longea le cours d'eau et aperçut bientôt un grand rocher plat qui sortait de l'eau. Il reconnut, perchés dessus, Feuille de Saule et Patte de Pierre, l'ancien guérisseur du Clan de la Rivière. Lac de Givre était près d'eux, les pattes fermement campées sur la roche, même quand l'eau venait les lécher.

«Vous devrez vous battre seuls », déclara Patte de Pierre.

Œil de Geai dressa les oreilles. Le grondement du torrent étouffait une partie de leur conversation.

« ... ancêtres seront à vos côtés..., ajouta Lac de Givre.

— ... se sont toujours entraidés..., protesta la guérisseuse, la fourrure en bataille.

— ... ont changé..., rétorqua l'ancienne en secouant la tête. Nous devons changer aussi...

— Je peux avertir Papillon ? »

Lac de Givre sonda du regard Patte de Pierre avant de répondre :

« Elle ne te croira pas, mais tu peux l'avertir.

— C'est une bonne guérisseuse, ajouta Patte de Pierre. Elle protégera ses camarades pour qu'ils survivent à cette terrible bataille.

— Pitié, dites-moi de quelle bataille il s'agira, supplia la jeune chatte. Qui affronterons-nous ? »

Œil de Geai vit les deux autres secouer la tête. Le torrent grondait autour d'eux.

« ... plus terrible que dans tes pires cauchemars...

— ... plus sombre que tu ne peux l'imaginer...

— ... une rivière de sang... »

Feuille de Saule eut un mouvement de recul, ses moustaches frémissaient.

Œil de Geai se replongea dans les fougères, furieux. Tous les membres du Clan des Étoiles semblaient paniquer ! Est-ce qu'ils pensaient vraiment que diviser les Clans et les terroriser les aiderait ? Il devait partager ce qu'il savait avec les autres guérisseurs. Ils allaient affronter un ennemi bien réel.

« Tu me crois, maintenant ? »

Œil de Geai sursauta à l'apparition de Croc Jaune.

« Les quatre Clans doivent se battre seuls, cracha-t-elle. Les guerriers de la Forêt Sombre les ont infiltrés. On ne peut plus faire confiance à personne. Pourquoi à ton avis les guérisseurs du Clan de l'Ombre ne sont pas venus à la Source de Lune, ce soir ? Ils vous ont déjà abandonnés. Et les Clans du Vent et de la Rivière feront de même.

— Pas si je leur dis ce qui se passe vraiment.

— Non ! hurla-t-elle en se jetant sur lui pour le clouer au sol. Tu ne vois pas les signes ? Si tu ne te tais pas, les quatre Clans plongeront dans les ténèbres ! »

Œil de Geai se débattit un instant et ouvrit les yeux. Il était de retour à la Source de Lune ; il ne voyait plus rien. Un crissement sur la neige lui apprit que Plume de Crécerelle fonçait vers le sentier. Quant à Feuille de Saule, elle était montée au sommet de la combe, pour éviter de parler à ses compagnons. Le lien unissant les guérisseurs était-il si fragile qu'il s'était déjà brisé ?

L'aveugle se leva péniblement. Il devait les mettre en garde :

« La Forêt Sombre... »

Un craquement terrible le fit taire, un bruit de glace résonna dans la combe. Il se tourna et sa vision fut baignée par la lumière des étoiles. La Source de Lune gelait, la glace se répandait à sa surface aussi vite qu'un incendie dans la plaine, jusqu'à ce que le bassin tout entier soit devenu blanc.

Œil de Geai observa les alentours et reprit espoir : les membres du Clan des Étoiles étaient alignés contre les parois de la combe, immobiles et silencieux. Il plissa les yeux pour mieux les voir. *Était-ce Pierre parmi eux ?* Il reconnut le matou des temps révolus et s'en réjouit. Était-il venu aider le Clan des Étoiles ? Pour les persuader, peut-être ? Et s'ils affrontaient ensemble la menace de la Forêt Sombre, finalement ?

Alors qu'il les scrutait dans l'attente d'une sorte de signe, il vit la combe blanchir. L'un après l'autre, les guerriers du Clan des Étoiles se changèrent en chats de glace au pelage étincelant et aux moustaches raidies, avant d'exploser en mille éclats qui volèrent sous la froide lumière de la lune.

Seul Pierre demeura debout. Il semblait fixer Œil de Geai de ses yeux aveugles et globuleux aussi gelés que la Source de Lune.

CHAPITRE 15

❧

Nuage de Lis ouvrit les yeux. *Crotte de souris !* Il faisait nuit et elle se trouvait dans la tanière des apprentis. Elle voulait aller dans la Forêt Sombre. Elle voulait parfaire l'enchaînement compliqué que Plume de Faucon lui avait montré la veille. Elle dressa les oreilles.

Silence. Nuage de Colombe n'était pas dans son nid.

Nuage de Lis soupira et roula sur le côté. Nuage de Colombe pensait-elle que personne ne remarquerait qu'elle disparaissait, nuit après nuit, et revenait juste avant la patrouille de l'aube prétendant qu'elle venait de se réveiller ?

Je sais ce que tu manigances. Tu pars en douce pour aller t'entraîner seule dans les bois. Tu as compris que je t'ai surpassée, et ça ne te plaît pas.

Pour une fois, c'était à Nuage de Colombe de faire des efforts pour la rattraper.

Nuage de Lis ferma les yeux et repensa aux mouvements d'Ombre d'Érable. *Si je pose une patte arrière là, et une patte avant là…* Ses pensées se muèrent bientôt en songe.

« Recule, Cœur d'Épines ! Tu risques de te faire blesser », gronda-t-elle à l'intention de son camarade. Elle se tourna pour affronter seule la patrouille du Clan de l'Ombre.

D'un seul coup de patte, elle envoya rouler Bois de Chêne puis elle se jeta sur Pelage de Fumée, tout en ruant pour griffer le museau de Corbeau Givré.

Une douleur vive l'atteignit jusque dans son rêve quand deux pattes la saisirent par les épaules. Les guerriers du Clan de l'Ombre disparurent de ses pensées. Ce nouvel ennemi n'était pas imaginaire. La brûlure des griffes plantées dans sa chair était bien réelle. Nuage de Lis ravala un cri de douleur lorsqu'on la souleva du sol et qu'on la plaqua à terre.

« Ça t'apprendra à rester sur tes gardes ! »

Le souffle putride de Griffes d'Épine suffoqua l'apprentie. La Forêt Sombre se matérialisa autour d'elle. Le museau plaqué contre la terre moite, elle distinguait à peine les troncs fantomatiques dans la brume.

« Lâche-moi ! hurla-t-elle.

— Je ne sais pas si les suppliques fonctionnent sur le champ de bataille. »

Le matou lui enfonça un peu plus ses griffes dans le cou.

Prise de panique, Nuage de Lis battit des pattes arrière. Elle sentit quelque chose de solide sous ses coussinets – une racine, peut-être – et y prit appui pour se propulser en avant. Griffes d'Épine chancela. Elle se releva d'un bond et se cabra, les crocs découverts.

Le miaulement de Plume de Faucon retentit soudain :

« Très bien. »

Du coin de l'œil, Nuage de Lis le vit sortir d'entre les arbres. Elle en oublia son cou douloureux et le sang qui dégoulinait sur sa fourrure. Plume de Faucon l'avait complimentée.

Griffes d'Épine cracha sur la novice en faisant le gros dos, les crocs découverts.

« Tu te méfieras de moi, la prochaine fois, feula-t-il.

— Toi aussi, tu ferais mieux de commencer à te méfier de moi, cracha-t-elle sans baisser les yeux. Je ne serai pas éternellement une apprentie. » Elle se tourna vers Plume de Faucon. « Il s'en prend toujours aux novices, lança-t-elle. Pourquoi tu ne lui en donnes pas un, pour qu'il nous laisse tranquilles ?

— Toi, par exemple ? »

Nuage de Lis fouetta l'air avec sa queue. Elle se sentait prête à affronter n'importe qui.

« Si tu veux. Mais tu devras te trouver une autre novice et tout reprendre à zéro.

— Ce n'est pas faux, reconnut le matou.

— J'avais ma propre apprentie, marmonna Griffes d'Épine. Elle n'a pas réussi sa dernière évaluation. »

Même si elle venait de lui tenir tête courageusement, Nuage de Lis frémit. Le ton du guerrier suggérait que l'échec de son apprentie avait eu des conséquences dramatiques.

« Viens, "Nuage", lança Plume de Faucon qui congédia Griffes d'Épine d'un signe de tête. Cette nuit, nous allons nous entraîner à nous battre dans l'eau.

— Pourquoi ? fit Nuage de Lis en le suivant entre les troncs. Je ne suis pas un membre du Clan de la Rivière.

— Non, mais tu pourrais en affronter un, un jour, répondit Plume de Faucon en faisant claquer sa queue. Dépêche-toi. Les autres nous attendent sur la berge. »

La novice aperçut des silhouettes au loin. Pelage de Fourmi était assis, la queue enroulée autour des pattes. Queue de Rat était près de lui. Nuage Creux, un apprenti du Clan de la Rivière qu'elle avait déjà vu lors des Assemblées, allait et venait à côté de Patte de Neige. Nuage de Lis chercha la rivière du regard mais elle ne vit rien d'autre qu'une zone de ténèbres. Elle dressa l'oreille : seul le vent gémissait entre les branches nues.

« Où est le cours d'eau ?

— Là », annonça Plume de Faucon en s'arrêtant à côté du groupe.

Nuage de Lis vit le courant sombre qui avançait lentement devant eux.

« C'est une rivière ? »

Une odeur étrange, nauséabonde, s'en échappait.

« Du moins, c'est ce qui s'en approche le plus, ici, murmura Nuage Creux, la truffe froncée.

— Ça devrait être drôle, lança Pelage de Fourmi en toisant Nuage de Lis. Je n'ai jamais vu un membre du Clan du Tonnerre se mouiller les pattes.

— Parce que le Clan du Vent va régulièrement faire trempette dans le lac, peut-être ? » rétorqua-t-elle. Elle scruta la forêt et demanda d'un ton détaché : « Est-ce que Cœur de Tigre est là ? »

Elle ne voulait pas que les autres devinent à quel point la présence du jeune guerrier lui manquait. L'idée de se mouiller la fourrure, surtout dans cette rivière vaseuse, lui nouait le ventre. Elle se sentait davantage en sécurité en présence de son ami. Comme la fois où ils s'étaient entraînés sur la souche et que Griffes d'Épine avait projeté Œil de Moineau au sol.

D'ailleurs, elle n'avait plus revu la guerrière depuis.

Plume de Faucon s'approcha de la berge.

« Tu es prête ? »

Nuage de Lis se crispa.

« Avant qu'on essaye ça dans l'eau, je vais vous montrer le mouvement à exécuter. »

Il fit signe à Pelage de Fourmi de s'approcher. Le matou du Clan du Vent releva la tête et vint d'une démarche raide se placer devant le guerrier sombre. Vif comme l'éclair, Plume de Faucon plongea pour faucher les pattes arrière de son adversaire. Pelage de Fourmi trébucha et se redressa aussitôt.

Une ombre sortit soudain d'entre les troncs.

« C'est facile de recouvrer l'équilibre sur terre. » C'était Éclair Noir. « Dans le courant, ça l'est moins. »

Nuage de Lis sentit ses poils se hérisser. Elle n'aimait pas Éclair Noir. Il y avait quelque chose chez le guerrier argenté et noir qui la rendait nerveuse. Une nuit, il avait mordu Cœur de Tigre jusqu'au sang après un combat, puis il avait nié fermement l'avoir fait.

Plume de Faucon salua Éclair Noir et poursuivit :

« Quand vous êtes dans l'eau, mieux vaut ne pas sortir les griffes. Vous aurez peut-être envie de vous accrocher au lit de la rivière, mais les pierres qui tapissent le fond roulent dans le courant et risquent de vous arracher une griffe. »

Nuage de Lis frissonna.

Plume de Faucon tendit la queue.

« Pelage de Fourmi, essaie ce mouvement sur Queue de Rat, dans l'eau. »

Le guerrier brun entra d'un pas prudent dans la rivière épaisse au flux ralenti. Il avança jusqu'à ce que « l'eau » atteigne son ventre, ses épaules.

« Patte de Neige, tu seras avec Nuage Creux », ordonna Plume de Faucon.

Le petit matou blanc hocha la tête, les yeux luisant dans la pénombre.

Nuage Creux mit les pattes dans le courant en grommelant :

« Ce n'est pas de l'eau, ça ! C'est trop gluant. »

Du bout de la truffe, Patte de Neige poussa l'apprenti, qui perdit l'équilibre, s'enfonça jusqu'aux épaules dans la rivière et parvint de justesse à garder le museau hors de l'onde noire.

Nuage de Lis scruta les alentours en priant pour que Cœur de Tigre arrive. Elle ne l'avait pas vu depuis plusieurs nuits. Est-ce qu'il allait s'entraîner dans un autre coin de la forêt ?

Éclair Noir lui boucha soudain la vue.

« Je vais m'occuper de Nuage de Lis, si tu veux, Plume de Faucon, déclara-t-il. Comme ça, tu peux continuer à superviser la séance.

— OK », répondit l'apprentie en se redressant.

Elle entra dans le courant en songeant que l'eau froide soulagerait les griffures brûlantes de son cou. Stupeur ! L'onde visqueuse s'enroula chaudement autour de ses pattes, tirant comme des algues sur sa fourrure. Elle progressa, dégoûtée, vers les eaux plus profondes, tenta en vain d'apercevoir le lit de la rivière.

Éclair Noir se glissa près d'elle.

« Dépêche, espèce de limace ! »

Nuage de Lis se força à avancer et frémit lorsque l'eau entra en contact avec sa peau. L'étrange liquide gagna son ventre puis ses épaules. La novice bandait le moindre de ses muscles pour résister au courant. Elle aurait tout donné pour être plus grande. L'eau recouvrait à peine la colonne vertébrale d'Éclair Noir alors qu'elle, elle luttait pour garder la tête à l'air libre.

Tout à coup, une pierre roula sous ses coussinets ; elle glissa. La rivière l'engloutit avant qu'elle eut le temps de prendre sa respiration. Paniquée, elle moulina des pattes.

Ce n'est pas si profond... Dès qu'elle reprit pied, elle poussa de toutes ses forces et sortit brusquement la tête de l'eau, les moustaches dégoulinantes, les yeux humides. Elle recracha l'eau qu'elle avait failli avaler. Son goût était infect, comme de la chair à corbeau liquide, en pire.

Éclair Noir l'observa, l'air amusé.

« Effectivement, tu ne viens pas du Clan de la Rivière, constata-t-il d'un ton mielleux.

— Encore heureux ! »

Sa réponse, qu'elle voulait pleine de dignité, fut gâchée quand elle perdit de nouveau l'équilibre et mit une fois de plus la tête sous l'eau. Tandis qu'elle se débattait pour retrouver le fond, une forme mince se glissa sous elle et lui faucha les pattes arrière, fidèle à la démonstration de Plume de Faucon.

Éclair Noir ! Il avait commencé l'entraînement sans lui laisser reprendre son souffle.

Emportée par le flux, Nuage de Lis tourbillonnait en agitant les pattes. Ses poumons lui brûlaient tant elle manquait d'air. Puis quelqu'un la plaqua au fond de la rivière. Prise de panique, elle chercha à se libérer mais Éclair Noir appuya plus fort encore sur son dos.

Clan des Étoiles ! Aide-moi !

Elle vit une autre silhouette nager vers elle dans l'eau saumâtre et reconnut avec peine la fourrure pâle d'un membre du Clan de la Rivière.

Nuage Creux !

L'apprenti la saisit par la peau du cou et la tira des pattes d'Éclair Noir. À travers le courant boueux, Nuage de Lis vit que le guerrier de la Forêt Sombre tâtonnait dans l'eau, sans doute à sa recherche. Nuage Creux lui désigna les pattes arrière du matou et la novice comprit le message. Elle avait recouvré son calme et, quoique essoufflée, elle pouvait tenir encore un peu. Ensemble, les deux apprentis nagèrent au fond de la rivière telles deux loutres et fauchèrent Éclair Noir.

Dès qu'il s'effondra dans l'eau, Nuage de Lis se propulsa vers la surface et hoqueta. Nuage Creux apparut près d'elle et ils poussèrent un cri triomphant. Un peu plus bas, Éclair Noir battait des pattes dans une explosion d'écume.

« Garde tes distances avec lui », murmura Nuage Creux à Nuage de Lis avant de rejoindre Patte de Neige.

Voyant que le guerrier sombre s'avançait vers elle en pataugeant gauchement, Nuage de Lis lança d'un air innocent :

« Tu veux essayer sur moi ? »

Le matou plissa les yeux. De l'eau lui dégoulinait du menton.

« D'accord. »

Était-ce de la prudence qu'elle voyait maintenant dans son regard ?

Nuage de Lis fléchit les pattes, perchée sur un rocher qui affleurait au fond de la rivière. Elle n'allait pas tricher. Elle attendit qu'il retienne sa respiration et plonge et, dès qu'il la faucha, elle s'élança en avant comme un poisson, hors d'atteinte. Elle ne mit même pas la tête sous l'eau.

Impressionnée de se sentir tellement à l'aise dans l'onde tiède et visqueuse, elle se retourna, prête à répéter le mouvement sur Éclair Noir. Bien concentrée à présent, elle le faucha d'un coup et s'éloigna de lui aussitôt. Elle était fière d'elle. Aucun autre guerrier du Clan du Tonnerre ne s'était jamais entraîné à se battre dans l'eau.

De retour à la surface, elle vit que Plume de Faucon faisait signe à tout le monde de regagner la berge.

« C'est pas mal », lança-t-il tandis qu'ils sortaient de la rivière, détrempés.

L'apprentie s'ébroua sans se soucier de savoir si elle éclaboussait Éclair Noir.

« Même si j'attendais autre chose de toi, Éclair Noir, cracha Plume de Faucon en direction du guerrier squelettique. Je pensais que tu ferais mieux face à une novice non entraînée. »

Éclair Noir renifla et s'éloigna dans la forêt.

« Nuage de Lis ? »

Le miaulement d'Étoile du Tigre la fit sursauter. L'ancien meneur venait de sortir de l'eau.

« Tous les guerriers du Clan du Tonnerre devraient apprendre à se mouiller les pattes, ajouta-t-il avant de se secouer. Tu t'es bien débrouillée.

— Merci, répondit-elle en s'inclinant devant lui.

— As-tu vu Cœur de Tigre ? »

Cette question la surprit.

« Moi ? » Est-ce qu'Étoile du Tigre savait qu'elle guettait toujours le jeune guerrier lorsqu'elle était dans cette forêt ? « Non.

— Il est en retard. Encore une fois. Nuit après nuit, il arrive un peu plus tard. Est-ce qu'il est malade ?

— Je pourrai me renseigner lors de la prochaine Assemblée, proposa-t-elle, nerveuse.

— Je vais le retrouver », déclara-t-il d'un ton qui lui fit froid dans le dos.

Cœur de Tigre allait-il avoir des ennuis ?

Plume de Faucon s'éclaircit la gorge et annonça : « C'est l'heure de partir. »

Loin, à travers les arbres, par-delà la limite de la Forêt Sombre, le ciel pâlissait. Nuage de Lis réprima un bâillement puis s'éloigna de la rivière.

« À demain », murmura Nuage Creux avant de disparaître dans les ténèbres.

Autour de Nuage de Lis, les arbres se muèrent en bouquets de fougères et elle se retrouva lovée dans son nid, bercée par la respiration de Nuage de Colombe.

Elle est revenue.

Depuis peu, sans doute. Elle respirait vite, comme si elle venait de se coucher, et l'odeur de la neige était fraîche sur son pelage. La truffe de Nuage de Lis frémit. Il y avait un autre parfum sur la fourrure de sa sœur. Une senteur familière. Nuage de Lis tenta de l'identifier mais ses paupières étaient de plus en plus lourdes. Épuisée, elle s'endormit.

Le miaulement d'Aile Blanche la réveilla bien trop tôt à son goût.

« Qu'est-ce que c'est que ça ?

— Mmm... quoi ? marmonna Nuage de Lis en relevant la tête.

— Du sang ! s'écriait sa mère, les yeux ronds. Dans ton nid ! » La guerrière blanche renifla la mousse qui garnissait les brindilles et hoqueta : « Tu en as aussi sur toi ! Tu es blessée ? »

Nuage de Lis s'écarta de sa mère.

« Qu'est-ce que tu fais là ?

— La patrouille de l'aube est partie depuis des lunes, et aucune de vous deux n'était levée, alors je suis venue vous réveiller. »

Nuage de Colombe s'extirpa de son nid d'un pas lourd.

« J'imagine qu'on s'est entraînées dur. »

Aile Blanche fixait Nuage de Lis, inquiète.

« C'est pour ça qu'il y a du sang dans ton nid ? »

Les fougères frémirent et Poil de Bourdon glissa son museau dans la tanière.

« Qu'est-ce qui se passe ici ? demanda-t-il.

— Va chercher Œil de Geai, ordonna Aile Blanche. Nuage de Lis est blessée.

— Non ! protesta l'intéressée. Je vais bien. »

Poil de Bourdon était déjà parti. Nuage de Lis eut soudain très chaud. Personne ne devait voir les marques que Griffes d'Épine lui avait faites sur le cou. Elle avait cru, visiblement à tort, que la rivière les nettoierait. Elle baissa les yeux vers la mousse, souillée çà et là. En relevant la tête, elle croisa le regard de Nuage de Colombe.

« Il devait y avoir une épine dans la mousse », déclara Nuage de Lis à toute vitesse.

Allez, Nuage de Colombe ! Aide-moi !

« Oui, une grosse épine », confirma sa sœur, qui haussa les épaules puis sortit de la tanière.

Merci beaucoup ! Nuage de Lis fulminait qu'elle la laisse se dépatouiller avec leur mère.

« Ou une pierre aiguisée dans mon nid...

— Laisse-moi voir, insista Aile Blanche en poussant Nuage de Lis pour tâter sa litière. Je ne sens rien. »

Œil de Geai entra dans la tanière, une feuille pliée dans la gueule. Poil de Bourdon et Cœur Cendré déboulèrent derrière lui.

L'aveugle posa la feuille devant les pattes de la blessée et l'ouvrit. Elle était couverte d'un onguent vert.

« Laisse-moi t'examiner, ordonna-t-il.

— Ce n'est qu'une égratignure », se défendit-elle.

Il sait que je me rends dans la Forêt Sombre. Il va deviner que ce n'est pas une épine qui m'a fait cela.

Cœur Cendré renifla sa litière et déclara :

« Tant de sang à cause d'une simple écharde ?

— Ça va piquer un peu », la mit en garde le guérisseur, qui commença à étaler de la pulpe sur l'encolure de la novice.

Pitié, ne dis rien. La peur l'angoissait bien plus que la douleur.

« Ce n'est pas grave, mais je sens que ça commence à s'infecter, soupira l'aveugle avant de prendre une autre dose d'onguent sur la feuille. Tu devrais faire plus attention. »

Nuage de Lis se raidit. Le guérisseur semblait la mettre en garde. Il savait très bien d'où lui venait cette blessure.

« Est-ce qu'elle va bien ? s'inquiéta Cœur Cendré.

— Est-ce qu'elle saigne toujours ? » ajouta Aile Blanche en se pressant contre eux.

Allez-vous-en ! Le sang battait aux tempes de Nuage de Lis. L'onguent avait ravivé sa douleur. *Laissez-moi tranquille !*

« Elle survivra, renifla Œil de Geai en s'asseyant pour refermer la feuille. Viens me voir ce soir pour que je te remette de l'onguent. »

Il saisit la feuille dans sa gueule et sortit de la tanière. Au même instant, Nuage de Colombe y rentra.

« Toi aussi, tu es venue profiter du spectacle ? » lança sèchement Nuage de Lis.

Nuage de Colombe se glissa près de Cœur Cendré dans le nid de sa sœur et y farfouilla un moment.

« C'est ça que vous cherchiez ? dit-elle en crachant une longue épine sur le sol.

— Pas étonnant qu'elle ait autant saigné, commenta Aile Blanche en tâtant prudemment l'épine.

— Comment est-ce qu'elle a pu se glisser là sans que tu la remarques ? » s'étonna son mentor.

Nuage de Lis éprouva une bouffée de gratitude pour sa sœur. Tandis que Nuage de Colombe tendait le cou pour renifler ses blessures, elle lui chuchota à l'oreille :

« Merci.

— Ce n'est pas fini, grommela l'autre novice en reculant.

— Viens, dit Aile Blanche en fouettant gentiment Poil de Bourdon avec sa queue. Laisse Nuage de Lis se reposer. »

Elle entraîna le jeune guerrier dehors. Nuage de Colombe suivit le mouvement en agitant la queue. Cœur Cendré s'attarda un instant et couva son apprentie d'un regard inquiet.

« Quoi ? s'impatienta la novice.

— Si ces égratignures sont déjà infectées, elles doivent être profondes », soupira son mentor.

Nuage de Lis regagna son nid. Elle n'avait plus qu'une seule idée en tête : dormir.

« Tu dois être fatiguée, miaula la guerrière grise. Quelque chose ne va pas ? Tu peux tout me dire, je te le promets. Ces blessures n'ont pas pu être causées par une épine. Tu te serais réveillée en sursaut à la première entaille. » Elle s'assit et la scruta. « Une épine n'aurait pas causé une infection si vite, quelle que soit la profondeur de la blessure. De plus… » Elle se pencha vers les plaies de son apprentie. « Les épines n'entaillent pas la chair de cette façon… »

Que pouvait-elle répondre ? Nuage de Lis s'était figée comme une proie morte, cependant son esprit était entré en ébullition.

« Dis-moi la vérité, insista gentiment Cœur Cendré. Je ne me fâcherai pas. J'ai besoin de savoir comment je peux t'aider. »

La novice inspira avant d'avouer :

« J'ai pris l'habitude de m'entraîner la nuit.

— Tu t'entraînes la nuit ?

— Oui. Je veux être la meilleure guerrière que le Clan du Tonnerre ait jamais connue. »

Et je vais y arriver !

« Oh, soupira la chatte. Je comprends. » Elle paraissait soulagée. « Tu veux être la meilleure, c'est bien normal. Alors tu t'entraînes seule dans la forêt.

— Oui. » Mentir à son mentor – qui avait toujours été juste avec elle – lui répugnait. *C'est presque la vérité,* se consola-t-elle. « Nuage de Colombe est douée pour tout. Tout le monde la traite comme si elle était déjà une guerrière. Étoile de Feu lui demande conseil et Pelage de Lion ne fait jamais rien sans elle...

— Tu es tout aussi douée que ta sœur ! lui assura Cœur Cendré, crispée. Je ne pourrais pas être plus fière de toi ! Si tu veux t'entraîner davantage, nous allons renforcer ton programme de la journée. Tu es en pleine croissance, tu as aussi besoin de te reposer. »

Nuage de Lis hocha docilement la tête.

« Tu veux bien me promettre que tu ne sortiras plus la nuit ? Il n'y a personne pour veiller sur toi, quand le Clan dort. Qui sait ce qui pourrait arriver ? Et si le renard revenait ? Tu es aussi douée que n'importe quel guerrier. Tu n'as pas besoin d'aller t'entraîner en secret. » Cœur Cendré la fixa d'un regard ardent. « Promets-moi que tu ne quitteras plus le camp comme ça ! »

Nuage de Lis regarda ses pattes. Elle se sentait terriblement coupable.

« Je te le promets », marmonna-t-elle.

Chapitre 16

Nuage de Colombe était sortie en trombe de la tanière des apprentis, derrière Aile Blanche et Poil de Bourdon. *Qu'elle se débrouille avec Cœur Cendré ! Je lui ai trouvé une épine. Elle n'a qu'à expliquer le reste.*

Malgré tout, sa colère s'apaisa presque aussitôt. Elle n'était pas vraiment furieuse. Non. Elle était épouvantée. Chaque nuit, elle s'endormait en se demandant quelles blessures elle découvrirait sur sa sœur au réveil. Et si Nuage de Lis se mettait à *penser* comme une guerrière de la Forêt Sombre ? Il fallait qu'elle parle à Œil de Geai. Il *devait* l'aider. Elle se précipita vers son antre.

Alors qu'elle passait devant la réserve de gibier, Isidore l'interpella.

« Tu crois que ça fera envie à Poil de Souris ? lui lança-t-il en retournant une souris boueuse.

— Pourquoi ? fit Nuage de Colombe en s'arrêtant.

— Elle n'est point appétissante, expliqua le vieux matou. Mais Poil de Souris la mangera peut-être quand même.

— Elle n'a pas faim ? » s'étonna Nuage de Colombe.

Nous sommes tous affamés, non ?
Poil d'Écureuil, qui avait dû entendre leur conversation, se précipita vers eux.
« Elle a de la fièvre ? s'inquiéta la chatte rousse.
— Non. Elle semble juste triste et fatiguée. » Ses épaules se relâchèrent. « J'espérais trouver quelque chose à manger qui pourrait lui remonter le moral.
— L'une des patrouilles sera bientôt de retour, annonça Poil d'Écureuil. Il y aura peut-être une proie fraîche pour elle. » Elle s'adressa à Nuage de Colombe : « Pelage de Lion ne t'emmène pas à l'entraînement ?
— Si, quand il sera prêt, sans doute », répondit-elle.
Avant cela, j'ai plus important à faire.
Elle visa la tanière d'Œil de Geai en espérant que Poil de Bourdon n'y traîne pas trop longtemps.
Isidore laissa tomber la souris dans la neige.
« Si j'avais quelques saisons de moins, j'irais chasser moi-même, soupira-t-il en fixant le sommet de la combe. J'étais un sacré chasseur, dans le temps. J'arrivais à attraper des lapins. » Il bomba le poitrail. « Et des faisans… » Les moustaches frémissantes, il conclut : « Même si les faisans ne sont point durs à attraper. Ils préfèrent manger plutôt que voler. »
Nuage de Colombe le regarda, perplexe.
« Tu attrapais des faisans ? »
Isidore était loin d'être petit mais, quand même, il ne faisait sans doute pas le poids face à un faisan.
« Quand j'étais jeunot, rien n'était trop gros pour moi. »
Il regagna la tanière des anciens.
Nuage de Colombe salua Poil d'Écureuil et se dirigea vers l'antre d'Œil de Geai.

214

À l'intérieur, Poil de Bourdon faisait les cent pas devant le nid de Belle Églantine.

« Tu aurais dû voir ça ! Du sang partout ! Et tout ça à cause d'une seule épine ! Et elle a dormi dessus toute la nuit sans s'en rendre compte, t'imagines ? »

Œil de Geai était en train de se rincer les pattes dans la flaque.

« N'exagère pas, Poil de Bourdon, lança-t-il avant de se lécher les griffes. Ce n'était que quelques égratignures.

— À partir de maintenant, je vais vérifier la réserve de mousse d'Œil de Geai, annonça fièrement Belle Églantine. Je suis la patrouille anti-épines ! » Elle se tourna vers le guérisseur et ajouta : « Je devrais peut-être aussi examiner la litière de la pouponnière avant qu'elle soit placée dans les nids. »

Nuage de Colombe allait interpeller Œil de Geai mais celui-ci vint à sa rencontre.

« Je suis certain que Chipie et Pavot Gelé apprécieraient ça, en effet, répondit-il en passant devant le nid de la blessée. Je dois m'absenter un moment. Poil de Bourdon, tiens compagnie à ta sœur. Mais arrête de lui raconter des histoires fantasques. Viens, Nuage de Colombe, murmura-t-il ensuite à l'apprentie. Nous devons parler. »

Pas trop tôt ! Œil de Geai allait-il enfin prendre au sérieux les visites nocturnes de sa sœur dans la Forêt Sombre ? Elle se hâta à sa suite. Sans ralentir, le guérisseur adressa un signe de tête à Pelage de Lion. Ce dernier s'écarta d'Étoile de Feu et de Griffe de Ronce et bondit vers eux. Le meneur les regarda sortir du camp, les yeux plissés.

« Bien, fit Œil de Geai quand ils s'arrêtèrent dans une clairière en pente semée de fougère près du camp. Nuage de Colombe, tu dois empêcher Nuage de Lis de revenir de la Forêt Sombre dans un tel état. Elle va finir par éveiller les soupçons. »

Nuage de Colombe en resta gueule bée. Puis elle vit rouge.

« *Moi*, je dois l'en empêcher ? cracha-t-elle. Qu'est-ce que j'essaie de faire depuis le début, à ton avis ? Et pas seulement parce que ses griffures, ses bosses et ses entorses risquent d'attirer l'attention ! » Elle colla son museau à celui du guérisseur et ajouta : « Mais parce que j'ai peur qu'elle ne se fasse *tuer* !

— Calme-toi, souffla Pelage de Lion en s'interposant. Tu as raison, Nuage de Colombe. Nuage de Lis se fait blesser trop souvent et il est de notre devoir de la protéger.

— C'est ce que je me tue à vous dire ! soupira Nuage de Colombe.

— Mais nous ne pouvons pas la suivre dans ses rêves, ajouta Pelage de Lion.

— Œil de Geai, si ! lui rappela la novice.

— Non. Étoile du Tigre l'a déjà chassé une fois. Nous ne pouvons pas risquer de l'y envoyer de nouveau.

— Mais laisser Nuage de Lis y aller nuit après nuit, ça ne vous dérange pas ! fulmina-t-elle.

— Elle est l'une des leurs, lui rappela le guérisseur. Ils ne lui feront pas de mal délibérément, tant qu'ils pensent qu'elle est de leur côté.

— Vous ne pourriez pas lui parler ? supplia-t-elle en regardant les deux frères tour à tour. Dites-lui qu'elle ne doit plus s'y rendre. Elle vous écoutera peut-être.

— Tu le penses vraiment ? » lui demanda Pelage de Lion en lui caressant le dos du bout de la queue.

Le cœur de la novice se serra. *Non.* Nuage de Lis semblait convaincue qu'Étoile du Tigre faisait d'elle une guerrière redoutable. Elle ne renoncerait jamais à cela.

« De plus, nous avons plus que jamais besoin qu'elle continue ses entraînements nocturnes, reprit Œil de Geai en s'asseyant, la queue enroulée autour des pattes.

— Pourquoi ? fit Pelage de Lion.

— Croc Jaune m'a transmis un message. Nous devrons affronter seuls la Forêt Sombre.

— Seuls ? s'étonna le guerrier.

— Tous les guérisseurs ont reçu la même mise en garde. Nous devons briser les liens qui nous unissent aux autres Clans et affronter le danger chacun de son côté. Un seul Clan survivra.

— Est-ce que les autres connaissent l'existence des guerriers de la Forêt Sombre ? demanda Pelage de Lion, les oreilles rabattues.

— Non, admit Œil de Geai. Le Clan des Étoiles semble être au courant mais il n'en informe pas les guérisseurs.

— Pourquoi ? voulut savoir Nuage de Colombe.

— Pour ne pas les effrayer, peut-être. Ou parce que nos ancêtres ne savent plus à qui faire confiance.

— Et toi, pourquoi tu n'avertis pas tes condisciples ? l'interrogea Nuage de Colombe.

— Croc Jaune m'a ordonné de me taire. Et quand j'ai essayé de prévenir Plume de Crécerelle et Feuille de Saule, j'ai eu une vision.

— Quelle vision ? le pressa Pelage de Lion.

— Les membres du Clan des Étoiles se sont transformés en chats de glace et se sont brisés en mille morceaux. Le Clan des Étoiles était *détruit*.

— Alors nous sommes tout seuls ? gémit Nuage de Colombe.

— Le Clan du Tonnerre possède les Trois, la rassura Œil de Geai. Notre Clan survivra. »

Pelage de Lion se mit à aller et venir nerveusement. « Alors, comme ça, c'est *moi* qui suis censé me battre pour tout le monde ? » Sa queue fouettait l'air. « Par le Clan des Étoiles, pourquoi est-ce que je ne peux pas avoir une vie normale ? »

Nuage de Colombe s'étonna de sa réaction. Elle croyait que, pour Pelage de Lion, appartenir à la prophétie était un honneur. Pourquoi semblait-il soudain las de ses pouvoirs ? C'était lui qui l'avait encouragée à accepter ses propres dons et elle commençait enfin à les apprécier. Grâce à ses sens surdéveloppés, elle entendait Cœur de Tigre où qu'il se trouve. Elle savait quand il chassait avec ses camarades et elle pouvait écouter sa respiration lente lorsqu'il s'endormait dans son nid… Elle écarta aussitôt ces idées. Ce n'était pas le moment de penser à Cœur de Tigre.

« Mais pourquoi faut-il que Nuage de Lis continue à se rendre dans la Forêt Sombre ? s'emporta-t-elle.

— Nous devons savoir ce qu'ils préparent, répondit Œil de Geai.

— Nous le savons déjà !

— Mais nous ignorons quand ils comptent frapper et s'ils ont délibérément provoqué la division des Clans. » Œil de Geai se pencha vers Nuage de Colombe. « Nuage de Lis pourrait nous aider à le découvrir.

— Tu veux qu'elle les espionne ? s'étrangla Nuage de Colombe. Tu ne crois pas qu'elle est suffisamment en danger comme ça ? Si Étoile du Tigre le découvrait, le Clan des Étoiles seul sait ce qu'il lui ferait. » Sa gorge se serra. « Non ! Hors de question que vous lui infligiez ça. Pas même si le sort du Clan entier en dépend ! »

Elle tourna les talons et fonça dans les fougères. Pelage de Lion et Œil de Geai se moquaient bien de Nuage de Lis ! Pour eux, elle n'était qu'un moyen d'obtenir ce qu'ils voulaient. *D'abord, ils ont cherché à m'utiliser, moi, et maintenant ils entendent manipuler Nuage de Lis.*

Folle de rage, Nuage de Colombe courut jusqu'au sommet de la pente. Les arbres y étaient clairsemés et elle distinguait le lac en contrebas, qui scintillait sous un ciel bleu dégagé. Autant que sa colère serve à son Clan. Elle se lança dans la descente couverte de neige, décidée à chasser sur la rive.

Elle avança sur la plage de galets et, lorsqu'elle arriva près du ruisseau qui les séparait du Clan de l'Ombre, elle perçut un fumet de gibier. Elle s'arrêta, les pattes meurtries par le froid, et leva le museau.

Un campagnol.

Elle s'approcha doucement, la truffe au sol. Elle flaira bientôt sa trace dans la poudreuse et repéra ses empreintes menues. D'un pas léger, elle remonta sa piste sur la berge jusqu'au bosquet où le cours d'eau se jetait dans le lac. Elle longea le courant en serpentant entre les arbres jusqu'à ce qu'elle aperçoive le rongeur – petite silhouette sombre tapie près de la rive. Il était concentré sur la graine qu'il tenait entre ses pattes.

Dans la position du chasseur, Nuage de Colombe se mit à ramper vers lui en prenant garde à ce que la fourrure de son ventre et de sa queue ne frôle pas le sol. Le rongeur continuait à grignoter son repas sans se douter du danger. Nuage de Colombe se ramassa sur elle-même et lui sauta dessus.

Elle acheva d'un coup de crocs la petite créature chaude et dodue qu'elle tenait entre ses griffes. L'odeur alléchante la fit saliver. C'était la meilleure proie qu'elle ait vue depuis des jours.

« Bien joué ! » lança Nuage de Lis sur la rive opposée du ruisseau. Avec son pelage blanc et argenté, elle se fondait parfaitement dans la neige. Elle traversa le cours d'eau peu profond mais glacé pour rejoindre sa sœur. « C'est une belle prise. »

Nuage de Colombe fronça la truffe. La fourrure de Nuage de Lis était encore couverte d'onguent. Et son regard toujours fiévreux.

« Tu devrais te reposer au camp, miaula-t-elle. Œil de Geai a dit que tes griffures s'étaient infectées, non ?

— Et alors ? fit sèchement Nuage de Lis. Il les a soignées.

— Ce n'était pas une critique, se défendit Nuage de Colombe. Je m'inquiète pour toi, c'est tout. » Elle poussa sa prise vers sa sœur. « Tiens, prends-en un morceau. »

Elle voulait faire la paix avec Nuage de Lis.

« Ce serait contre le code du guerrier, répondit celle-ci en secouant la tête.

— Juste une petite bouchée. Tu as l'air de mourir de faim. Je dirai que je l'ai abîmé en le tuant.

— Non, merci, gronda Nuage de Lis. Ce n'est pas moi qui aime enfreindre le code du guerrier.

— Quoi ? fit Nuage de Colombe, surprise.

— Ce n'est pas moi qui disparais chaque nuit pour retrouver un guerrier du Clan de l'Ombre. »

Nuage de Colombe eut l'impression d'avoir avalé une pierre. *Nuage de Lis est au courant pour Cœur de Tigre et moi !*

« Comment le sais-tu ?

— Tu croyais que je ne reconnaîtrais pas son odeur sur toi ? rétorqua la novice au poil blanc et argent, la queue battante. Ce n'est pas très loyal, pas vrai ? Passer ses nuits avec un mâle d'un autre Clan... »

Nuage de Colombe se raidit et répliqua :

« Au moins, nous ne mettons personne en danger.

— Qu'est-ce que tu veux dire ?

— Chaque fois que tu vas dans la Forêt Sombre, tu trahis tes camarades.

— C'est faux ! cracha Nuage de Lis. J'apprends à être une super guerrière pour mon Clan !

— C'est ça ! Comme Étoile du Tigre. Lui, c'était vraiment un *super* guerrier !

— Exactement !

— Il est devenu le chef du Clan de l'Ombre ! Il a essayé de tuer Étoile de Feu ! »

Comment Nuage de Lis pouvait-elle être aussi stupide ? Cette dernière la foudroya du regard avant de lancer :

« Tu ne me demandes pas comment j'ai reconnu son odeur ?

— Quoi ? fit Nuage de Colombe, déroutée.

— Tu ne trouves pas étrange que j'aie reconnu le parfum de Cœur de Tigre si facilement ? »

Le sang de Nuage de Colombe se figea dans ses veines. Elle repensa au regard que sa sœur et Cœur de Tigre avaient échangé durant la bataille.

« C-comment ça se fait ? »

La novice grise était tendue comme jamais. Elle ne voulait pas entendre la réponse. Elle ne voulait pas savoir que Cœur de Tigre allait aussi retrouver Nuage de Lis en cachette. Qu'il lui avait menti. Qu'elle n'était pas le seul membre du Clan du Tonnerre qui occupe ses pensées.

« Je le vois moi aussi presque toutes les nuits, lâcha Nuage de Lis.

— Impossible, il est avec moi !

— Pas toute la nuit. »

Nuage de Colombe recula d'un pas.

« Ne dis pas ça ! C'est moi qu'il apprécie, pas toi ! Tu l'as suivi ? Trouve-toi ton propre compagnon ! Laisse-le tranquille ! »

Nuage de Lis se rapprocha d'elle et répondit :

« Oh, je ne l'apprécie pas *de cette façon*. Je ne glousse pas comme une stupide tourterelle pour les beaux yeux d'un matou. Je suis une combattante, moi, et Cœur de Tigre aussi. »

Nuage de Colombe aurait préféré être sourde que d'entendre ça.

« Il ne passe pas toute la nuit à roucouler dans ton oreille, la railla encore Nuage de Lis. C'est l'un des meilleurs guerriers du Lieu sans Étoiles. C'est à la Forêt Sombre, qu'il est loyal. Pas à toi !

— C'est faux ! Tu es jalouse ! hurla Nuage de Colombe, incapable de la croire. Jalouse parce que je suis une meilleure guerrière que toi. Je l'ai toujours été et je le serai toujours et ça t'insupporte ! Et main-

tenant tu es jalouse parce que Cœur de Tigre m'aime
et pas toi ! Tu veux détruire tout ce que j'ai parce que
tu m'envies ! C'est tout !

— Vraiment ? fit Nuage de Lis, l'œil brillant.
Pourquoi ne lui poses-tu pas la question, dans ce cas ?

— Tais-toi ! » Nuage de Colombe se hissa sur le
talus qui dominait le cours d'eau. « Si tu dis à qui que
ce soit que je vois Cœur de Tigre, je raconterai à tout
le monde que tu t'entraînes dans la Forêt Sombre
avec Étoile du Tigre. Alors tu n'auras plus d'amis.
Tout le monde te haïra autant que je te hais ! »

Elle s'élança aussitôt entre les arbres.

« Tu as oublié ta prise ! lança Nuage de Lis.

— Emporte-la ! feula Nuage de Colombe sans se
retourner. Comme ça, nos camarades penseront que
tu as fait quelque chose de bien, pour une fois ! »

Elle fonça droit devant en refoulant les pensées qui
virevoltaient dans sa tête. La frontière du Clan de
l'Ombre était toute proche. L'odeur lui imprégnait
déjà la langue. Est-ce que Cœur de Tigre avait vraiment trahi les Clans ? Elle s'arrêta, les oreilles dressées. Les sens en alerte, elle guetta le jeune guerrier.

Elle l'avait fait si souvent qu'il lui fut facile de le
repérer. Elle entendit son miaulement, le bruit de ses
pas sur le sol enneigé. Elle reconnaissait sa démarche
pleine d'assurance. Il était avec ses camarades. Elle
tendit l'oreille un peu plus. *Dos Balafré, Nuage de Pin
et Oiseau de Neige.* Des ronrons montèrent de leur
gorge lorsque Nuage de Pin tomba dans une congère
avec un choc sourd.

Ils semblaient heureux. Nuage de Colombe aurait
tout donné pour être auprès d'eux. Pour jouer dans

la neige avec Cœur de Tigre, certaine de son amour. Elle voulait être à ses côtés tout le temps.

Et si elle rejoignait le Clan de l'Ombre ? Cette idée la frappa tout à coup et son cœur s'emballa. *Ne dis pas n'importe quoi ! Tu es l'une des Trois !* Elle ne pouvait pas laisser Œil de Geai et Pelage de Lion affronter seuls les guerriers de la Forêt Sombre. De plus, en son for intérieur, elle savait qu'elle ne pouvait pas abandonner Nuage de Lis. Sa gorge se noua. Elle n'aurait pas dû lui dire toutes ces horreurs. Elle s'était montrée cruelle. Elle avait insinué que leurs camarades la méprisaient.

Nuage de Colombe eut soudain la nausée. Et si sa sœur décidait de rester pour toujours dans le Lieu sans Étoiles ? Elle tourna les talons et fila ventre à terre pour aller s'excuser.

Mais ce ne serait pas suffisant ! Nuage de Lis continuerait à se rendre dans la Forêt Sombre. Elle ne comprenait pas qu'elle se faisait manipuler. Nuage de Colombe força l'allure. Les formes floues des arbres défilaient de chaque côté. La neige craquait sous ses pas.

À quoi me servent donc tous ces pouvoirs si je suis incapable de protéger ma propre sœur ?

Chapitre 17

✤

Plein d'espoir, Plume de Flamme dégagea la neige autour des racines d'une vieille souche. Il fut déçu de ne découvrir que des feuilles noircies par le gel. Pourquoi pas un remède ne poussait pendant la saison où les maladies étaient les plus graves ? L'état de Petit Nuage avait décliné. Le Clan était affaibli par la faim. Bientôt, le mal blanc menacerait toutes les tanières.

Tout à coup, le miaulement de Nuage de Pin retentit dans les sous-bois.

« Aïe !

— Bien fait, lui répondit Cœur de Tigre. Ça t'apprendra à faire la fofolle. »

La patrouille de chasse de son frère était toute proche. Plume de Flamme continua à creuser.

« Crotte de souris, pesta-t-il en tombant sur d'autres plants gelés.

— Qu'est-ce qu'il y a ? s'enquit Cœur de Tigre en déboulant près de lui.

— Je ne trouve pas de plantes médicinales en bon état, expliqua-t-il en secouant la patte pour en faire tomber la neige. Pas même des orties.

— Tu as besoin d'aide ? lança Dos Balafré qui arrivait avec le reste de la patrouille.

— Nous avons du temps, renchérit Oiseau de Neige. Les proies se cachent, elles aussi.

— Tu fais quoi ? » demanda Nuage de Pin en se penchant par-dessus l'épaule du guérisseur.

La truffe de Plume de Flamme frémit. Il avait flairé une senteur verte sur la fourrure de la novice. Il se tourna pour la renifler.

« Dis donc ! s'offusqua-t-elle avant de reculer d'un pas. J'ai fait ma toilette ce matin !

— Par où êtes-vous passés ? » voulut savoir le guérisseur.

D'un signe de tête, l'apprentie lui désigna le sillon qu'ils avaient laissé dans la neige.

« Près du mélèze.

— Nuage de Pin est tombée dans une congère, ronronna Cœur de Tigre.

— Il y avait des ronces, dessous, se plaignit-elle. J'ai des épines plein la fourrure.

— Des ronces sous la neige ? reprit Plume de Flamme, plein d'espoir. C'est pour ça que tu sens la bourrache !

— Je crois que le froid a gelé la cervelle de ton frère, murmura Oiseau de Neige à Cœur de Tigre.

— Plume de Flamme sait ce qu'il dit. N'est-ce pas ?

— Les ronces ont dû protéger les feuilles de bourrache de la neige. Elles n'ont pas gelé.

— Je vais te montrer où nous étions, proposa Dos Balafré.

— Ne t'embête pas ! lança Plume de Flamme, qui remontait déjà la piste de ses camarades. Je vais suivre vos traces.

— Tu n'auras pas de mal à trouver l'endroit où Nuage de Pin est tombée ! ronronna Cœur de Tigre. Le trou qu'elle a fait est assez gros pour abriter un lièvre. »

Plume de Flamme suivit la piste d'un pas guilleret et découvrit avec joie le monticule de neige où avait chuté leur camarade. Il se mit à creuser malgré la morsure du froid sur ses pattes, jusqu'à ce qu'il se pique les coussinets sur les ronces. Il écarta les tiges et aperçut, bien à l'abri, les feuilles vert sombre d'un plant de bourrache intact.

Que le Clan des Étoiles soit loué ! Il découpa à coups de crocs autant de feuilles qu'il put en atteindre puis sortit à reculons de la congère. Cependant, il restait inquiet. Si seulement il avait trouvé de l'herbe à chat ou même de la tanaisie ! La bourrache n'était bonne qu'à faire baisser la fièvre. Elle était inutile contre les infections. Or, les poumons de Petit Orage étaient sévèrement touchés. Et s'il finissait par attraper le mal vert ? Sans herbe à chat, Plume de Flamme serait impuissant.

Il chassa cette idée. *Profitons déjà de cette aubaine,* se dit-il en rapportant sa récolte vers le camp. Il aimait ce temps clair et frais et, même s'il avait mal aux pattes, il appréciait les crissements de la neige sous ses pas.

Lorsqu'il se glissa dans la clairière, Pelage d'Or se précipita à sa rencontre et lui lécha la joue.

« Plume de Flamme ! Tu as trouvé des remèdes ! Bravo ! »

Il grimaça avant de se dire qu'il avait de la chance d'avoir une mère si démonstrative. Parfois, lors des Assemblées, il surprenait les regards haineux que Pelage de Brume décochait à Plume de Jais et Belle-de-Nuit. Ces derniers ne semblaient rien remarquer ; ils étaient souvent trop occupés à se lancer des remarques désagréables.

« Tu as maigri », s'inquiéta la guerrière.

Il haussa les épaules. Les feuilles qu'il tenait dans la gueule l'empêchaient de parler. Évidemment qu'il avait maigri ! C'était la mauvaise saison.

Pelage d'Or jeta un coup d'œil vers la tanière de son fils.

« Tu ferais mieux d'aller voir Petit Orage. Il tousse de plus belle. »

Du bout de la queue, il frôla la joue de sa mère et s'éloigna. Dans sa tanière, l'odeur de l'infection lui fit froncer la truffe. Plume de Flamme posa sa récolte près de la réserve de remèdes.

« Tu devrais être dans ton nid. »

Petit Orage triait lentement les plantes médicinales au fond de l'antre : feuilles fraîches d'un côté, feuilles trop sèches de l'autre.

« Il n'y a plus du tout de chasse-fièvre, soupira le vieux guérisseur.

— Laisse-moi t'aider, proposa Plume de Flamme.

— Je peux le faire tout seul. »

Petit Orage fut aussitôt pris d'une quinte de toux et son souffle éparpilla les feuilles sèches sur le sol.

Doucement, Plume de Flamme entraîna son aîné vers sa litière.

« Je vais trouver de la consoude pour les anciens, promit-il.

— Stupide toux », grommela l'autre en grimpant dans son nid. Il s'installa sur la mousse et eut l'air soulagé. « Ça ira mieux dans un jour ou deux.

— Bien sûr. »

Plume de Flamme se dirigea vers les remèdes. Petit Orage répétait cela depuis des jours. Il avait été de nouveau trop mal-en-point pour se rendre à la Source de Lune et son état ne s'était pas amélioré depuis.

Le jeune chat avait été soulagé que son ancien mentor n'aille pas communier avec leurs ancêtres car il n'y était pas allé non plus. Étoile Grise lui avait dit de se tenir à l'écart des autres guérisseurs, ce qu'il avait pu faire sans devoir se justifier auprès de Petit Orage. À la demi-lune, Plume de Flamme était parti en forêt et avait passé la nuit à l'abri d'une bûche creuse.

Il se mit à ranger les feuilles sèches éparpillées.

« As-tu vu quelque chose dans tes rêves, récemment ? lui demanda soudain Petit Orage.

— Non, dit-il tout en enroulant de la consoude dans une feuille pour Fleur de Pavot.

— Et quand tu as été à la Source de Lune ?

— Je n'ai rien vu de nouveau, miaula-t-il, mal à l'aise. Nous devons nous battre seuls.

— Pourquoi me mens-tu ? gronda Petit Orage.

— Pardon ? fit Plume de Flamme d'une voix qu'il espérait normale.

— À propos de la Source de Lune... J'attends depuis un quart de lune que tu me dises la vérité. » Une quinte violente le fit taire un instant. « À ton retour, ton pelage ne portait nulle trace de l'odeur de l'eau, de la pierre ou des autres guérisseurs. Juste le parfum du bois humide, et de ta peur.

— Je suis désolé », miaula Plume de Flamme en se tournant vers lui. Il était sincère. Il chercha les bons mots pour expliquer ce qui se passait. « Étoile Grise m'a dit de me tenir à l'écart des autres guérisseurs, tu te souviens ? Si tu le souhaites, j'irai à la Source de Lune ce soir, mais seul.

— Pourquoi es-tu si certain d'avoir bien interprété ta vision ?

— Il n'y avait rien à interpréter ! rétorqua Plume de Flamme en ravalant sa colère. Étoile Grise a été on ne peut plus clair. La guerre approche. Nous devons compter sur nos ancêtres pour nous guider. Et sur personne d'autre !

— Pourtant, Étoile de Jais est d'accord avec moi. Nous devons être prudents.

— Je suis guérisseur, répliqua Plume de Flamme. J'en réponds avant tout au Clan des Étoiles !

— Si la guerre arrive, les alliances sont peut-être notre seul espoir ! » La voix de Petit Orage s'éraillait un peu plus à chaque miaulement. « Joindre nos forces à celles des autres Clans nous a permis de survivre au Grand Périple et, avant cela, de vaincre Fléau et le Clan du Sang.

— C'est du passé, lui rappela le jeune chat en fixant son mentor. Les temps ont changé.

— Le code du guerrier est immuable.

— Nous ne sommes pas des guerriers ! Nous sommes des guérisseurs. »

Petit Orage le dévisageait de ses grands yeux vitreux. Une nouvelle quinte le prit. Plume de Flamme se précipita vers lui pour masser son poitrail osseux. Il n'aimait guère se disputer avec son mentor. Surtout lorsque ce dernier était souffrant. Il lui avait enseigné tout ce qu'il savait et le chat roux lui faisait une confiance aveugle. Mais Petit Orage n'avait pas reçu la vision de l'incendie. Seul Plume de Flamme l'avait eue.

Le jeune guérisseur se redressa soudain. Pourquoi le Clan des Étoiles n'avait-il partagé sa mise en garde qu'avec lui ? Il regarda un instant le vieux matou secoué de quintes. Est-ce que ce dernier allait *mourir* ? Son ventre se noua. Il se mit à lui frotter le dos plus énergiquement.

Peu à peu, la crise s'apaisa. Petit Orage se rallongea dans son nid, le souffle court.

« Tu dois toujours être honnête avec moi, miaula-t-il d'une voix rauque.

— Je suis désolé, répondit Plume de Flamme en lissant la fourrure ébouriffée de son aîné du bout d'une patte. Je ne voulais pas te contrarier. » Il soutint son regard et ajouta : « Mais je ne pouvais désobéir au Clan des Étoiles.

— Je comprends. Je ne demande que la vérité.

— Maintenant, tu la connais. » Il se redressa et reprit : « Nous devons nous battre seuls. Étoile Grise a été clair et je vais suivre sa volonté.

— Dois-je faire de même ? Je n'ai pas eu la moindre vision, le moindre rêve. Je n'ai aucune raison d'abandonner de vieux amis. »

Sa voix n'était plus qu'un souffle.

« Tu penses à Museau Cendré ? »

Plume de Flamme savait que les deux guérisseurs avaient été proches. Le regard de Petit Orage scintilla.

« Elle est morte, murmura Plume de Flamme. C'est Œil de Geai, le guérisseur du Clan du Tonnerre, à présent. Il n'est pas Museau Cendré. Lui aussi, il voudra que son Clan se batte seul si telle est la volonté du Clan des Étoiles.

— Œil de Geai peut faire comme bon lui semble ! grogna Petit Orage en se redressant. Museau Cendré m'a sauvé la vie, il y a longtemps. Cet acte nous a rapprochés pour toujours. Je soutiendrai le Clan qu'elle aimait jusqu'à ce que j'aie payé ma dette. »

La tanière frémit et Pelage Fauve glissa son museau à l'intérieur.

« Plume de Flamme ? Étoile de Jais veut te voir. »

Petit Orage essaya de sortir de son nid.

« Juste Plume de Flamme, lui dit le lieutenant. Notre chef t'a entendu tousser, il veut que tu te reposes. »

Le vieux matou se laissa retomber dans la mousse en grognant de plus belle.

« Je te rapporterai ce qu'il m'a dit », promit Plume de Flamme avant de filer à la suite de Pelage Fauve.

Lorsqu'il traversa la clairière, il sentit deux fourrures le frôler de chaque côté. Il ralentit, perplexe. Pelage Fauve était devant lui. Il n'y avait personne d'autre près de lui.

Deux parfums chauds l'enveloppèrent soudain. *Feuille Rousse et Moustache de Sauge !* Il entendit leurs voix telle une douce brise dans ses oreilles.

« Reste fort !

— Nous sommes avec toi ! »

Il hocha la tête et entra dans la tanière d'Étoile de Jais, laissant dehors les fantômes du passé.

« As-tu reçu d'autres signes ? l'interrogea Étoile de Jais en allant et venant dans sa petite tanière, la queue battante.

— Non, répondit le guérisseur.

— Alors pourquoi fais-je de tels cauchemars ? lui demanda le meneur en le fixant d'un regard troublé. Chaque nuit, je me tourne et me retourne, hanté par des rêves sanglants remplis de violence et de mort. »

Plume de Flamme cligna des yeux. Le vieux chef semblait torturé – un cercle noir bordait ses orbites.

« Quels dangers devons-nous affronter ? l'interrogea-t-il encore. Est-ce que le Clan de l'Ombre sera détruit ? » Il jeta un coup d'œil à l'extérieur et reprit d'une voix angoissée : « Lorsque tu t'es rendu à la Source de Lune, après notre bataille contre le Clan du Tonnerre, tu as dit qu'une guerre approchait. Qui nous menace ? Le Clan du Tonnerre ? Le Clan du Vent ? Le Clan de la Rivière ? Les trois ? Comment devons-nous les affronter ? Que disent nos ancêtres ?

— Je te l'ai déjà dit, fit le guérisseur, tête basse. Nous devons affronter seuls ce grand danger. Des alliances nous fragiliseraient. Tant que nous resterons dans notre coin, nous nous en tirerons.

— Vraiment ? fit le chef avec espoir.

— Oui. » Plume de Flamme baissa les yeux. « Tout ira bien. »

Ces paroles lui paraissaient bien creuses, mais il devait calmer Étoile de Jais. Comment pourraient-ils faire front si leur meneur perdait son sang-froid ?

Étoile de Jais se détourna soudain, plongé dans ses pensées. Plume de Flamme sortit de sa tanière à reculons.

« J'ai entendu dire que tu avais trouvé des remèdes. » Le miaulement de Pelage Fauve le fit sursauter.

« Des remèdes ?

— Oui, ce matin, insista son père. Pelage d'Or m'a dit que tu avais rapporté de la bourrache. Tu veux de l'aide pour aller en chercher davantage ?

— Oui, fit le guérisseur en secouant la tête pour s'éclaircir les idées. Volontiers. »

Pelage Fauve scruta la clairière enneigée.

« Patte de Crapaud ! Aube Claire ! » D'un mouvement de la queue, le lieutenant fit signe aux deux guerriers qui calfeutraient la pouponnière avec des feuilles. « J'ai une mission pour vous.

— Quoi donc ? fit Aube Claire, qui était arrivée la première devant son père.

— Plume de Flamme a trouvé un plant de bourrache. Nous devons tout cueillir avant que le gel ne l'abîme.

— Il y a peut-être d'autres remèdes sous les ronces, ajouta Plume de Flamme. Nous devrons nous glisser sous les épines.

— Ce soir, nous irons encore nous coucher pleins de griffures, soupira Patte de Crapaud.

— Pas si nous nous montrons prudents, répondit Aube Claire, les yeux dans le vague. En fait, j'ai une idée. »

« Plus haut ! » lança Aube Claire, tapie près du roncier.

Patte de Crapaud poussa un grognement. Dressé sur ses pattes arrière, il releva le bâton qu'il tenait entre ses membres antérieurs afin de soulever les tiges épineuses suffisamment haut pour que Plume de Flamme et Aube Claire puissent se glisser au-dessous.

« Ne le lâche pas ! lui ordonna la guerrière en se faufilant sous les épines.

— Promis », lui assura Patte de Crapaud avant de retenir son souffle.

Plume de Flamme suivit sa sœur, le ventre collé au sol gelé. Si les tiges du haut étaient recouvertes de neige, celles du bas étaient nues si bien qu'il put distinguer plusieurs pousses vertes au travers.

« Tu peux les atteindre ? demanda-t-il à Aube Claire.

— Je crois. » Elle tendit les pattes avant et se mit à arracher les feuilles. « Tiens. »

Elle lui en passa quelques-unes. C'était du pas-d'âne. Même si cela ne guérissait pas Petit Orage, cela apaiserait sa respiration.

Il empila les feuilles que la guerrière lui donnait et finit par en tenir un bon paquet.

« Il y en a d'autres ? lança-t-il.

— Non. »

Plume de Flamme sortit à reculons et s'ébroua pour chasser les épines prises dans ses poils. Patte de Crapaud, qui tenait toujours la branche, haletait sous l'effort. Le guérisseur posa son paquet de remèdes et leva une patte pour aider son camarade à maintenir le bâton en l'air jusqu'à ce qu'Aube Claire soit sortie elle aussi.

Plume de Flamme regarda avec joie la récolte.

« Voilà qui devrait nous durer au moins une lune, dit-il. Enfin, s'il n'y a pas trop de toux à traiter en même temps.

— Essayons un autre buisson ! lança Aube Claire en scrutant la forêt. Pourquoi pas celui-là ? »

Elle fila vers un autre roncier couvert de neige.

« J'imagine que je dois porter le bâton », soupira Patte de Crapaud, les yeux au ciel.

Il saisit la grosse branche de pin dans sa gueule et la traîna au sol en suivant la guerrière.

Tout à coup, Plume de Flamme entendit un craquement sonore. Aube Claire avait glissé sur une plaque de verglas qui s'était fendue. En la voyant chanceler, une terreur indicible l'envahit.

Absorbé dans une vision soudaine, il se retrouva projeté dans une eau noire et glaciale qui l'attirait vers le fond, tirant sur sa fourrure, lui remplissant la gueule et les oreilles. À court d'oxygène, il ne pouvait s'empêcher de hoqueter et l'eau lui pénétrait dans les poumons. Toussant, suffoquant, il s'efforça de remonter et découvrit qu'une croûte de glace bloquait l'air, le condamnant à sombrer dans les profondeurs. Assourdi par son propre pouls, il griffa de toutes ses forces pour tenter de briser la glace. Mais ses griffes dérapaient sur la surface lisse et ses poumons lui brûlaient.

« Non ! » Plume de Flamme se jeta sur Aube Claire avant qu'elle ne chute à travers la glace.

Il la poussa dans la neige qui bordait le sentier.

« Ça va pas la tête ? cria-t-elle en le repoussant. Qu'est-ce que tu fabriques ? »

Au milieu du sentier, un petit cercle de glace s'était morcelé, révélant une flaque d'eau boueuse peu profonde.

« Tu avais peur que je ne me mouille les pattes ? » demanda sa sœur.

Plume de Flamme fixa la flaque, hors d'haleine.

« Je… je… »

La vision hantait son esprit, il avait encore l'impression d'être pris au piège sous la glace, de se noyer dans une eau noire et glaciale.

Plume de Flamme s'écarta d'elle. Pourquoi une simple flaque avait-elle déclenché une vision aussi terrible ? Il frémit. D'abord, le feu, maintenant, l'eau. Il voyait le danger partout.

« Je sais, murmura-t-il à ses ancêtres. Inutile de me le rappeler sans arrêt. »

Il devait se concentrer sur ce qui était important à cet instant précis. Petit Orage était souffrant. Il devait trouver des remèdes pour que ses camarades restent forts et en bonne santé. Les visions pouvaient attendre.

CHAPITRE 18

❧

TEMPÊTE DE SABLE se mit à tousser. Pelage de Lion s'arrêta un instant de calfeutrer l'antre des anciens et lui jeta un coup d'œil. Elle était tapie sous la Corniche, les épaules affaissées. La nuit passée, elle avait déjà beaucoup toussé.

Étoile de Feu dévala l'éboulis et, du bout du museau, il frôla la tête de sa compagne.

«Tout va bien ?

— J'ai juste avalé un flocon de neige», répondit-elle, la voix rauque.

Pelage de Lion glissa une autre touffe de feuilles entre les branches. Il était midi, pourtant la combe était grise, sous un ciel tout aussi gris. La neige avait continué de tomber, au cours des jours précédents, pesant sur les branches du hêtre au point que des fissures apparaissaient dans les parois des nouvelles tanières. Pelage de Lion avait travaillé toute la matinée pour boucher les trous et empêcher que des courants d'air ne refroidissent les gîtes. Œil de Crapaud et Bois de Frêne étaient allés chercher des feuilles mortes dans la forêt et leurs pattes étaient boueuses d'avoir creusé dans la poudreuse pour les arracher du sol.

Bois de Frêne lâcha sa dernière récolte devant Pelage de Lion. Œil de Crapaud piétinait derrière lui pour se réchauffer.

« Il t'en faudra encore ? »

Les deux guerriers étaient à bout de souffle. Leurs os saillaient sous la fourrure. Le gibier s'était fait rare au cours de la dernière demi-lune et le Clan avait encore de la chance s'il mangeait quelques bouchées chaque jour.

Pelage de Lion prit une touffe de feuilles gelées entre ses pattes.

« Si vous m'en rapportiez encore un peu, je pourrais boucher les trouées à l'arrière de la tanière. »

Bois de Frêne hocha la tête et entraîna Œil de Crapaud hors du camp.

« Et fais ça bien ! miaula Poil de Souris, qui était à l'intérieur de la tanière. J'ai à peine dormi la nuit dernière à cause des courants d'air. »

Pelage de Lion ronronna. Le campagnol dodu que Nuage de Lis lui avait apporté avait remonté le moral de l'ancienne. Il prit une nouvelle touffe de feuilles et contourna la tanière.

« Est-ce que Pelage de Lion est là-dedans ? demanda Griffe de Ronce en fourrant la tête à l'intérieur.

— Je suis derrière, lança le guerrier avant d'abandonner sa tâche pour rejoindre le lieutenant. Qu'y a-t-il ?

— Je veux que tu prennes une patrouille pour aller chasser.

— Génial, fit le guerrier en essuyant dans la neige ses pattes couvertes de feuilles mortes. Où ça ?

— Dans les bois, près de la frontière du Clan du Vent.

— Et les courants d'air ? lança Poil de Souris, qui se tenait sur le seuil.

— Bois de Frêne et Œil de Crapaud finiront le travail, la rassura le lieutenant.

— Est-il sage de chasser près de la frontière ? s'enquit le jeune guerrier. Le Clan du Vent est susceptible depuis qu'il a commencé à y chasser.

— Raison de plus pour nous y montrer, renifla Griffe de Ronce. Ils ont poursuivi plusieurs fois du gibier de notre côté du marquage. Il ne faudrait pas que ça devienne une habitude.

— Sans doute.

— Nous ne cherchons pas d'ennuis, poursuivit le lieutenant. Cependant, le Clan du Vent doit savoir que le Clan du Tonnerre n'est jamais loin de la frontière. »

Poil de Souris sortit les griffes et grommela :

« Je ne sais pas pourquoi ils ne se contentent pas de chasser dans la lande, comme avant. » Elle retourna à la chaleur de sa tanière sans cesser de ronchonner. « Le Clan du Vent qui chasse dans la forêt. Et puis quoi, encore ? Le Clan de l'Ombre pêchant dans le lac ? »

Griffe de Ronce attendit qu'elle soit rentrée pour poursuivre :

« Ne les provoque pas, répéta-t-il au guerrier doré. Mais ne te cache pas d'eux non plus.

— Avec un peu de chance, on attrapera un lapin », répondit Pelage de Lion en bombant le poitrail.

Par mauvais temps, il arrivait que des lapins se réfugient sous les arbres.

« Un lapin, ça serait bien. » Le regard du lieutenant dériva vers la souris et le rouge-gorge famélique qui constituaient la réserve de gibier. « Pars avec Feuille de Lune, Cœur Cendré et Nuage de Colombe. »

Le cœur de Pelage de Lion se serra. Il évitait Cœur Cendré depuis qu'il lui avait révélé son secret. Pourquoi le lui avait-il dit ? Et pourquoi ne pouvait-elle pas simplement l'accepter ? Sa queue frémit. *Je n'ai pas changé ! J'ai toujours possédé ce pouvoir.* Il jeta un coup d'œil au fond de la clairière, où la chatte grise faisait sa toilette avec Feuille de Lune. Il se raidit en la voyant chuchoter à l'oreille de l'ancienne guérisseuse. Et si elle le disait à quelqu'un ? Le trahirait-elle ?

Non ! Pelage de Lion écarta cette idée. Elle n'avait pas changé non plus. Il lui faisait toujours confiance.

« Nuage de Lis vient aussi ?

— Non, Œil de Geai préfère qu'elle se repose pour vaincre l'infection. Elle doit rester au camp jusqu'à sa complète guérison. »

Pelage de Lion se dirigea vers les deux guerrières. Devant la tanière d'Œil de Geai il héla Nuage de Colombe, sachant qu'elle y était entrée pour tenir compagnie à Belle Églantine.

« Qu'y a-t-il ? demanda-t-elle, à bout de souffle, après avoir couru pour le retrouver à la sortie.

— Nous allons chasser près de la lande.

— Et vérifier que le Clan du Vent n'a pas passé la frontière, j'imagine ? » fit Feuille de Lune en se levant.

Cœur Cendré s'étira, le poil ébouriffé par sa toilette. Elle lissa une touffe d'un coup de langue.

« On ferait mieux d'y aller », ajouta l'ancienne guérisseuse.

Pelage de Lion lui jeta un coup d'œil et fut surpris qu'elle soutienne son regard. Elle semblait avoir davantage confiance en elle, ces derniers temps. Elle proposait son aide à Œil de Geai sans hésiter et ne bronchait pas lorsqu'il la refusait. Et elle s'affirmait aussi durant les patrouilles, que ce soit en attrapant la première prise ou bien en repérant qu'un marquage s'était éventé.

Était-elle une guérisseuse, ou une guerrière, à présent ? Comment devait-il la traiter ? Il se dandina un peu sur place. Était-elle sa mère ou sa tante ? Certes, elle lui avait donné le jour, cependant elle ne l'avait pas élevé. C'était Poil d'Écureuil qui s'en était chargée. Du moins lorsque ses tâches de guerrière ne l'avaient pas tenue éloignée de la pouponnière. Il haussa les épaules. Chipie et Fleur de Bruyère l'avaient si souvent réchauffé, lui avaient si souvent fait sa toilette qu'elles avaient autant compté pour lui que Poil d'Écureuil, et bien plus que Feuille de Lune.

« Alors ? fit cette dernière, qui le tira de ses pensées. On y va ou pas ?

— On y va. »

Nuage de Colombe bâilla.

« Pourquoi es-tu tout le temps fatiguée, ces temps-ci ? la rabroua Pelage de Lion.

— Désolée », fit-elle en clignant des yeux.

Elle fila aussitôt derrière Cœur Cendré et Feuille de Lune et il se sentit coupable. Il n'aurait pas dû s'emporter contre la novice. Elle était jeune. Ses pouvoirs étaient peut-être trop forts pour elle.

Il rejoignit sa patrouille dans les bois. Le parfum des fourrés chassa ses soucis. La dernière averse de neige avait recouvert les sentiers et les buissons, comme si personne n'était jamais entré dans la forêt. Il doubla ses camarades, cédant au désir puéril d'être le premier à laisser ses empreintes dans le sol vierge. Les trois chattes le suivaient en silence.

Lorsqu'ils approchèrent du torrent frontalier, Pelage de Lion leva la truffe pour s'assurer qu'aucun guerrier rival n'avait franchi la frontière. Le cours d'eau n'était plus qu'un ravin gelé rempli de poudreuse, mais le marquage était frais, tant du côté Clan du Vent que du côté Clan du Tonnerre.

« Et si Cœur Cendré et moi allions chasser là-haut, au-delà des ronces ? demanda Feuille de Lune.

— Nous couvrirons plus de terrain si nous nous séparons, ajouta Cœur Cendré.

— D'accord, répondit le guerrier au pelage doré, soulagé. Emmenez aussi Nuage de Colombe. »

Elle bâillait sans cesse. Il arriverait mieux à chasser seul.

Tandis que les trois chattes s'éloignaient, Pelage de Lion renifla une aubépine au bord du torrent ; il guettait une éventuelle proie et l'odeur du Clan du Vent.

Un craquement lui parvint depuis l'autre rive, et il aperçut Pelage de Brume, la truffe au sol, qui suivait de petites empreintes. Plume de Jais était derrière lui, les oreilles dressées, la fourrure hérissée.

Le matou doré se tapit plus bas derrière les ronces. Ils ne l'avaient pas repéré. À travers le buisson dénudé, il observa les maigres habitants des collines : ils remontaient la piste en chancelant. Ils n'essayaient même pas d'être discrets. Est-ce qu'ils s'imaginaient que la bruyère les dissimulait, ici aussi ? *Cervelles de souris !*

De la neige tomba des branches qui dominaient le torrent. Les guerriers du Clan du Vent levèrent le menton, les yeux brillants. Pelage de Lion entendit des battements d'ailes et, quand le fumet lui eut imprégné la langue, il sut que c'était une grive. L'oiseau fit tomber encore un peu de neige et se posa au sol, à côté d'une pomme de pin. Il se mit à la picorer pour y trouver des insectes. Plume de Jais se figea. Pelage de Brume se raidit. Seul le bout de leurs queues remuait. La grive continuait à becqueter la pomme de pin.

Tout à coup le jeune chat noir bondit dans une explosion de poudreuse. Poussant un cri, la proie s'envola en battant follement des ailes. Pelage de Brume sauta, les griffes tendues, et la frappa brutalement. L'oiseau lui échappa et fila de l'autre côté du torrent.

Pelage de Lion jaillit de sa cachette et attrapa la grive en plein vol. Il la relâcha et elle tomba au sol, morte.

« Hé ! feula Pelage de Brume, outré. C'était ma proie !

— Elle est sur mon territoire. » Pelage de Lion se tapit près de sa prise en salivant. *Une pièce de gibier en moins pour eux, une en plus pour nous.* Il leva les yeux vers Plume de Jais, celui qui avait conduit Feuille de Lune à trahir son Clan. Pelage de Lion n'admettrait jamais que ce chat était son père. *Ton fils des collines n'a même pas réussi à garder sa proie !*

« C'est moi qui l'ai tué, insista Pelage de Brume, comme pour le défier.

— Tu en es sûr ? » Pelage de Lion releva le menton pour le dévisager. « Pourquoi tu ne viens pas la chercher, dans ce cas ? »

La queue du jeune chat noir fouetta l'air. D'un bond, il franchit le torrent et se jeta sur son demi-frère.

Les poils de Pelage de Lion se hérissèrent lorsqu'il roula sous le poids de son adversaire. Quand celui-ci voulu le griffer, le matou doré rua et se débarrassa de lui comme d'une mouche. Puis il lui sauta dessus et le cloua au sol.

« Ordure du Clan du Tonnerre ! » pesta Pelage de Brume en se tortillant et en battant des pattes.

Les moustaches de Pelage de Lion frémirent. C'était trop facile. D'un coup porté à la joue de son opposant, il le fit tomber.

« C'est ma grive », cracha l'autre en se relevant.

Vif comme l'éclair, il plongea pour faucher les pattes arrière de Pelage de Lion.

Surpris, le guerrier du Tonnerre s'effondra. Pelage de Brume lui mordit aussitôt l'épaule. Furieux, Pelage de Lion se débattit comme un poisson hors de l'eau et, dès qu'il trouva une prise, se remit debout pour chasser son adversaire d'un coup puissant. Du sang gicla sur la neige.

« Arrêtez ! »

Le cri strident de Feuille de Lune résonna dans l'air glacial tandis qu'elle fonçait à travers les fougères, Cœur Cendré et Nuage de Colombe sur les talons.

« Comment peux-tu regarder tes deux fils se battre sans rien faire ? » lança-t-elle à Plume de Jais.

Avant que ce dernier puisse répondre, Belle-de-Nuit, sa compagne, sortit de l'ombre. Elle avait la fourrure noire de Pelage de Brume et le même éclat mauvais illuminait ses yeux ambrés.

« Il n'a qu'un seul fils, cracha-t-elle, pleine de haine. Plume de Jais est le père de Pelage de Brume. Et de personne d'autre ! »

Ce dernier se ramassa sur lui-même. Pelage de Lion voyait qu'il préparait une nouvelle attaque.

« Non ! » cria encore Feuille de Lune en s'interposant.

Mais Pelage de Brume avait déjà bondi et il lui percuta le flanc. Il la plaqua au sol et ses griffes projetèrent une nouvelle giclée de sang sur la neige. Pelage de Lion regarda la scène, éberlué. Avant qu'il ait le temps de réagir, Plume de Jais avait franchi le torrent pour écarter son fils de Feuille de Lune.

Il le balança comme une proie morte et se pencha au-dessus de son ancienne compagne.

« Tu as choisi ton Clan, tu te souviens ? cracha-t-il.

— Ça ne veut pas dire que je ne t'aimais pas, gémit-elle, les yeux levés sur lui.

— Peut-être, gronda-t-il, les yeux assombris par le chagrin. Mais ce n'était pas suffisant, n'est-ce pas ?

— Écarte-toi d'elle ! » feula Belle-de-Nuit, qui avait elle aussi passé la frontière.

Elle plongea ses griffes dans la fourrure de son compagnon et le tira en arrière de toutes ses forces. Il se tourna brusquement vers elle et cracha de colère. Pelage de Brume sautillait autour d'eux en gémissant. Pelage de Lion en eut la nausée. *C'est mon frère. Comment est-ce que j'ai pu me battre contre lui ?*

Pelage de Brume se planta devant Plume de Jais, la queue ébouriffée, les crocs en avant.

« Laisse ma mère tranquille. »

Tous avaient oublié la grive. L'enjeu n'était plus les liens entre le chasseur et sa proie, mais des liens plus forts, créés par le sang qui coulait dans leurs veines.

Pelage de Lion secoua la tête. *Je n'ai rien à voir avec eux*, se dit-il. À quelques pas de là, Feuille de Lune se relevait. Le guerrier doré la toisa durement. *Tout est sa faute. C'est elle qui a provoqué ce chaos.* Pourtant, devant le regard bouleversé de sa mère, il ressentit la douleur de la chatte aussi vivement que si c'était la sienne. *Elle a souffert plus que nous tous.*

Plume de Jais tourna les talons en grondant et franchit le torrent.

« Venez, miaula-t-il. Si le Clan du Tonnerre a vraiment peur de mourir de faim sans cet oiseau rachitique, qu'il le garde. »

Pelage de Brume le suivit en laissant dans son sillage des gouttelettes de sang sur la neige.

Pelage de Lion, lui, n'avait pas une égratignure. Devait-il arrêter de se battre contre les guerriers des autres Clans ? *C'est presque de la triche.* Les paroles de Nuage de Colombe lui revinrent en tête. Il devait peut-être conserver ses pouvoirs pour affronter la Forêt Sombre.

Belle-de-Nuit regagna à son tour son territoire puis, faisant halte sur la berge, elle lança un avertissement :

« La prochaine fois, nous vous réduirons en charpie !

— C'est Pelage de Brume qui a commencé ! protesta Nuage de Colombe.

— Chut. » Cœur Cendré éloigna la novice de la frontière et, au passage, elle murmura à son ancien compagnon : « Tu n'aurais peut-être pas dû l'affronter.

— Et pourquoi ? s'étonna Nuage de Colombe, qui l'avait entendue.

— As-tu attrapé quelque chose ? demanda le guerrier à son apprentie.

— Pas encore.

— Alors concentre-toi sur la chasse. » Pelage de Lion regarda la novice s'en aller d'un pas furieux puis il se tourna vers Feuille de Lune. « Tu devrais rentrer au camp pour qu'Œil de Geai examine tes blessures. »

La guerrière arracha son regard de la frontière puis hocha la tête.

Pelage de Lion attendit que les deux chattes aient disparu derrière les ronces.

« Pourquoi t'inquiètes-tu pour un guerrier du Clan du Vent ? cracha-t-il à Cœur Cendré.

— Tu aurais pu le blesser grièvement ! »

Tu crois que je n'en suis pas conscient ?

« Je sais ce que je fais ! gronda-t-il. Arrête de me traiter comme un renard à deux têtes !

— Eh bien… excuse-moi si je ne sais pas comment réagir, marmonna-t-elle. C'est toi qui as tout changé. »

Pelage de Lion la fixa, soudain écrasé par une lassitude extrême.

« Non, soupira-t-il. Tout cela a été décidé bien avant ma naissance. » Il fit demi-tour. « Allons chasser et rentrons au camp. Le Clan a faim. »

Pelage de Lion s'écarta pour laisser passer Plume Grise qui s'approchait de la réserve de gibier en se pourléchant les babines. Ils avaient rapporté deux lapins, la grive et une grouse.

« On devrait chasser là-bas plus souvent, ronronna le matou gris.

— Là, ça ressemble de nouveau à un *tas* de gibier ! »

Pelage de Lion contempla la clairière. Leur chasse fructueuse n'avait pas apaisé son cœur meurtri. Cœur Cendré ne lui avait pas même adressé un regard depuis leur dernière conversation et Feuille de Lune n'avait parlé à personne.

Tempête de Sable toussait. La chatte rousse était tapie près du demi-roc, avec Étoile de Feu et Cœur Blanc.

« Elle devrait voir Œil de Geai, murmura cette dernière.

— C'est à cause des flocons de neige, je t'assure, répliqua l'intéressée.

— Nous avalons tous des flocons, rétorqua Cœur Blanc en lui tournant autour. Tu es la seule à tousser.

— Œil de Geai devrait peut-être t'examiner, suggéra à son tour Étoile de Feu.

— Oui, renchérit la borgne. On dirait le mal blanc. » Étoile de Feu lui jeta un coup d'œil courroucé. « Si c'est bel et bien le mal blanc, nous devons le savoir, se défendit-elle.

— Baisse d'un ton ! la rabroua le meneur, qui ne voulait pas que son Clan s'inquiète.

— Je vais chercher Œil de Geai, annonça Cœur Blanc.

— Bravo, Pelage de Lion, miaula Griffe de Ronce qui humait les prises. Pavot Gelé et les chatons devraient manger en premier.

— Et Belle Églantine aussi, ajouta Millie.

— Il y en aura assez pour tout le monde », répondit Pelage de Lion, qui faisait distraitement rouler au sol un lapin sous sa patte.

Œil de Geai sortit de sa tanière avec Cœur Blanc pour aller examiner Tempête de Sable. Pelage de Lion s'éloigna de ses camarades pour le rejoindre.

« C'est le mal blanc ? lui murmura-t-il.

— Chut ! » fit le guérisseur, l'oreille collée au flanc de la guerrière. Sa queue frétilla soudain. « Elle va avoir besoin de repos. Et de rester au chaud.

— Donc, c'est bien le mal blanc, en conclut Cœur Blanc.

— Peut-être, fit l'aveugle qui effleura l'oreille de la malade. Je vais voir s'il me reste du chasse-fièvre. »

Pelage de Lion s'assit, perplexe. D'habitude, le mal blanc ne se déclarait pas si tôt dans la mauvaise saison. Et si la maladie se répandait ? Dans son champ de vision une fourrure tigrée se précipita vers eux : Feuille de Lune accourait vers sa mère.

« Tempête de Sable, qu'est-ce qui ne va pas ? » L'ancienne guérisseuse se pencha pour renifler l'haleine de la guerrière et leva les yeux vers Œil de Geai. « Nous allons avoir besoin de tanaisie. Je vais en chercher.

— Il est déjà tard, répliqua Étoile de Feu, la queue posée sur le dos de sa fille. Pourquoi ne pas attendre demain matin ?

— Et où vas-tu trouver de la tanaisie ? demanda Cœur Blanc, qui secouait la tête de désespoir. Voilà des jours que nous quadrillons la forêt pour chercher des remèdes.

— Il y en a dans ton carré de plantations, près du nid de Bipèdes », avança Pelage de Lion.

Œil de Geai se raidit. Feuille de Lune chassa la queue de son père d'un mouvement d'épaule.

« J'y vais tout de suite ! lança-t-elle.

— Le carré de plantations est trop fragile, répliqua Œil de Geai. Si nous le récoltons maintenant, nous risquons de tuer la plante et elle ne repoussera pas l'année prochaine.

— Et si nous ne le faisons pas, l'état de Tempête de Sable risque d'empirer ! rétorqua Feuille de Lune.

— Elle est robuste, répliqua Œil de Geai. Elle n'aura peut-être pas besoin de tanaisie. Je ne veux pas prendre ce risque.

— Quel risque ? Tu hésites entre perdre ta tanaisie et perdre Tempête de Sable ?

— La question ne se pose pas encore en ces termes, intervint Étoile de Feu.

— C'est *moi* qui déciderai quand on utilisera la tanaisie, gronda Œil de Geai. C'est *moi* le guérisseur. »

Pelage de Lion se sentit mal à l'aise dans le silence qui s'ensuivit. La neige crissa sous ses pattes.

« Très bien, finit par miauler Feuille de Lune. J'en trouverai dans la forêt. »

Elle tourna les talons.

« Attends demain matin ! » lança Étoile de Feu.

La chatte au poil brun pâle et tigré hésita, puis elle se dirigea vers la tanière des guerriers et disparut à l'intérieur.

« Est-ce que vous avez vu des traces d'incursions sur la frontière ?

— Quoi ? » Pelage de Lion leva la tête. Étoile de Feu l'observait. Il avait omis de rapporter l'escarmouche. « Nous avons croisé une patrouille du Clan du Vent.

— Est-ce qu'elle a franchi la frontière ? » demanda Étoile de Feu, méfiant.

Oui, mais seulement parce que j'ai provoqué mon demi-frère, songea le guerrier, perplexe. Comment l'expliquer ?

« Il y a eu une petite querelle à propos d'une proie passée de notre côté, miaula-t-il. Rien de grave.

— Et qui a remporté la proie ?

— Moi. »

Tempête de Sable eut une nouvelle quinte de toux. Étoile de Feu enroula de sa queue sa compagne.

« Ce genre de conflit est inévitable », déclara le meneur. Puis il reporta son attention sur la malade.

Si seulement c'était si simple ! Pelage de Lion ferma les yeux. Ce n'était pas la faim ni le différend concernant la proie qui avaient provoqué ce combat. Mais les liens entremêlés des deux Clans. Leurs imbrications avaient empoisonné les relations entre Clans et entre camarades, les uns se retournaient contre les autres.

Croc Jaune avait peut-être raison. Et si chaque Clan devait s'isoler ? Face à un ennemi si insidieux, rien ne devait les distraire de la bataille finale.

CHAPITRE 19

LA VOÛTE DE LA TANIÈRE des anciens craqua sous le poids de la neige. Œil de Geai grimaça.

« J'espère que ça va tenir, marmonna-t-il.

— C'est surtout le dégel qui m'inquiète, répondit Poil de Souris. Lorsque ça commencera à fondre et à goutter dans la tanière...

— Quand le dégel viendra, tu seras mouillée, la coupa Isidore. Comme à chaque mauvaise saison. » Il remua le bout de la queue et ajouta : « Les chats qui vivent dehors se font mouiller. Même votre Clan des Étoiles n'y peut rien changer. »

Du bout du museau, Œil de Geai frôla la truffe de l'ancienne, qui recula.

« Tiens-toi tranquille », lui ordonna-t-il tandis qu'il sentait son haleine.

Elle n'était pas âcre et sa truffe était fraîche. Il écouta sa respiration, il ne savait pas s'il devait mettre ses sifflements sur le compte de son grand âge ou de la maladie. Le soleil était à son zénith et la vieille chatte n'était toujours pas sortie de son nid.

« Tu es sûre que tu n'as pas mal à la gorge ? lui demanda-t-il encore.

— Sûre et certaine, grogna-t-elle.

— Tes articulations te font souffrir ?

— Pas plus que d'habitude. »

Œil de Geai réfléchit, dérouté. Pourquoi avait-elle refusé de jouer à la balle de mousse avec Petit Loir ? Il se tourna vers Isidore :

« Viens me prévenir si elle se met à tousser.

— Je m'en irai te chercher en personne », promit le vieux solitaire.

Le guérisseur s'extirpa de leur tanière et frémit lorsque ses pattes s'enfoncèrent dans la neige. Si la chasse fructueuse de Pelage de Lion et de sa patrouille avait nourri le Clan pendant des jours, la réserve était vide à présent et le mal blanc de Tempête de Sable commençait à se répandre. L'aveugle avait dû confiner Poil de Bourdon dans son antre car, pendant la nuit, il avait été pris de fièvre et de quintes de toux. Puis Pavot Gelé avait envoyé Pluie de Pétales chercher Œil de Geai.

« Elle prétend que Petite Cerise a de la fièvre », lui avait rapporté la guerrière.

Il avait promis qu'il irait la voir après s'être occupé de Poil de Souris. Il se dirigea donc vers la pouponnière, au moment où la troupe de Cœur d'Épines quittait le camp. Le guérisseur priait pour que Pavot Gelé se soit trompée. C'est alors qu'il entendit une respiration rauque.

« C'est toi, Patte de Mulot ?

— Oui, fit le guerrier, qui était au bord de la clairière.

— Retourne te coucher dans ton nid et restes-y. »

Œil de Geai reprit son chemin sans attendre l'objection du matou. Il n'avait pas de temps à perdre en négociations. L'infection se répandait. Il avait ordonné à Tempête de Sable de dormir avec Belle Églantine et lui. Elle ne pouvait pas rester avec Étoile de Feu. Le Clan du Tonnerre avait besoin d'un meneur en bonne santé. Œil de Geai envoya une prière silencieuse au Clan des Étoiles. *Pitié, faites que Belle Églantine ne soit pas contaminée.*

Pavot Gelé devait le guetter depuis le seuil de la pouponnière car elle le héla :

« Œil de Geai ! »

Dès qu'il entra dans la chaude tanière, des griffes minuscules se plantèrent dans son dos.

« Descends de là, Petit Loir ! » pesta Chipie.

Le chaton se laissa glisser sur le dos du guérisseur.

« Je m'entraînais juste à attaquer un adversaire par surprise !

— Va t'entraîner dehors, rétorqua Pavot Gelé en passant devant l'aveugle.

— Petite Cerise peut venir ? »

Œil de Geai lui donna une tape amicale sur la tête et répondit :

« Peut-être tout à l'heure. Je dois d'abord l'examiner. »

Tandis que Petit Loir filait dehors, Pavot Gelé chuchota à l'oreille d'Œil de Geai :

« Elle a chaud. »

Le guérisseur se pencha dans le nid et posa le bout de sa truffe sur celle de la petite chatte.

« C'est vrai, reconnut-il avant de plaquer son oreille sur son flanc. Mais sa respiration est dégagée.

— Je me sens bien, pépia Petite Cerise. Je peux aller jouer avec Petit Loir ?

— Est-ce qu'elle a besoin de remèdes ? s'enquit Pavot Gelé, folle d'inquiétude.

— Pas pour le moment. » Œil de Geai voulait économiser ses maigres réserves aussi longtemps que possible. « Envoie-la jouer dans la neige avec Petit Loir.

— Dehors ? se récria la reine.

— C'est la meilleure chose à faire pour que sa température baisse. Tant qu'elle respire bien, elle ne craint rien. » Du bout du museau, il poussa la petite chatte hors du nid. « Si tu ne te sens pas bien, tu devras rentrer et te reposer, expliqua-t-il à sa patiente avant de s'adresser à sa mère. Appelle-moi si elle commence à tousser ou si sa respiration siffle. »

Il sortit et partit examiner Tempête de Sable dans sa propre tanière.

« Comment te sens-tu ? lui demanda-t-il en s'approchant de son nid de fortune.

— J'ai connu des jours meilleurs », admit la guerrière.

Œil de Geai posa ses coussinets sur les oreilles de la chatte rousse, redoutant qu'elles ne soient plus chaudes que jamais. Ensuite, il se tourna pour tirer quelques remèdes de sa réserve. Il devait rester un peu de chasse-fièvre quelque part. Son cœur se serra lorsqu'il ne sentit sous sa patte que des plantes desséchées. Rien d'utile contre la toux.

Les ronces frémirent et un parfum frais envahit son antre. *De la mille-feuille ?*

« Tu as oublié ça dehors », marmonna Pétale de Rose, la gueule pleine.

Un paquet de feuilles tomba au sol dans un bruit sec. *C'est bien de la mille-feuille !* Étrange, elle ne survivait jamais aux premières gelées.

L'aveugle se hâta d'aller renifler les tiges.

« Où les as-tu trouvées ? »

Il se disait qu'il y en aurait peut-être d'autres au même endroit.

« Par terre, devant l'entrée du camp. Je pensais que tu les avais laissées tomber par mégarde.

— Non, ce n'est pas moi.

— C'était peut-être Feuille de Lune, alors, suggéra la guerrière.

— Peut-être. » Feuille de Lune passait ses journées à chercher des remèdes dans la forêt. Elle était si fatiguée qu'elle avait pu oublier qu'elle en avait déposé là. « Je vais aller la remercier. »

Œil de Geai passa devant Pétale de Rose et s'extirpa des ronces. Il leva la truffe et localisa Feuille de Lune : elle jouait avec les chatons devant la pouponnière. Son pelage sentait la forêt mais pas spécialement la mille-feuille. Il se hâta de la rejoindre.

« Merci ! lança-t-il.

— Merci pour quoi ? s'étonna-t-elle.

— Pour les remèdes.

— Quels remèdes ?

— Les feuilles de mille-feuille, expliqua-t-il. Pétale de Rose les a trouvées devant le camp. On s'est dit que tu avais dû les cueillir et les déposer là.

— Non, ce n'était pas moi, répondit-elle. Quelqu'un d'autre, peut-être ? »

Œil de Geai se tourna vers sa tanière et héla :

« Pétale de Rose ! »

La jeune guerrière en sortit aussitôt et accourut vers lui.

« Qu'est-ce qu'il y a ?

— Amène-moi où tu as trouvé la mille-feuille. »

Il la suivit à l'extérieur du camp.

« Là, dit-elle une fois arrivée dans la petite clairière qui séparait la combe de la forêt.

L'aveugle renifla le sol. Aucune odeur de chat. Juste celle des remèdes et de la neige.

« Un guerrier a peut-être remarqué ces feuilles et les a rapportées en espérant qu'elles se révéleraient utiles, suggéra Pétale de Rose. Puis il a pu partir en patrouille en se disant qu'il t'avertirait plus tard.

— Peut-être, fit Œil de Geai. Si personne ne vient m'en parler, je demanderai à Étoile de Feu de remercier celui ou celle qui les a trouvées lors de la prochaine assemblée du Clan. »

Il rangea ce mystère dans un coin de sa tête et regagna le camp. Le miaulement de Cœur d'Épines le fit sursauter.

« Œil de Geai !

— Qu'y a-t-il ? » fit le guérisseur en se retournant. Puis une odeur particulière lui fit lever la truffe. « Papillon, c'est toi ? »

L'odeur de la guérisseuse du Clan de la Rivière se mêlait à celle de Cœur d'Épines et de Patte d'Araignée. Les deux guerriers devaient l'escorter jusqu'à la combe.

« Nous l'avons découverte au bord du lac, expliqua Cœur d'Épines. Elle souhaite te parler. »

Papillon s'écarta des deux matous en reniflant.

« Merci de m'avoir tenu compagnie, mais j'aurais pu trouver le chemin toute seule.

— Nous voulions juste êtres serviables ! s'indigna Patte d'Araignée.

— Je suis sûr qu'elle vous en est reconnaissante. » Il s'approcha de la guérisseuse et la poussa du bout du museau. « Allons vers le lac. Ma tanière est pleine.

— Comment cela ? fit Papillon en le suivant sous les arbres.

— Le mal blanc a frappé, répondit-il, la truffe retroussée tant l'haleine de la chatte sentait le poisson. Seule Tempête de Sable est touchée pour le moment, mais trois autres risquent de le développer aussi. »

Papillon soupira. Il se demanda s'il devait la prévenir que leurs ancêtres tentaient de diviser les Clans. Après tout, elle n'avait aucun lien avec eux, et ces derniers n'avaient aucun pouvoir sur elle. Cependant, il ne pouvait oublier les paroles de Croc Jaune. Ni sa vision.

« Comment va Belle Églantine ? s'enquit la chatte dorée.

— Elle a vaincu l'infection.

— Tant mieux.

— Ses pattes avant sont aussi puissantes que celles de n'importe quel guerrier. Elles se renforceront encore si elle continue ses exercices.

— Sa vie ne sera qu'un long sentier ardu.

— Elle s'habituera. »

Le vent qui soufflait sur le lac lui fouetta le museau quand il parvint au sommet du talus. Il se hâta de descendre la pente enneigée pour garder quelque distance avec Papillon. Il était si facile de retomber dans la camaraderie. Lorsqu'il sauta sur la berge, il eut la mauvaise surprise d'atterrir dans la neige. La poudreuse s'était amassée le long du rivage en une congère si profonde qu'il en avait plein la truffe. Il toussa, éternua, tout en avançant avec peine vers le bord de l'eau.

« Si seulement le dégel pouvait arriver…, crachota-t-il en entendant Papillon le rejoindre.

— Le froid ne fait que s'accentuer. On a du mal à empêcher les chatons de jouer sur la glace. J'ai dû traiter trois pattes tordues hier. »

N'est-elle venue que pour bavarder ? Œil de Geai laissa son esprit glisser dans celui de la chatte.

Sa tête semblait vide. Il perdait son temps.

« Que me veux-tu ? demanda-t-il tout à trac. Je n'ai pas toute la journée.

— Toujours aussi direct... », ronronna-t-elle. Du bout de la patte, elle tâta la neige avant de baisser la voix. « Feuille de Saule m'a dit que le Clan des Étoiles nous avait ordonné de ne plus parler aux autres guérisseurs.

— Alors pourquoi es-tu venue me voir ?

— Je voulais savoir si tu avais reçu la même consigne. »

La silhouette hirsute de Croc Jaune scintilla soudain tout près d'Œil de Geai. La présence de la vieille guérisseuse lui fit dresser les poils sur l'échine.

« Je ne te répéterai pas le message de nos ancêtres, grogna-t-il.

— Ça veut dire que c'est vrai, qu'ils t'ont dit la même chose ! »

Œil de Geai ravala une réponse cinglante et la chatte reprit de plus belle :

« Ils t'ont dit de ne plus me parler, je le vois bien ! » Sa queue agitée frôla la neige. « S'ils te disaient de te jeter dans le lac, tu le ferais ?

— Cela n'a rien à voir.

— Vraiment ? fit-elle, penchée vers lui. À combien de reprises un Clan en a-t-il aidé un autre pour sauver des guerriers ? »

Œil de Geai haussa les épaules.

« Ils nous demandent d'oublier une entraide que nous pratiquons depuis l'aube des Clans. Ils nous demandent de laisser des chats *mourir*. Ont-ils perdu la raison ? »

Le miaulement rauque de Croc Jaune résonna dans l'oreille du guérisseur.

« *Rappelle-toi que tu dois tenir ta langue. Si tu ne te tais pas, les quatre Clans sombreront dans les ténèbres.*

— Ce sont les membres du Clan des Étoiles, marmonna-t-il. Ils ont leurs raisons.

— Quelles raisons ? gronda-t-elle. Tu l'ignores, pas vrai ?

— Je ne peux pas t'expliquer, rétorqua-t-il avant de reculer d'un pas.

— Je le sens, quand quelque chose ne va pas, insista-t-elle. Notre code est différent de celui des guerriers. Il transcende les frontières. Pour nous, chaque chat n'est que ça : un chat, qui mérite autant de vivre qu'un autre. Nous avons promis de soigner et de protéger, pas vrai ?

— Dans ce cas, protège tes camarades, répliqua-t-il. Mais laisse les miens tranquilles.

— Et si le mal blanc de Tempête de Sable tourne au mal vert ? contra-t-elle, le museau collé à la truffe de l'aveugle. Serais-tu capable de la laisser mourir parce que le Clan des Étoiles te l'a demandé ?

— Ils ont leurs raisons, répéta-t-il, les griffes plantées dans la neige.

— Ce ne sont que des guerriers morts depuis longtemps ! cracha-t-elle. Tu penses que la mort fait d'eux des êtres intelligents et courageux ? Tu ne comprends pas que certains d'entre eux peuvent être aussi idiots et obstinés que de leur vivant ? »

Œil de Geai fronça de nouveau la truffe, écœuré par l'haleine putride de Croc Jaune. Il sentit son pelage hirsute frôler le sien. Elle n'avait pas changé d'un poil en rejoignant le Clan des Étoiles. Un grondement monta dans sa gorge.

« Tu n'as jamais vu de guerrier du Clan des Étoiles, cracha-t-il. Ce ne sont que des hypothèses !

— Eux aussi ne font que des hypothèses ! »

Croc Jaune gronda à son oreille :

« Papillon est une cervelle de souris-née. Elle le restera après sa mort. »

Œil de Geai se détourna de la chatte dorée et s'éloigna.

« Tu ne me convaincras pas.

— D'accord, d'accord », soupira Papillon. En se lançant à sa poursuite, elle l'aspergea de neige. « Tu as besoin de remèdes contre le mal blanc ? J'ai de la tanaisie et de l'herbe à chat – pas beaucoup, mais suffisamment pour partager si la situation est désespérée.

— Non, merci, se força-t-il à répondre.

— Si tu changes d'avis, viens me voir, insista-t-elle après s'être arrêtée dans la montée.

— Je ne le ferai pas. »

Œil de Geai peinait à gravir le talus. Derrière lui, il entendit la neige du rivage crisser sous les pas de Papillon qui rebroussait chemin vers la frontière du Clan du Vent.

La bise glaciale malmenait la fourrure du guérisseur.

« T'es contente ? » gronda-t-il à l'adresse de Croc Jaune. Mais cette dernière avait disparu.

Il se mit à courir pour regagner la forêt et ne s'arrêta qu'une fois devant la barrière de ronces, à bout de souffle. Dès qu'il pénétra dans la clairière, Pavot Gelé se précipita à sa rencontre.

« Petite Cerise n'arrive plus à respirer ! »

Œil de Geai lui passa devant à toute vitesse et fonça vers la petite chatte, qu'il entendait piétiner dans la neige devant la pouponnière.

« Nous l'avons laissée jouer dehors comme tu nous l'avais dit, expliqua Chipie, inquiète. Sauf que sa respiration siffle, maintenant. »

Œil de Geai immobilisa le chaton avec sa queue et plaqua son oreille sur son flanc. Sa respiration était devenue rauque.

« Est-ce qu'elle s'est mise à tousser ? s'enquit-il.

— Un peu, répondit Pavot Gelé, qui l'avait suivi.

— Rentrez-la. Et faites-lui sa toilette. Pour qu'elle reste mouillée. Cela la rafraîchira. »

Petite Cerise poussa un cri indigné lorsque sa mère l'entraîna à l'intérieur de la pouponnière. Tandis que le guérisseur se dirigeait vers sa tanière, Chipie le suivit et demanda :

« Tu vas lui donner des remèdes ?

— Si son état empire, oui.

— Et pourquoi pas maintenant ?

— Je n'en ai pas assez, rétorqua-t-il.

— Et les feuilles que Pétale de Rose a rapportées ?

— C'était de la mille-feuille, expliqua-t-il. Ça ne sert qu'à faire vomir.

— Mais celui ou celle qui les a trouvées pourrait peut-être aussi dénicher de la tanaisie ou de l'herbe à chat, non ?

— Si tu me dis qui c'est, je l'interrogerai, cracha-t-il, pressé d'aller examiner Tempête de Sable.

— Est-ce que Petite Cerise est malade ? demanda Poil de Châtaigne, en s'approchant d'eux.

— Elle a juste la respiration un peu sifflante, la rassura Œil de Geai.

— Quoi, Petite Cerise est malade ? lança à son tour Nuage de Colombe après avoir laissé tomber un écureuil nauséabond par terre.

— Elle a juste la respiration un peu sifflante ! répéta-t-il.

— Tout à l'heure, il a envoyé Patte de Mulot se coucher dans son nid parce qu'il toussait, déclara Chipie.

— Et Poil de Bourdon a toussé aussi pendant la moitié de la nuit, ajouta Poil de Châtaigne.

— Tempête de Sable n'est pas sortie de la matinée », renchérit Feuille de Lune.

Est-ce que tout le Clan allait s'en mêler ? Œil de Geai fouetta l'air avec sa queue.

« Arrêtez de vous inquiéter ! Je peux… »

Nuage de Colombe lui coupa la parole et dit :

« Il y a le mal vert dans le Clan de l'Ombre. »

La respiration de Feuille de Lune s'accéléra.

« Le mal *vert* ? reprit Chipie dans un murmure.

— Il y a beaucoup de malades ? demanda Œil de Geai à l'apprentie.

— J-juste Petit Orage, répondit Nuage de Colombe, mal à l'aise.

— C'est tout ? »

Elle avait dû épier le camp du Clan de l'Ombre. Il savait à quel point elle n'aimait pas espionner les autres.

« Oui.

— Tant mieux. » Il agita la queue. Il devait faire diversion avant que leurs camarades s'étonnent que

Nuage de Colombe sache ce qui se passait chez leurs voisins. « Et si Poil de Châtaigne et toi alliez chercher une boule de mousse imbibée d'eau pour Petite Cerise ? suggéra-t-il à Chipie. Et, Nuage de Colombe, va poser ce vieil écureuil puant sur le tas de gibier avant que quelqu'un ne trébuche dessus. »

Alors qu'il se dirigeait vers sa tanière, Feuille de Lune lui emboîta le pas.

« Que vas-tu faire ? demanda-t-elle.

— À propos de quoi ? »

Elle le suivait de si près qu'elle lui marchait presque sur la queue.

« De Petit Orage.

— Envoyer une prière au Clan des Étoiles.

— C'est tout ?

— Que suis-je censé faire d'autre ?

— L'aider ! pesta-t-elle.

— Pourquoi ?

— Tu es guérisseur ! »

Œil de Geai se tourna vers elle. Elle ignorait que le Clan des Étoiles lui avait ordonné de briser les liens qui l'unissaient aux autres guérisseurs, et il ne comptait pas l'en informer. Lorsqu'elle avait renoncé à être guérisseuse, elle avait aussi renoncé à communier avec ses ancêtres. Mais il la comprenait. Lui aussi, à force d'avoir cheminé avec Petit Orage jusqu'à la Source de Lune et d'y avoir accompli la cérémonie du Partage, s'était attaché au vieux matou. Il baissa d'un ton et miaula :

« Nous avons suffisamment de malades parmi nous pour ne pas nous inquiéter en plus des autres Clans, murmura-t-il. Mes réserves sont au plus bas. J'ai besoin du moindre brin d'herbe médicinale pour soigner nos camarades. »

Sa mère ne répondit pas. Son silence alerta le guérisseur.

« Même si je le voulais, je ne pourrais rien y faire », cracha-t-il.

Il se remit en route vers sa tanière en songeant aux paroles de Papillon. *Serais-tu capable de laisser quelqu'un mourir parce que le Clan des Étoiles te l'a demandé ?*

Il sentit le regard brûlant de Feuille de Lune sur son pelage et devina qu'elle pensait au carré de remèdes qu'il entretenait près du nid de Bipèdes abandonné. Serait-elle prête à les voler pour aider Petit Orage ?

Non !

Il ne pouvait courir le moindre risque. Les liens qui unissaient sa mère au vieux chat du Clan de l'Ombre étaient forts et anciens. Il changea aussitôt de cap, la truffe en l'air. Griffe de Ronce se trouvait sous la Corniche, où il discutait avec Patte d'Araignée et Truffe de Sureau.

« Griffe de Ronce ? miaula-t-il en s'approchant du lieutenant.

— Oui ?

— Je dois te demander quelque chose, murmura l'aveugle.

— Je t'écoute.

— La maladie se propage dans le camp, chuchota-t-il. Ce n'est que le mal blanc, mais c'est suffisamment grave. Mes plantations sont plus précieuses que jamais. Je veux que tu postes un garde près du nid de Bipèdes abandonné.

— Un garde ? s'étonna le guerrier. Tu crains qu'on ne vienne te les voler ?

— Le Clan de l'Ombre aussi est touché par la maladie, expliqua-t-il. Nos voisins connaissent l'existence de mes plantations. Ils comptaient nous prendre cette zone de forêt pour nous dérober ces remèdes, tu te souviens ?

— Effectivement, c'était dans le rêve de Nuage de Lis, gronda Griffe de Ronce.

— Précisément. » *Le rêve de Nuage de Lis ne lui a peut-être pas été envoyé par le Clan des Étoiles, mais il pourrait tout de même se révéler utile.* « Et la forêt grouille de proies affamées qui se contenteraient même de quelques tiges juteuses.

— Truffe de Sureau et Patte d'Araignée, les interpella le lieutenant. Vous voyez où Œil de Geai fait pousser ses remèdes, près du vieux nid de Bipèdes ? Je veux que cet endroit soit surveillé jour et nuit.

— Personne ne doit s'en approcher, insista Œil de Geai. Mes plantes sont trop précieuses pour être perdues.

— Ne t'inquiète pas, nous les protégerons ! lança Truffe de Sureau en filant vers la sortie.

— J'enverrai la relève au crépuscule ! » miaula Griffe de Ronce en direction des deux guerriers qui disparaissaient dans les bois.

Œil de Geai ferma les yeux. La Forêt Sombre gagnait en force. Les membres du Clan des Étoiles tremblaient de peur. Et, à présent, il se méfiait de ses propres camarades. Il avait l'impression que le sol se dérobait sous ses pattes.

« Je dois rester fort, murmura-t-il pour lui-même. Je dois rester fort. »

CHAPITRE 20

❧

Nuage de Colombe était tapie derrière un écheveau de lierre, dans un ravin. Elle se colla au sol enneigé, afin que son corps ne projette aucune ombre sous le clair de lune.

Les bruits des pas avaient déjà atteint le sommet du ravin. En ouvrant la gueule, la novice reconnut le parfum familier qu'elle aimait tant et elle eut l'impression d'avoir soudain des papillons dans le ventre. Encore une longueur de queue. Elle retint son souffle. Elle y était presque.

« Je t'ai eu ! lança-t-elle en jaillissant du ravin et en renversant Cœur de Tigre par terre.

— Je me rends ! »

Elle s'écarta de lui en ronronnant :

« Un jour, tu finiras bien par arriver ici en premier.

— Je pensais être en avance, ce soir. » Il donna un coup de langue à son pelage ébouriffé. « À croire que tu sais exactement quand je sors du camp !

— Hé, c'est fou, hein…, marmonna-t-elle en détournant le regard. Comme si je t'entendais sortir de ton nid sur la pointe des pattes. Je me demande combien de temps la neige va encore tenir, ajouta-t-elle pour changer de sujet.

— C'est toujours mieux que la pluie, répondit le guerrier dans un haussement d'épaules.

— Mais il est impossible d'aller où que ce soit sans laisser de traces.

— Un bon traqueur peut suivre une piste même quand il n'y a pas de neige. »

Nuage de Colombe se pencha vers lui pour frotter sa truffe contre sa joue.

« Je pourrais suivre ta piste même sur l'eau, murmura-t-elle.

— Tu m'as manqué », ronronna-t-il.

Au lieu de leur rendez-vous, les odeurs des Clans du Tonnerre et de l'Ombre se mélangeaient.

« On va au nid de Bipèdes abandonné ? suggéra Nuage de Colombe.

— On n'a pas le temps, ce soir, soupira-t-il. Étoile de Jais a décidé d'envoyer des patrouilles supplémentaires à minuit et à l'aube.

— Pourquoi ? s'étonna-t-elle.

— Nous cherchons des remèdes en plus du gibier.

— L'état de Petit Orage a empiré ?

— Oui. » Son estomac gargouilla. « Et le Clan a de plus en plus faim. »

Nuage de Colombe se frotta de nouveau contre lui. Le Clan du Tonnerre avait de la chance que le mal blanc n'ait pas évolué en mal vert.

« J'aimerais t'aider. » Elle songea au carré de remèdes juteux d'Œil de Geai, protégé par des bouquets de fougères. « Mais notre guérisseur s'est assuré que personne ne touche à ses plantations.

— Ses plantations ? reprit-il, les oreilles dressées.

— Les remèdes dont il s'occupe depuis la saison des feuilles vertes.

— Il a fait pousser des remèdes ?

— Je pensais que tu le savais, s'étonna-t-elle en s'écartant. Ce n'était pas pour ça que le Clan de l'Ombre voulait cette partie de notre territoire ?

— Nous n'avons jamais convoité vos terres, rétorqua-t-il en la fixant.

— Mais Nuage de Lis... » Nuage de Colombe laissa sa réponse en suspens. Il n'y avait aucune raison que Cœur de Tigre connaisse le rêve de sa sœur. « Je pensais que nous nous étions battus pour ça.

— C'est Étoile de Feu qui voulait plus de territoire, miaula Cœur de Tigre. Il a demandé à récupérer la clairière. »

Nuage de Colombe se dandinait, mal à l'aise. *Seulement parce que Nuage de Lis l'en a persuadé.* Elle ne voulait pas se disputer avec lui. La bataille était finie, de toute façon.

« Peu importe.

— Mais Œil de Geai a des plantes médicinales, reprit-il avant de se pencher vers elle. Lesquelles ?

— Juste de la tanaisie. » Elle dut se forcer à répondre car les mots restaient coincés dans sa gorge. Elle ne pouvait pas lui mentir, mais lui révéler l'existence des précieuses réserves d'Œil de Geai lui semblait déloyal. « Et un peu d'herbe à chat.

— De l'herbe à chat ? fit-il, l'œil brillant. Tu crois qu'il nous en donnerait ?

— Feuille de Lune lui a déjà dit de le faire, admit-elle, les oreilles chaudes.

— Et ?

— Il a refusé.

— Mais Petit Orage risque de mourir !

— Il a dit que nous devions avant tout veiller sur notre propre Clan. » Nuage de Colombe lui tourna autour en lui frôlant les flancs. *Allez, Cœur de Tigre, et si on s'amusait un peu ?* Du bout de la queue, elle lui donna une pichenette sur la truffe. « Et si on faisait la course pour savoir qui peut grimper le plus haut ? »

Elle visa la cime d'un pin tout proche en se demandant si ses griffes pourraient la porter ne serait-ce qu'à la branche la plus basse, qui se trouvait déjà très haut au-dessus de sa tête.

« Tu m'as entendue ? répliqua sèchement Cœur de Tigre. Petit Orage risque de mourir. »

Nuage de Colombe baissa les yeux, le cœur serré.

« Je pourrais en voler un peu, proposa-t-elle.

— Non, fit-il d'un ton sans appel. Tu ne peux pas voler ton propre Clan pour moi. »

Elle soupira de soulagement avant de répondre :

« Je peux essayer de le convaincre de vous en donner.

— Merci », murmura-t-il en se penchant pour que leurs truffes se frôlent. Nuage de Colombe éprouva pour lui une bouffée d'affection. « J'espère que nous trouverons bientôt des remèdes. Autrement, le Clan va mourir de faim pendant que les chasseurs quadrillent la forêt pour trouver des feuilles.

— Regarde un peu ça. »

Nuage de Colombe recula jusqu'au bord du ravin, bien décidée à changer les idées du guerrier même si elle devait pour cela tomber sur la truffe. Elle se tapit et sauta en arrière, cambrée, les pattes tendues comme pour attraper sa queue. Remontant le ventre vers le ciel, elle pria pour retomber sur ses pattes.

Au lieu de quoi, elle atterrit sur le menton, le souffle coupé. Elle planta ses griffes dans le sol et évita de justesse de glisser au fond du ravin.

Cœur de Tigre ronronnait, amusé.

« Jolie réception.

— C'est pas fini. »

Elle le rejoignit et s'apprêta à réessayer lorsqu'il lui posa la queue sur les épaules.

« Attends.

— Quoi ? »

Il releva brusquement les pattes avant et lui envoya plein de neige sur la truffe.

« Hé ! »

Nuage de Colombe riposta mais le guerrier esquiva sa boule de neige. Nuage de Colombe se jeta gaiement sur lui et le fit tomber dans la poudreuse.

« Ouh, là ! »

Le matou fit mine de perdre l'équilibre et chuta en roulé-boulé dans le ravin sans lâcher Nuage de Colombe. Elle poussa un petit cri de surprise lorsqu'ils s'immobilisèrent enfin, tout au fond. Ils restèrent un instant immobiles, essoufflés, dans les pattes l'un de l'autre. Nuage de Colombe éprouvait un bonheur tel qu'elle ronronna.

Puis elle se raidit.

« Quoi ? s'alarma Cœur de Tigre.

— J'entends des pas. » Elle avait oublié de guetter des signes de danger. À présent, elle entendait le frôlement des fougères qu'on écarte et le crissement de la neige qu'on piétine.

« Quelqu'un approche.

— Qui ? »

Nuage de Colombe leva la truffe et sa queue doubla de volume.

« Nuage de Lis ! »

Trop tard.

Le museau blanc de sa sœur apparut au sommet du ravin.

« Je le savais ! crachait-elle.

— Tu le savais depuis longtemps, rétorqua Nuage de Colombe.

— Et maintenant, je l'ai vu de mes propres yeux. »

Les prunelles de l'apprentie scintillaient. Cœur de Tigre se redressa soudain et lança :

« Tu es sur le territoire du Clan de l'Ombre !

— Elle aussi ! renifla-t-elle. Au moins, je ne trahis pas mon Clan, moi.

— Si ! Tu nous trahis chaque fois que tu te rends dans la Forêt Sombre ! » riposta Nuage de Colombe, furieuse.

Est-ce que Cœur de Tigre s'était crispé, près d'elle ? Nuage de Colombe l'observa. Il ne quittait pas Nuage de Lis des yeux.

Cette dernière releva la queue.

« Tu vas lui dire, Cœur de Tigre, ou tu veux que je m'en charge ? »

Nuage de Colombe se pencha, les oreilles rabattues.

« Tu ne vas pas recommencer ! » cracha-t-elle.

Elle ne me fera pas croire que Cœur de Tigre s'entraîne dans la Forêt Sombre !

Nuage de Lis fixait toujours le matou. Nuage de Colombe sentit un frisson descendre le long de son échine.

« Tu vois ? feula Nuage de Lis vers le guerrier. Ma sœur ne me croit pas. » Le bout de sa queue se mit à s'agiter. « Elle te croira peut-être, toi. »

Non ! Nuage de Colombe commença à reculer. *Pitié, faites qu'il ne soit pas un membre de la Forêt Sombre, lui aussi !*

Les fougères frémirent derrière Nuage de Lis. Nuage de Colombe hoqueta lorsque Cœur de Tigre la poussa sous un roncier fané au fond du ravin.

« Ne bouge pas », cracha-t-il avant de bondir près de sa sœur.

Nuage de Colombe se tapit contre le sol et retint son souffle. L'odeur du Clan de l'Ombre était palpable dans l'air. Elle reconnut alors le miaulement grave de Pelage de Fumée :

« Qu'est-ce qui se passe ici ? demanda le guerrier.

— Je l'ai trouvée près de la frontière, répondit Cœur de Tigre en grattant la neige. C'est Nuage de Lis. »

Toute tremblante, Nuage de Colombe observa la scène à travers les tiges piquantes. Elle apercevait Pelage de Fumée et Pelage Pommelé au bord du ravin. Les guerriers de l'Ombre foudroyaient sa sœur du regard.

Cœur de Tigre bomba le poitrail et ajouta :

« J'allais la ramener au camp pour qu'Étoile de Jais puisse l'interroger.

— Vraiment ? Pelage Pommelé plissa les yeux. Que faisais-tu dehors, au beau milieu de la nuit ?

— Tu n'as pas été appelé pour la patrouille de minuit, ajouta Pelage de Fumée.

— Je n'arrivais pas à dormir, mentit Cœur de Tigre en soutenant le regard de son camarade.

— Et toi, cracha le guerrier à Nuage de Lis, que faisais-tu là ? »

Le cœur de Nuage de Colombe se mit à palpiter.

« Je chassais », répondit sa sœur.

Pourvu qu'ils la croient !

« Chasser de nuit, c'est plutôt inhabituel, s'étonna Pelage Pommelé.

— Le gibier se fait rare. Je pensais trouver des animaux nocturnes.

— Sur le territoire du Clan de l'Ombre ? lança Pelage de Fumée.

— Je ne m'étais pas rendu compte que j'avais passé la frontière.

— Les apprentis du Clan du Tonnerre n'ont donc pas d'odorat ? Allez, cracha le matou gris foncé. Ramenons-la au camp. »

Nuage de Colombe s'efforça de ne pas paniquer. *Cœur de Tigre, protège-la !* l'implora-t-elle en silence.

Dès qu'ils se furent éloignés, elle s'extirpa des ronces et fonça vers la frontière. Nuage de Lis avait été capturée par le Clan de l'Ombre ! *Et je ne peux même pas avertir les autres !*

Nuage de Colombe crut que son cœur allait cesser de battre. Comment expliquer la situation ? Elle risquait de révéler sa relation avec Cœur de Tigre. Comment Pelage de Lion ou Œil de Geai pourraient-ils lui faire confiance, après ça ? Ses camarades lui pardonneraient-ils un jour ? Elle dressa les oreilles pour guetter Nuage de Lis et perçut des voix dans le camp de l'Ombre.

« Qui c'est, celle-là ? pépiait un chaton, tout excité.

— Juste un "Nuage" du Clan du Tonnerre, mon chéri, l'apaisait une reine. Retourne dans ton nid, il est tard. »

La novice tendit l'oreille un peu plus.

« Étoile de Jais te verra au matin. » C'était de nouveau Pelage de Fumée ! Il devait s'adresser à Nuage de Lis. « Reste là jusqu'à ce qu'on vienne te chercher.

— Il y a de la mousse dans le coin, murmura Cœur de Tigre. Tu peux t'y faire un nid. Tu ne seras pas dérangée. Et n'essaie pas de t'enfuir. »

L'étau qui écrasait le cœur de Nuage de Colombe se desserra un peu. Sa sœur était bien traitée. Ils n'auraient sûrement pas besoin d'envoyer une patrouille de secours. Nuage de Colombe rentra par le tunnel du petit coin. À pas légers, elle se glissa entre les fougères qui abritaient sa tanière. Elle se roula en boule dans la mousse moelleuse et son ventre se noua lorsque son regard se posa sur le nid vide près du sien. L'esprit en ébullition, le cœur battant, elle ferma les yeux.

Les bruits du camp la réveillèrent. Griffe de Ronce organisait les groupes de chasseurs sous la Corniche. Pavot Gelé, dans l'antre d'Œil de Geai, suppliait le guérisseur de donner un peu de tanaisie à Petite Cerise. Nuage de Colombe bondit hors de sa litière, angoissée. Elle se concentra pour repérer mentalement le camp de l'Ombre et finit par entendre le miaulement bourru d'un guerrier.

« Étoile de Jais te verra tout à l'heure. » Un bruit sec fit sursauter Nuage de Colombe. « Mange ça. »

Il avait dû jeter un bout de gibier à sa sœur.

« Merci », répondit Nuage de Lis, qui ne semblait pas du tout apeurée.

Nuage de Colombe redressa le menton. Elle savait ce qu'elle devait faire, à présent.

« Nuage de Lis ? » lança-t-elle. Elle attendit un instant puis sortit de la tanière. « Nuage de Lis ? » répéta-t-elle.

Plume Grise, Truffe de Sureau, Millie et Aile Blanche étaient assis sous la Corniche en compagnie de Brume de Givre et Patte de Renard. Griffe de Ronce allait et venait devant eux.

Nuage de Colombe inspira profondément et se dirigea vers eux.

« Est-ce que quelqu'un a vu Nuage de Lis partir en patrouille ? »

Plume Grise se tourna vers elle, étonné.

« Tu as besoin d'elle pour une raison particulière ?

— Non, mais elle n'était pas dans son nid, quand je me suis réveillée, mentit-elle d'un ton aussi détaché que possible.

— Je ne l'ai pas vue, dit Aile Blanche qui se leva, inquiète. Bois de Frêne ? » lança-t-elle à son compagnon.

Ce dernier cessa un instant de creuser dans la neige. Il était en train de mettre au jour un trou à gibier.

« Qu'est-ce qu'il y a ? demanda-t-il.

— Tu as vu Nuage de Lis ?

— Elle n'est pas dans son nid ? répondit-il, surpris, en regardant Nuage de Colombe.

— Elle était partie quand je me suis réveillée », expliqua la novice.

Aile Blanche entra dans la tanière des apprentis et en ressortit presque aussitôt.

« Son nid est froid. Elle n'y a pas dormi cette nuit. »

« Est-ce que quelqu'un a vu Nuage de Lis ? lança Griffe de Ronce à la cantonade.

— Pas depuis hier soir, répondit Truffe de Sureau.

— On a mangé une souris au coucher du soleil, leur apprit Poil de Châtaigne.

— J'ai bien entendu, Nuage de Lis a disparu ? s'affola Cœur Cendré, qui sortait du tunnel menant au petit coin.

— Elle n'a pas dormi dans son nid, répéta Aile Blanche en faisant les cent pas au bord de la clairière.

— Il fait trop froid pour rester longtemps loin du camp, ajouta Griffe de Ronce.

— Et si elle était blessée ? s'alarma Aile Blanche.

— Inutile de s'inquiéter, nous n'en savons rien, voulut la rassurer Bois de Frêne en lui passant la queue sur le dos.

— Partons à sa recherche, déclara le lieutenant. Truffe de Sureau, Plume Grise, prenez une patrouille et fouillez la forêt. »

Le cœur de Nuage de Colombe se mit à palpiter. Ils ne devaient pas gaspiller des patrouilles de chasseurs ! Mille pensées virevoltaient dans sa tête. Elle ne pouvait pas leur dire que Nuage de Lis se trouvait dans le camp de l'Ombre. Ils se demanderaient comment elle le savait.

Œil de Geai ! Lui, il comprendra.

Elle se précipita vers la tanière du guérisseur en hélant :

« Œil de Geai !

— Chut ! » lui lança l'aveugle quand elle entra dans son gîte. Il était en train de tremper des feuilles dans la flaque d'eau. « Tempête de Sable dort.

— Qu'est-ce qui ne va pas ? s'enquit Belle Églantine en sortant la tête de son nid.

— Nuage de Lis a disparu. »

Elle fixa Œil de Geai pour qu'il comprenne l'urgence de la situation. Elle devait lui parler en privé.

Le chat gris tigré enroula la feuille mouillée et la posa près de la flaque.

« Suis-moi », dit-il.

Nuage de Colombe le suivit dehors, sous le regard étonné de Belle Églantine.

Œil de Crapaud et Brume de Givre étaient montés sur le tronc du hêtre. Œil de Crapaud inspectait le trou entre les branches et la paroi rocheuse de la combe.

« Nuage de Lis ? » lança-t-il.

Pétale de Rose alla voir derrière la pouponnière puis annonça :

« Elle n'est pas là non plus.

— Je devine qu'elle n'est pas dans le camp, marmonna Œil de Geai.

— Je sais où elle est ! lui souffla Nuage de Colombe. Je l'entends. Elle est dans le camp du Clan de l'Ombre !

— Qu'est-ce qu'elle fiche là-bas ?

— Je... je ne sais pas. Je l'entends, c'est tout. Je crois qu'ils la retiennent prisonnière. Ils lui ont dit de rester où elle était et ils lui ont donné à manger en lui expliquant qu'Étoile de Jais la recevrait plus tard.

— Comment a-t-elle fait pour se retrouver là-bas ? » Œil de Geai semblait plus contrarié qu'inquiet. Il se dirigea vers l'éboulis. « Allons prévenir Étoile de Feu avant que tout le Clan ne panique. »

Nuage de Colombe le suivit sur les pierres. *Dis-en le moins possible,* se rappela-t-elle. *Tu ne dois rien dévoiler.*

« Dans le camp de l'Ombre ? s'étonna Étoile de Feu dès qu'Œil de Geai le lui apprit. Depuis combien de temps s'y trouve-t-elle ? demanda-t-il ensuite à Nuage de Colombe.

— Elle est allée se coucher avec moi, hier soir, répondit-elle en feignant l'innocence, mais elle avait disparu ce matin.

— Tu crois qu'elle y est allée toute seule ?

— Elle s'est peut-être rendue jusqu'à la frontière, hasarda la novice. Ils ont dû l'attraper là-bas.

— Mais que serait-elle allée faire sur la frontière ? » Étoile de Feu secoua la tête comme s'il avait une tique dans l'oreille. « On ne peut imaginer endroit plus dangereux depuis la bataille.

— Je... je ne sais pas, fit-elle, les yeux au sol, les oreilles brûlantes.

— Tu ferais peut-être mieux d'annuler les recherches », souffla le guérisseur au chef.

Étoile de Feu sortit à toute vitesse, Nuage de Colombe sur les talons.

« Nous pensons que Nuage de Lis a été capturée par le Clan de l'Ombre », lança-t-il du haut de la Corniche.

Nuage de Colombe grimaça en voyant les regards stupéfaits de ses camarades.

« Comment le sais-tu ? gronda Poil de Souris, qui s'avança au milieu de la clairière.

— Elle a été vue pour la dernière fois près de la frontière », répondit le meneur.

Il ne pouvait en dire davantage sans risquer de révéler les pouvoirs de Nuage de Colombe.

Cœur d'Épines vint se placer devant l'ancienne.

« On devrait envoyer une patrouille pour aller la délivrer ! suggéra-t-il.

— Je veux y aller ! feula Aile Blanche.

— Je la dirigerai, gronda Cœur d'Épines en sortant les griffes.

— Nous devrions partir tout de suite, renchérit Bois de Frêne.

— Pas de précipitation, temporisa Étoile de Feu.

— Nous ne pouvons pas la laisser là-bas ! cracha Aile Blanche.

— Une petite patrouille s'y rendra pour s'assurer qu'elle s'y trouve bien, tempéra Étoile de Feu. Si tel est le cas, nous leur demanderons de la libérer.

— Nous leur *demanderons* ? » reprit Bois de Frêne, le poil en bataille.

Étoile de Feu hocha la tête et s'expliqua :

« Nous ne pouvons pas les affronter dans leur propre camp. Il y a des anciens et des chatons. »

Poil de Souris remua une oreille et ajouta :

« Et ils retiennent Nuage de Lis. Ils risquent de lui faire du mal si nous attaquons. »

Étoile de Feu s'assit, la queue enroulée autour des pattes.

« Griffe de Ronce ! lança-t-il. Prends Poil de Fougère, Flocon de Neige et Nuage de Colombe. »

Cette dernière rentra les griffes. Elle aurait préféré rester en dehors de ça. Faire comme si rien de tout cela n'était réel.

Aile Blanche se dressa devant son chef.

« Je veux y aller !

— Non, Griffe de Ronce peut s'en occuper. Il ramènera Nuage de Lis, saine et sauve. » Aile Blanche se détourna en grognant. Étoile de Feu adressa un regard à Nuage de Colombe. « Vas-y. »

Elle descendit l'éboulis et rejoignit Griffe de Ronce, Flocon de Neige et Poil de Fougère qui sortaient déjà du camp.

« Que faisait-elle près de la frontière, en pleine nuit ? miaula Flocon de Neige tandis que la patrouille filait sous les arbres.

— Elle ne nous aurait pas trahis, tout de même ? » murmura Poil de Fougère.

Jamais de la vie ! Nuage de Colombe se sentait terriblement coupable. Si leur camarade remettait la loyauté de sa sœur en question, c'était à cause d'elle.

« Ce ne serait pas la première fois que l'un des nôtres irait retrouver un membre d'un autre Clan en cachette », répondit Griffe de Ronce, son regard sombre braqué droit devant lui.

Ne la condamnez pas ! Tout est ma faute !

Une fois arrivé à la frontière, le lieutenant s'assit. Flocon de Neige le dévisagea.

« On ne va pas jusqu'à leur camp ?

— Non, nous attendrons une patrouille », expliqua Griffe de Ronce.

Le guerrier blanc renifla.

« Nous ne sommes pas certains qu'ils la retiennent prisonnière, lui rappela Poil de Fougère.

— Ce serait pourtant bien le genre du Clan de l'Ombre », rétorqua Flocon de Neige, qui tournait en rond.

Nuage de Colombe dressa les oreilles. Elle entendait des pas dans la neige. Le Clan de l'Ombre était réveillé et avait envoyé sa première patrouille. Elle attendit, guettant le moindre bruit malgré son pouls qui battait à ses tempes, jusqu'à ce que les pas soient assez proches pour qu'elle les annonce sans éveiller les soupçons de ses camarades.

« J'entends quelque chose ! »

Griffe de Ronce se leva et se posta face à la frontière, la fourrure lisse, le regard posé. Pelage Fauve, Patte de Musaraigne et Corbeau Givré émergèrent des fourrés et s'approchèrent d'eux. Nuage de Colombe se força à ne pas trembler. *Tout va bien se passer.* Cœur de Tigre sortit des taillis à la suite de ses camarades. Elle baissa aussitôt les yeux pour ne pas trahir ses sentiments.

« Vous êtes venus chercher ce que vous avez perdu ? feula Corbeau Givré, au bord de la frontière.

— Vous admettez que vous l'avez capturée ! s'écria Flocon de Neige.

— Cœur de Tigre l'a trouvée en train d'errer sur notre territoire, rétorqua Patte de Musaraigne en le foudroyant du regard.

— Elle va bien ? » voulut savoir Griffe de Ronce.

Corbeau Givré ne répondit pas tout de suite. Nuage de Colombe tendait désespérément l'oreille pour entendre la voix de sa sœur dans leur camp.

« Nous ne lui avons fait aucun mal », murmura finalement le matou noir et blanc.

Pelage Fauve et Patte de Musaraigne échangèrent un regard.

« Peut-on la ramener chez nous ? demanda Griffe de Ronce au lieutenant du Clan de l'Ombre.

— Pourquoi se montre-t-il aussi cordial ? murmura Flocon de Neige à l'oreille de Poil de Fougère.

— Vous n'avez pas besoin d'une bouche supplémentaire à nourrir, insista le lieutenant du Clan du Tonnerre en fixant Pelage Fauve.

— C'est vrai, mais nous ne voulons pas non plus voir vos apprentis se promener sur nos terres. Nous la libérerons... en échange d'herbe à chat. »

Nuage de Colombe décocha un regard surpris à Cœur de Tigre. Son expression ne trahit aucune émotion. La nuit même, il avait été malade d'inquiétude à cause de Petit Orage et, par hasard, son Clan voulait échanger Nuage de Lis contre le remède précis qu'il fallait à leur guérisseur pour se rétablir ? Cœur de Tigre avait dû avertir ses camarades de l'existence des plantations d'Œil de Geai. Comment avait-il pu faire une chose pareille ?

Le cœur de Nuage de Colombe se serra. *Il ne m'aime pas du tout ! Il ne faisait que se servir de moi et maintenant il se sert de Nuage de Lis !* Nuage de Colombe se ressaisit. N'aurait-elle pas fait de même pour son Clan ? À qui aurait-elle été loyale ? À Cœur de Tigre ou au Clan du Tonnerre ?

« De l'herbe à chat ? reprit Griffe de Ronce.

— Petit Orage souffre du mal vert, lui expliqua Pelage Fauve. Il lui faut cette herbe pour avoir une chance de survivre. Nous ne voulons aucun mal à Nuage de Lis. Mais nous avons besoin du remède. »

Griffe de Ronce se crispa et Nuage de Colombe comprit qu'il s'efforçait de ne pas réagir à la menace implicite. Il hocha la tête.

« J'en avertirai Étoile de Feu. »

D'un mouvement de la queue, il signala à sa patrouille qu'il était temps de rebrousser chemin.

« Pourquoi Plume de Flamme n'a-t-il pas simplement demandé des remèdes à Œil de Geai ? s'étonna Étoile de Feu, ébahi, lorsque son lieutenant vint lui faire son rapport. Nous avons toujours aidé les autres Clans, par le passé. »

Près de lui, dans la clairière, Plume Grise montra les crocs et répondit :

« Ce qu'on nous a toujours reproché. »

Œil de Geai attendait sur le seuil de sa tanière. Nuage de Colombe le vit planter ses griffes dans la neige.

Feuille de Lune, qui observait la scène depuis le demi-roc où elle se tenait au côté de Poil d'Écureuil, semblait abattue.

« Petit Orage est vraiment très mal ? s'inquiéta-t-elle.

— Mal au point que ses camarades sont prêts à capturer une apprentie, grogna Griffe de Ronce.

— Je vais chercher les remèdes, marmonna Œil de Geai.

— Merci, fit Étoile de Feu. Je sais que les plantes médicinales se font rares, mais Petit Orage en a besoin.

— Et Tempête de Sable, alors ? intervint Poil d'Écureuil qui s'était approchée.

— Et Petite Cerise ! » Chipie traversa la clairière, sa queue couleur crème dressée. « Elle ne va pas mieux, aujourd'hui.

— Nous essaierons de soigner tout le monde, assura le meneur. Mais Petit Orage et Nuage de Lis sont ceux qui pour l'instant courent le plus grave danger. Nous devons les aider en premier. »

Pavot Gelé pointa le museau à l'entrée de la pouponnière, visiblement inquiète. Étoile de Feu l'observa un instant puis se tourna vers Griffe de Ronce.

« Celui qui a trouvé la mille-feuille pourra peut-être trouver d'autres remèdes », murmura-t-il.

Nuage de Colombe aurait tout donné pour pouvoir aller se cacher dans son nid. Et si l'état de Tempête de Sable ou de Petite Cerise empirait ? Et si elles mouraient ? *Tout est ma faute !*

CHAPITRE 21
⚜

UNE SOURIS FRIPÉE atterrit devant les pattes de Nuage de Lis.

« Tiens, mange. »

Elle leva les yeux vers le guerrier au pelage sombre et tigré qui la lui avait jetée et renifla.

« Merci », grommela-t-elle.

Le matou s'éloigna du rideau de ronces qui dissimulait le reste du camp à la vue de la novice.

« Je ne sais pas pourquoi il te donne du gibier, lança Nuage d'Étourneau. Tu essayais de nous voler le nôtre. »

Elle toisa le jeune mâle qui avait été chargé de la garder à l'œil.

« J'ai franchi la frontière *par erreur.*

— C'est ça », soupira l'apprenti avant de se détourner et de reprendre sa garde.

Nuage de Lis leva les yeux au ciel. À le voir si zélé, on aurait cru qu'il devait surveiller un guerrier du Clan du Lion.

« De quoi as-tu peur, exactement ? lança-t-elle. Que j'attaque la tanière des guerriers et que je prenne le contrôle du camp ?

— Qui sait ce que tu mijotes ? rétorqua-t-il en lui décochant un regard de biais. Les guerriers du Clan du Tonnerre sont réputés pour leur fourberie.

— Le Clan du Tonnerre ? Fourbe ? » Elle n'en croyait pas ses oreilles. C'étaient ses ravisseurs, les plus fourbes de la forêt. *Laisse tomber.* Elle n'allait pas perdre son temps à parler avec cette cervelle de souris. Elle se pencha pour manger. Tout en rongeant la chair filandreuse, elle jeta un coup d'œil par-delà les ronces et observa les premiers frémissements du Clan de l'Ombre.

Deux chatons jaillirent d'un petit trou dans un buisson.

« Allez, Petite Rosée ! lança le plus grand, un mâle tigré, avant de se tapir en agitant la queue.

— Quoi ? fit sa sœur, une petite femelle au poil gris.

— On va faire la course jusqu'au petit coin ! cria-t-il sans l'attendre pour s'élancer.

— Hé, c'est de la triche, Petit Moineau ! pesta-t-elle avant de se ruer à sa poursuite.

— Attendez-moi ! lança une troisième qui s'extir-pait à son tour.

— Ne t'en fais pas, Petite Brume, miaula une chatte sortie derrière elle. Nous les rattraperons ensemble. »

La reine se mit en route et sa fille lui emboîta le pas. Le pelage gris de la petite chatte était hérissé comme une pomme de pin. Une fois au bout de la clairière, elles se glissèrent dans un tunnel et disparurent.

Cœur de Cèdre, un ancien grisonnant, s'étirait devant son antre, d'où émergea Fleur de Pavot en bâillant. Elle leva la tête vers le ciel gris.

« On dirait qu'il va encore neiger.

— Bientôt, il ne restera plus que ça à manger – de la neige ! » répondit le vieux matou en frémissant.

Une guerrière au pelage immaculé traversa le camp vers un petit tas de gibier peu ragoûtant. Était-ce bien une grenouille morte, tout en haut ? Nuage de Lis frissonna. La chatte blanche renifla les rares proies et en emporta une vers son gîte. Museau Olive en sortait justement.

« Tu en veux ? lui demanda la guerrière blanche, la patte posée sur la proie.

— Oui, merci, Oiseau de Neige. » Museau Olive lança à l'intérieur de la tanière : « Hé, Griffe de Chouette, tu veux un peu de campagnol ? »

Nuage de Lis mâchouillait sa souris, un peu étonnée de voir qu'ils fonctionnaient exactement comme le Clan du Tonnerre. *Tu t'attendais à quoi ? À ce que des campagnols et des écureuils fassent leur travail à leur place ?*

Pelage Fauve se glissa dans l'antre d'Étoile de Jais dont il ressortit presque aussitôt avec le meneur de l'Ombre. Ils discutèrent un moment, puis le lieutenant releva le menton et lança :

« Que tous ceux qui sont prêts à chasser se réunissent pour partir en forêt. »

De nombreux pelages différents se rassemblèrent autour de lui. Nuage de Lis s'efforçait d'en reconnaître un maximum. Leurs silhouettes ressemblaient beaucoup plus à celles de ses camarades qu'aux maigres guerriers du Vent ou qu'aux chats dodus de la Rivière.

« Dos Balafré, Pelage Charbonneux, Oiseau de Neige et Pelage Pommelé, appela Pelage Fauve. Vous dirigerez les patrouilles de chasse aujourd'hui. Saule

Rouge, tu t'occuperas de la patrouille frontalière. Cœur de Tigre, Patte de Musaraigne et Corbeau Givré, vous viendrez avec moi. »

Pelage d'Or battit l'air avec sa queue.

« La neige a recouvert le terrain d'entraînement, annonça-t-elle. Nous devrons trouver une clairière plus abritée, ou alors nous entraîner dans le camp.

— Si quelqu'un trouve un terrain adéquat, qu'il me prévienne, ordonna le lieutenant. En attendant, l'entraînement se fera ici. »

Les chatons jaillirent soudain du tunnel qui menait au petit coin.

« Est-ce qu'elle est toujours là, la chatte étrange ? pépia Petit Moineau. Celle que Cœur de Tigre a ramenée hier soir ? »

Les guerriers échangèrent des coups d'œil étonnés. Nuage de Lis se crispa car, l'un après l'autre, les félins se tournèrent vers le recoin abrité où elle était tapie. Elle n'allait pas se cacher comme si elle avait fait quoi que ce soit de mal sur leur précieux territoire. Bombant le poitrail, elle sortit de derrière les ronces pour soutenir leurs regards.

Pelage Fauve s'avança au milieu de la clairière.

« Cette nuit, Cœur de Tigre a trouvé une apprentie du Clan du Tonnerre de notre côté de la frontière », annonça-t-il.

Des fourrures se hérissèrent tout autour de lui.

« Elle était seule ? feula Dos Balafré.

— La patrouille n'a trouvé personne d'autre, répondit Pelage Fauve.

— Tu es certain qu'il n'y avait aucun guerrier embusqué ? insista Museau Olive, les oreilles rabattues.

Ils pourraient tenter de nous prendre un autre bout de nos terres !

— C'est faux ! répliqua Nuage de Lis, incapable de tenir sa langue.

— Tais-toi ! » lui ordonna Nuage d'Étourneau.

La prisonnière le foudroya du regard. Pelage d'Or s'approcha d'elle.

« Ce n'est qu'une apprentie », rappela-t-elle à ses camarades.

Pelage Fauve s'assit et enroula sa queue autour de ses pattes.

« Nous la retenons pour le moment, déclara-t-il. Le Clan du Tonnerre partira bientôt à sa recherche. Jusque-là, elle ne représente aucun danger.

— Exactement », grogna Nuage d'Étourneau.

Nuage de Lis lui aurait bien donné une tape derrière les oreilles.

« Les patrouilles doivent partir, annonça le lieutenant. Le temps de chasse nous est précieux. »

Les guerriers désignés pour former les patrouilles quittèrent l'attroupement. Un instant plus tard, ils sortaient en trombe dans la forêt.

Un petit miaulement attira l'attention de Nuage de Lis.

« Hé, chatte du Tonnerre ! »

Petit Moineau s'était glissé derrière le rideau de ronces et lui faisait face, le dos rond, les poils en bataille. Nuage de Lis ronronna en voyant Petite Rosée sautiller près de lui et Petite Brume passer le museau entre les feuilles, toute tremblante.

« Tu peux voler ? demanda Petit Moineau.

— Voler ? miaula Nuage de Lis.

— Les guerriers ont dit que, pendant la bataille, vous étiez descendus des arbres en volant comme des oiseaux.

— Oh, oui ! Tous les guerriers du Tonnerre savent voler.

— Menteuse », gronda Petit Moineau.

La novice haussa les épaules.

« Je n'y peux rien si les chatons du Clan de l'Ombre ont des graines de pavot en guise de cervelle.

— C'est pas vrai ! » cracha Petit Moineau, qui s'était approché d'elle.

Nuage de Lis baissa la tête vers lui et lui feula en plein museau, les crocs découverts.

Les poils du chaton se dressèrent si brusquement qu'il semblait avoir doublé de volume. Il avait les yeux écarquillés.

« Pelage Hirsute, au secours ! »

Il s'enfuit ventre à terre. Petite Brume et Petite Rosée le suivirent en criant.

« Pourquoi as-tu fait ça ? s'indigna Nuage d'Étourneau.

— Désolée, fit-elle, honteuse. Je ne pensais pas qu'ils auraient aussi peur. Je voulais juste leur faire une blague.

— Ils ont grandi en entendant des histoires terribles sur les guerriers du Tonnerre ! Ils pensent que vous dévorez des chatons pour vous amuser ! répliqua Nuage d'Étourneau.

— Vraiment ?

— À cause de toi, ils vont faire des cauchemars pendant des lunes.

— Si tu veux bien me laisser m'éloigner un peu, j'irai m'excuser. »

Le rideau de ronces frémit et Étoile de Jais vint se camper devant elle.

« Tu as *intérêt* à t'excuser, gronda le meneur. Mais pas tout de suite. »

Nuage de Lis se redressa. Étoile de Jais était immense. Ses pattes noires étaient aussi larges que la tête de la novice.

« Je suis navrée, miaula-t-elle.

— Ne t'inquiète pas, répondit Étoile de Jais, une lueur amusée dans les yeux. Nous n'allons pas te jeter tout de suite sur le tas de gibier. » Il examina le recoin où elle était retenue prisonnière et baissa la truffe vers la souris à moitié mangée qui gisait au sol. « Désolé pour les conditions d'accueil. As-tu suffisamment mangé ?

— Oui. » Aussitôt, elle poussa le rongeur vers lui. « Je ne veux pas vous voler votre nourriture. Le gibier se fait rare. »

Étoile de Jais opina avant de reprendre :

« J'imagine que tu veux rentrer chez toi ?

— En effet.

— Tu retrouveras ton camp bien vite. » Son regard se perdit dans le vague. « Avant tout, nous avons un marché à passer. Le Clan du Tonnerre possède quelque chose dont nous avons besoin. »

Il fit demi-tour et sortit.

« Un marché ? reprit-elle, mal à l'aise, en le regardant s'éloigner.

— On va peut-être t'échanger contre du gibier », hasarda Nuage d'Étourneau.

Pelage d'Or apparut alors au détour des ronces.

« Tout va bien ? s'inquiéta la guerrière.

— Oui, fit l'apprentie, qui voulait plus que jamais rentrer chez elle. Contre quoi voulez-vous m'échanger ?

— Des remèdes. Petit Orage est malade. Nous avons besoin d'herbe à chat et de tanaisie. Cœur de Tigre vient d'apprendre qu'Œil de Geai en faisait pousser.

— Il vient de l'apprendre ? » s'étonna-t-elle. *Mais Étoile du Tigre m'avait dit que le Clan de l'Ombre connaissait ces plantations depuis longtemps. Que pour cette raison il voulait envahir le territoire du Clan du Tonnerre. M'aurait-il menti ?*

« Il a entendu des guerriers du Tonnerre qui en parlaient hier », poursuivit Pelage d'Or.

C'est faux ! Elle était si furieuse qu'elle sentit son pouls battre à ses tempes. *C'est Nuage de Colombe qui le lui a dit !* Comment sa sœur avait-elle pu trahir son Clan ? Nuage de Lis examina sa prison de ronces. *Comment a-t-elle pu me trahir, moi ?*

« Ne t'inquiète pas, ma petite, reprit Pelage d'Or en s'approchant. Je suis certaine qu'Œil de Geai nous cédera volontiers quelques remèdes en échange de ta libération. Tu rentreras chez toi très bientôt. »

Nuage de Lis recula, le poil en bataille.

« Est-ce que tu veux aller au petit coin ? s'enquit la guerrière. Tu pourras te dégourdir un peu les pattes. Tu dois avoir des crampes, à force de rester coincée ici. » D'un mouvement de la queue, elle congédia Nuage d'Étourneau. « Je la tiens à l'œil. »

La chatte l'entraîna à l'autre bout du camp. La clairière était large et profonde. Toutes les tanières étaient intégrées discrètement aux barrières de ronces. Nuage de Lis était impressionnée. C'était parfait pour les entraînements martiaux. Sur le passage de la prisonnière et de son escorte, Aube Claire leva les yeux et délaissa un instant la grenouille qu'elle était en train de manger ; elle grimaça. Petit Moineau se blottit contre Pelage Hirsute. Petite Rosée et Petite Brume n'étaient nulle part en vue. Cœur de Cèdre et Fleur de Pavot s'étaient bâti dans la neige des nids d'où ils la regardèrent passer.

Nuage de Lis eut soudain très chaud. Elle fut soulagée de disparaître dans le tunnel pendant que Pelage d'Or l'attendait dans la clairière. Le petit coin se trouvait au-delà des barrières du camp et la novice se demanda si elle pourrait s'éclipser discrètement et courir jusqu'à la frontière.

«Tu as fini ? » s'enquit bientôt la guerrière.

Nuage de Lis renonça à s'enfuir. La forêt grouillait de patrouilles qui connaissaient bien mieux le territoire qu'elle. Elle enterra ses besoins dans la poudreuse et retourna dans le tunnel.

« Je voudrais m'excuser auprès des chatons, dit-elle à la guerrière.

— Pourquoi ?

— Je leur ai fait peur. »

Pelage d'Or ronronna.

« Je me disais bien que Petit Moineau était plus sage que d'habitude. »

La chatte l'entraîna vers Pelage Hirsute. À leur approche, Petite Brume s'extirpa de la pouponnière et se cacha derrière la reine tigrée. Petite Rosée la suivit et se glissa sous la queue de sa mère.

Tout tremblant, Petit Moineau releva le menton.

«Tu ne me fais pas peur ! gronda-t-il.

— Tant mieux… »

Un cri terrible retentit dans le camp et Plume de Flamme jaillit dans la clairière, les yeux fous, les poils hérissés.

« Que se passe-t-il ? demanda Pelage d'Or, ébranlée, qui se précipitait vers son fils.

— Les ténèbres ! hoqueta-t-il. Des ténèbres froides, aspirantes ! »

Le guérisseur était terrorisé au point que ses prunelles avaient viré au noir.

« Qu'est-ce que tu dis ? lança Étoile de Jais en se ruant hors de sa tanière.

— Les ténèbres approchent, répondit Plume de Flamme en fixant son chef. Je les ai senties, tout autour de moi. Elles engloutiront le Clan de l'Ombre comme une vague infinie et précipiteront notre perte.

— Que pouvons-nous faire ? s'étrangla le meneur.

— Nous préparer à nous battre. Le Clan des Étoiles avait raison. Nous sommes seuls et nous devons nous battre pour notre survie !

— Qui ? fit Pelage de Fumée en s'approchant. Qui devons-nous affronter ?

— Je n'ai pas vu l'ennemi, admit Plume de Flamme en secouant la tête.

— Ce doit être les autres Clans, feula Étoile de Jais. Si le Clan des Étoiles nous dit de nous battre seuls, c'est sans doute contre nos voisins ! »

Près de Nuage de Lis Pelage Hirsute tremblait et, d'un large mouvement de la queue, elle rapprocha ses petits contre elle. Les ronces frémirent. La novice tourna la tête et vit Cœur de Tigre rentrer au camp. Pelage Fauve, Patte de Musaraigne et Corbeau Givré le suivaient.

Plume de Flamme se redressa et reprit d'un ton un peu apaisé :

« La plus grande bataille de toute l'histoire des Clans se profile à l'horizon. Nous devons nous préparer à nous battre. »

Les larges épaules de Cœur de Tigre se crispèrent. Il jeta un coup d'œil en arrière et croisa le regard de Nuage de Lis. *Nous y sommes déjà préparés*, semblait-il dire.

Cette idée ne réconfortait guère l'apprentie. La prophétie de Plume de Flamme l'avait épouvantée. Elle voulait sentir la présence rassurante de ses camarades autour d'elle et entendre Étoile de Feu décider quelles batailles devaient être livrées sur-le-champ et quelles autres pouvaient attendre.

Si la plus grande guerre qui soit arrivait, Nuage de Lis voulait être rentrée chez elle avant qu'elle ne débute.

CHAPITRE 22

LES OREILLES DRESSÉES, Nuage de Colombe faisait les cent pas à l'entrée du camp. Elle entendait au loin la patrouille qui revenait de la frontière du Clan de l'Ombre, emmenée par Griffe de Ronce. Poil de Fougère et Plume Grise, qui le suivaient, marchaient à pas lourds dans la neige. Nuage de Lis était avec eux, et Poil d'Écureuil fermait la marche.

La patrouille avançait sans un mot, ce qui dérouta la novice grise. Les guerriers ne grondaient pas sa sœur pour s'être laissé capturer. Ils ne lui demandaient pas ce qui s'était passé dans le camp de l'Ombre. Nuage de Colombe appréhendait ce qui allait arriver. Est-ce que Nuage de Lis lui pardonnerait un jour d'avoir laissé le Clan voisin la capturer ?

Ses camarades apparurent enfin au sommet de la montée et ils dévalèrent la pente vers elle. Nuage de Colombe tenta de croiser le regard de sa sœur, mais les yeux de Nuage de Lis, assombris pas l'inquiétude, restaient braqués sur ses pattes.

«Tu vas bien ? s'inquiéta Nuage de Colombe en lui emboîtant le pas. Ils ne t'ont pas fait de mal, au moins ?

— Elle va bien, répondit Poil d'Écureuil. Laisse-lui le temps de se reposer.

— Étoile de Feu voudra sûrement l'interroger.

— Ce qui est fait est fait, soupira la guerrière. Nuage de Lis sait qu'elle a commis une erreur stupide. Elle ne recommencera pas. »

Nuage de Colombe ne savait plus quoi penser. Ne voulaient-ils donc pas savoir ce que Nuage de Lis faisait près de la frontière au milieu de la nuit ?

Cette dernière fila droit vers son nid.

« S'il te plaît, dis-moi quelque chose ! » la supplia Nuage de Colombe.

La chatte au pelage argenté et blanc s'immobilisa et la regarda d'un air troublé.

« Je vais bien. Ne t'en fais. Je suis juste fatiguée.

— Vraiment ? »

Nuage de Lis hocha la tête et s'éloigna.

Des pierres roulèrent sous la tanière du meneur. Le pelage d'Étoile de Feu rougeoya un instant au sommet de la Corniche puis le chef du Clan descendit rejoindre son lieutenant.

« Tout s'est bien passé ? demanda-t-il à Griffe de Ronce.

— Nous leur avons donné les remèdes, ils ont libéré Nuage de Lis.

— Est-ce qu'on sait comment ils l'ont capturée ?

— Elle dit qu'elle essayait de chasser du gibier nocturne près de la frontière et qu'elle a franchi le marquage par mégarde. »

Assis devant la tanière des guerriers, l'air renfrogné, Cœur d'Épines grommela :

« Tu n'aurais pas dû envoyer tant de vétérans pour la chercher. C'est une preuve de respect bien trop importante. »

Pelage de Poussière lui tournait autour en fouet-tant l'air avec sa queue.

« Si l'un de nos camarades meurt par manque de remèdes, le Clan de l'Ombre aura du sang sur les pattes. »

Nuage de Colombe se sentait coupable. Elle regarda sa sœur s'éloigner.

«Viens, lui murmura Poil d'Écureuil à l'oreille. Laisse-la se reposer. Il est temps de partir pour l'Assemblée.

— J'avais complètement oublié ! » s'écria la novice.

Elle observa la forme dodue de la lune. Si elle voyait Cœur de Tigre ce soir-là, que lui dirait-elle ?

Cœur d'Épines et Pelage de Poussière attendaient déjà près du tunnel. La queue d'Étoile de Feu dis-parut derrière le rideau de ronces qui dissimulait l'antre d'Œil de Geai. Nuage de Colombe devinait que le meneur allait voir Tempête de Sable avant de partir. Poil de Châtaigne traversa la clairière avec Pluie de Pétales et Pétale de Rose, la fourrure gonflée pour lutter contre le froid. Truffe de Sureau, Patte de Renard et Pelage de Lion émergèrent de la tanière des guerriers.

Poil d'Écureuil attendit que Feuille de Lune soit sortie de la pouponnière pour lui demander :

« Comment va Petite Cerise ?

— Sa respiration est un peu rauque, mais elle a toujours bon appétit. »

Les sœurs se dirigèrent d'un même pas vers la barrière. Griffe de Ronce jeta un coup d'œil vers la tanière du guérisseur, il attendait qu'Étoile de Feu et Œil de Geai en ressortent. Son souffle formait un panache blanc autour de son museau.

« Allons-y. »

Ils prirent la direction du lac. Œil de Geai cheminait près de Pelage de Lion. Les congères étaient parfois profondes mais le guerrier doré guidait son frère, lui faisant contourner les trous dans la neige ou lui déblayant le passage.

« Nuage de Colombe ? lança Pelage de Lion doucement.

— Quoi ? fit-elle, et elle se hâta de le rejoindre.

— Tu sais ce que Nuage de Lis faisait près de la frontière ? »

Près de lui, Œil de Geai dressa les oreilles.

« Cela n'avait rien à voir avec la Forêt Sombre, murmura l'apprentie. Elle voulait juste... » Elle chercha désespérément une bonne excuse. « S'entraîner à la chasse nocturne, comme elle l'a dit. »

L'aveugle remua le bout de la queue et Nuage de Colombe se concentra pour se persuader que c'était bien ce que sa sœur avait fait. Elle ne voulait pas qu'Œil de Geai découvre la vérité s'il épiait ses pensées.

« Regardez ! » lança Poil d'Écureuil, la tête levée vers les collines.

Ils avaient franchi la frontière et, là-haut dans la lande, les silhouettes des guerriers du Vent étaient alignées sur la crête.

« Qu'attendent-ils ? gronda Cœur d'Épines.

— Ils ne veulent peut-être pas arriver les premiers », suggéra Patte de Renard en secouant sa queue pleine de neige.

Au clair de lune, les ombres portées des guerriers du Vent glissaient, immenses, sur le versant lisse de la colline.

« Venez, miaula Étoile de Feu en pressant l'allure. Plus tôt nous serons à l'abri sur l'île, mieux cela vaudra. »

Nuage de Colombe attendit que Pétale de Rose et Pluie de Pétales l'aient rejointe pour leur emboîter le pas. Pluie de Pétales s'inquiétait.

« J'espère que ça ira pour nos malades, soupirait-elle. Poil de Bourdon a toussé toute la journée. Et si son état s'aggrave ?

— Œil de Geai a confié ses remèdes à Belle Églantine, lui rappela Pétale de Rose. Elle saura quoi faire. »

Nuage de Colombe déploya ses sens vers la crête des collines, où la bruyère craquait sous le poids de la neige accumulée. Les guerriers qui y étaient postés ne faisaient pas le moindre bruit. Ils observaient leur cortège en silence, ce qui mit Nuage de Colombe mal à l'aise. Elle projeta ses perceptions plus loin encore, jusqu'au territoire du Clan de l'Ombre.

« C'est peut-être un piège, miaulait Corbeau Givré d'un ton lourd d'inquiétude. Et si nous n'y allions pas ?

— Nous ne devons pas montrer notre peur, répondit Étoile de Jais. Ils ne nous attaqueront pas pendant la trêve de la pleine lune.

— Tu en es certain ? fit Oiseau de Neige.

— C'est une Assemblée ! s'écria Pelage d'Or. Ils n'oseraient pas ! »

De quoi ont-ils si peur ? Est-ce que le Clan des Étoiles les avait prévenus de l'existence des guerriers de la Forêt Sombre ? Nuage de Colombe concentra son attention sur le Clan de la Rivière.

« Tu viens ? lança Papillon, prête à partir.

— Non, je reste là, répliqua Feuille de Saule d'un ton ferme.

— Respecteront-ils la trêve ? marmonna Cœur de Roseau.

— Nous devrions peut-être cacher les chatons et les anciens jusqu'à ce qu'ils aient quitté l'île », suggéra Pelage de Mousse.

Une peur panique pesait sur les Clans comme un ciel d'orage.

Lorsque le Clan du Tonnerre arriva en face de l'île, Nuage de Colombe perçut le bruit des pas des guerriers de la Rivière qui allaient et venaient, nerveux, dans la clairière. Elle se faufila entre Pluie de Pétales et Pétale de Rose pour aller se tapir sur la plage, entre Œil de Geai et Pelage de Lion.

« Ils sont au courant ! murmura-t-elle.

— Qui ça ? fit Pelage de Lion.

— Les autres Clans ! Ils connaissent l'existence de la Forêt Sombre.

— Tu te fais des idées, la rassura Œil de Geai. Nous sommes les seuls à en connaître l'existence. »

Nuage de Colombe se rendit compte qu'elle n'avait entendu personne parler du Lieu sans Étoiles.

« En tout cas, ils sont effrayés par quelque chose, cracha-t-elle.

— Je sais, confirma Œil de Geai. Je le sens dans l'atmosphère. Les guérisseurs ont dû révéler à leurs camarades la mise en garde du Clan des Étoiles.

— Nous devrions peut-être prévenir nos propres camarades, hasarda Nuage de Colombe.

— Tu veux les faire mourir de peur ? cracha Pelage de Lion, les griffes plantées dans la neige. Nous saurons faire face à ce qui arrive.

— Regardez ! lança Patte de Renard, parvenu sur la berge. Le chenal qui nous sépare de l'île a gelé ! »

Le jeune guerrier s'était déjà aventuré sur la surface du lac. Nuage de Colombe s'approcha et y posa prudemment une patte. Le froid lui brûla les coussinets. Lorsque sa patte fut engourdie, elle en posa une autre puis une autre.

« Reviens ! lança Poil de Châtaigne. La glace pourrait se briser !

— Ne t'inquiète pas, l'eau est peu profonde, ici », la rassura Patte de Renard. Malgré ses membres tremblants, il avança un peu plus vite et glissa sur la surface lisse. « Ouh, là ! » Il réussit à s'arrêter et ronronna : « Tu devrais essayer, Pluie de Pétales ! C'est rigolo. »

La jeune guerrière se précipita à sa suite et poussa des cris, de surprise puis de plaisir, quand elle glissa à son tour sur plusieurs longueurs de queue. Le ventre de Nuage de Colombe se noua lorsqu'elle sentit ses pattes se dérober sous elle. Elle contracta ses muscles pour rester debout et avança vers l'île. Elle avait peur, cependant traverser le lac ainsi était trop excitant pour ne pas s'y risquer. Elle voyait les mouvements de l'eau sombre sous la surface aussi blanche que la pleine lune. À chacun de ses pas, la glace grinçait un peu plus.

« Allez ! ordonna Étoile de Feu, qui avait atteint l'île. Venez par ici. »

Les griffes plantées dans la croûte dure pour se stabiliser, Nuage de Colombe avança d'un pas incertain jusqu'à la plage couverte de poudreuse de l'île. Elle fut soulagée de sentir de nouveau la terre ferme sous ses pattes.

Griffe de Ronce et Pelage de Poussière disparaissaient déjà dans les fougères qui menaient à la clairière bordée de pins. Nuage de Colombe se faufila entre les frondes sèches et les retrouva bientôt devant le Grand Chêne. Les guerriers du Clan de la Rivière les regardèrent arriver, aussi immobiles que s'ils étaient pris dans la glace.

« Qu'est-ce qui leur prend ? » murmura Pétale de Rose.

Étoile de Feu se dirigea vers le Grand Chêne et grimpa sur une de ses racines enneigées. Les membres du Clan de la Rivière se rapprochèrent les uns des autres comme pour former un banc de poissons. Nuage de Colombe les observa et s'approcha de Pluie de Pétales.

« De quoi ont-ils peur ? murmura celle-ci.

— Qui sait ? » répondit la novice, les yeux baissés.

Les sous-bois frémirent derrière elle et, se tournant, elle vit avec stupeur que le Clan du Vent était déjà là. Elle avait perdu leur trace quand elle jouait sur la glace. Les guerriers des collines se placèrent autour de ceux du Tonnerre en évitant de croiser leur regard. Pelage de Brume jeta un coup d'œil à Nuage de Colombe avant de se détourner.

« Je n'ai jamais connu d'Assemblée aussi silencieuse, déclara Pelage de Poussière en faisant les cent pas.

— Personne ne veut accomplir le Partage ? » s'étonna Poil d'Écureuil.

La patrouille du Clan de l'Ombre arriva en dernier. Tous ses guerriers paraissaient tendus. Nuage de Colombe reconnut la pointe brune des oreilles de Cœur de Tigre. Au lieu de la chercher, ce dernier resta parmi ses camarades. Le cœur de Nuage de Colombe se serra. Comment les choses avaient-elles pu changer si vite ? Chaque Clan agissait comme s'il était en guerre contre les autres. Était-ce le Clan des Étoiles, qui avait semé les graines de la discorde, ou bien les guerriers de la Forêt Sombre ?

« Il fait si froid, nous devons nous hâter ! » lança Étoile de Brume depuis la branche la plus basse du Grand Chêne.

Étoile de Feu était perché un peu plus loin sur la même branche. Étoile Solitaire et Étoile de Jais, immobiles comme des chouettes, avaient pris place derrière lui.

Le Clan de la Rivière et le Clan du Vent s'approchèrent de l'arbre. Le Clan de l'Ombre se dépêcha de les rejoindre. Nuage de Colombe suivit ses camarades qui s'installaient dans une zone baignée par le clair de lune pour écouter les chefs. Cherchant la chaleur de la foule, elle se glissa devant Pétale de Rose et Pluie de Pétales et prit place entre Cœur d'Épines et Pelage de Lion.

Sous la lumière des étoiles, le pelage d'Étoile de Brume brillait d'un éclat argenté.

« Cette mauvaise saison est particulièrement difficile. Depuis que le lac a gelé sur ses bords, la pêche est rude.

— Pour une fois, les mangeurs de poissons connaissent la faim, eux aussi, gronda Belle-de-Nuit.

— Le mauvais temps ne nous a pas empêchés de nous entraîner, poursuivit la meneuse et, heureusement, la maladie nous épargne. »

Étoile Solitaire se leva pour prendre la parole.

« Le Clan du Vent aussi est en bonne santé, même si les lapins se font rares et qu'une épaisse couche de neige entoure le camp. Nous avons amélioré nos techniques de chasse et trouvé une façon de pister le gibier jusque dans son terrier. »

D'un signe de tête, il passa la parole à Étoile de Jais, qui se redressa à son tour et contempla l'assemblée un moment.

« Pelage Fauve est devenu le nouveau lieutenant du Clan de l'Ombre, finit-il par annoncer en choisissant ses mots. Nous sommes en deuil depuis que Feuille Rousse nous a quittés. Elle est morte prématurément. » Sans regarder Étoile de Feu, il ajouta : « La chasse a été difficile, ces derniers temps, et Petit Orage est tombé malade. Mais j'ai le plaisir de vous annoncer que nous avons trouvé un remède. Il sera parmi nous à la prochaine pleine lune. »

Des murmures approbateurs s'élevèrent dans le Clan de l'Ombre. Nuage de Colombe sentit Cœur d'Épines se raidir près d'elle et elle entendit Pelage de Lion griffer le sol enneigé.

Étoile de Feu se redressa soudain, foudroyant Étoile de Jais du regard.

« Et comment avez-vous trouvé ce remède ? » lui lança-t-il. Nuage de Colombe perçut les respirations hachées et les trépignements de tous les guerriers. Sans attendre de réponse, le meneur du Clan du Tonnerre poursuivit : « Vous avez capturé l'une de nos apprenties pour l'obtenir, voilà comment. »

Les chats des Clans de la Rivière et du Vent laissèrent échapper des exclamations étouffées.

« Elle se trouvait sur notre territoire ! cracha Étoile de Jais.

— Et vous étiez en droit de la chasser, répliqua Étoile de Feu. Mais quel guerrier digne de ce nom capture une novice, trop jeune pour se défendre, afin de l'échanger comme si elle n'était qu'un morceau de gibier ? »

Étoile de Jais montra les crocs ; Étoile de Feu poursuivit :

« Un guerrier digne de ce nom aurait eu le courage de nous demander ce dont il avait besoin. » Le chef roux fit le gros dos et conclut : « Vous avez de la chance d'avoir évité des représailles. Nous vous avons vaincus une fois au cours de cette lune. Ne croyez pas que nous n'oserons pas recommencer. »

La fourrure d'Étoile de Jais retomba. Les yeux du meneur étaient réduits à deux fentes.

« Quoi qu'il advienne, le Clan de l'Ombre sera prêt, souffla-t-il.

— Nous sommes déjà prêts ! » lança Pelage Fauve en se levant d'un bond, le poil hirsute.

Corbeau Givré et Pelage de Fumée se dressèrent à ses côtés et toisèrent les guerriers du Clan du Tonnerre.

Pelage de Lion montra les crocs et Poil d'Écureuil grogna. Pelage de Poussière avait les oreilles rabattues. La gorge nouée, Nuage de Colombe sortit les griffes. Allaient-ils se battre ici ? Elle leva la tête vers la lune brillante et le ciel dégagé. Aucun nuage n'allait voiler la lune pour mettre fin à la trêve.

Nuage de Colombe surprit les murmures que s'échangeaient les félins.

« Ça y est ?

— Les ténèbres arrivent ?

— Mais la lune brille toujours ! »

Cela ne suffit pas. Tous avaient la fourrure hérissée. Les yeux luisaient sous la lune : les guerriers se foudroyaient du regard, à la fois inquiets et menaçants.

Étoile de Brume se releva.

« Clan de la Rivière ! Nous rentrons chez nous. »

Elle sauta de la branche et évacua son Clan de la masse des guerriers à cran. Étoile Solitaire descendit à son tour, suivi d'Étoile de Jais. Ils firent partir leurs guerriers en silence.

Nuage de Colombe regarda Étoile de Feu qui sauta en dernier du chêne. À l'autre bout de la clairière, les fougères tremblaient au passage des autres Clans.

Je dois parler à Cœur de Tigre !

La novice fila vers les chats sur le départ et finit par repérer le bout de la queue du jeune matou. Elle l'attrapa entre ses griffes et il se tourna avec un regard dur.

« Quoi ?

— Nous devons parler !

— Viens », fit-il, le regard plus doux. Il la guida vers un coin au calme, où les frondes cédaient la place à une pelouse couverte de neige. « Désolé de ne pas avoir pu te parler plus tôt, mais la situation est tendue, murmura-t-il.

— Tu as parlé à Étoile de Jais des plantations de notre guérisseur ! »

Il garda le silence.

« Comment as-tu pu faire une chose pareille ? gémit-elle. Si Tempête de Sable meurt, ce sera ta faute !

— Petit Orage est malade.

— Tempête de Sable aussi !

— Elle n'a pas le mal vert. »

La colère de Nuage de Colombe décupla. Cœur de Tigre parlait d'un ton si paisible ! Ne comprenait-il pas ce qu'il avait fait ? Du bout de la queue, il lui caressa le flanc. Elle recula aussitôt.

« Si Œil de Geai était un guérisseur digne de ce nom, il nous aurait donné ces remèdes.

— Il doit faire passer ses propres camarades avant les autres !

— Moi aussi », répondit-il, la tête penchée.

Nuage de Colombe en était malade. Elle souhaitait que cette conversation cesse au plus vite. Pourtant, elle voulait s'assurer d'une dernière chose.

« Même avant moi ? »

La queue de Cœur de Tigre frémit.

« Ce n'est pas ce que j'ai voulu dire, se défendit-il, les yeux ronds. Je voulais juste…

— Je crois que c'est tout à fait ce que tu voulais dire, le coupa-t-elle dans un murmure à peine audible. » Elle rebroussa chemin. « J'en suis même certaine. »

CHAPITRE 23
♣

NUAGE DE LIS se roula en boule dans son nid tandis que ses camarades partaient pour l'Assemblée. Elle glissa la truffe sous une patte.

Je vais devenir une meilleure guerrière ! Elle ferma les yeux. *Je le fais pour mon Clan !*

Elle se laissa emporter par le sommeil et rouvrit les yeux dans la Forêt Sombre. Elle huma l'air et ne sentit rien que l'âcre odeur de l'humus et la puanteur du lichen qui couvrait les arbres.

« Plume de Faucon ? »

Son miaulement résonna dans les bois. Elle avait besoin de se trouver face à lui. *Il veut que je devienne une guerrière hors pair, c'est tout.*

Elle s'engagea sur un sentier couvert de mousse. Après la morsure de la neige, le sol tiède sous ses pattes lui procurait une étrange sensation. Les arbres s'écartèrent et la rivière gluante apparut devant elle. Elle se souvint avec une pointe de satisfaction du moment où Nuage Creux et elle avaient réussi à faucher Éclair Noir.

Elle longea le cours d'eau sombre un moment avant de voir de la lumière entre les arbres. Elle obliqua sur un chemin qui serpentait vers le cœur de la forêt. La lumière s'accentua et elle doubla l'allure. Dans cette zone, les bois étaient plus denses et les troncs larges l'oppressaient. En s'approchant de la source lumineuse, elle comprit qu'elle émanait d'un champignon gris curieux qui poussait sur les troncs d'arbres et au creux de leurs racines. Est-ce que ces champignons reflétaient la lune ?

Nuage de Lis leva la tête à la recherche de l'astre. Ici aussi, la lune devait être pleine, non ? Les branches qui s'entrecroisaient au-dessus d'elle étaient trop épaisses. Aucun signe de la lune. Malgré l'absence de vent, les rameaux s'entrechoquèrent soudain et un frisson parcourut la novice. *Ne sois pas idiote.* Elle continua à avancer.

Elle entendit enfin des voix. Soulagée, elle pressa le pas. Derrière les arbres serrés, Cœur de Tigre et Étoile du Tigre discutaient.

«Tu es en retard», le grondait l'ancien meneur du Clan de l'Ombre.

Nuage de Lis dressa l'oreille pour saisir la réponse du jeune guerrier.

« J'ai dû me rendre à l'Assemblée.

— L'entraînement est plus important. »

Cachée derrière un tronc, elle tenta de les apercevoir. Étoile du Tigre tournait autour de son apprenti.

«Tu n'as pas encore compris qui sont tes véritables camarades ? gronda-t-il. Est-ce que je ne mérite pas ta loyauté davantage que ces mangeurs de souris ? »

Nuage de Lis se raidit. Est-ce qu'Étoile du Tigre tentait de retourner Cœur de Tigre contre le Clan de l'Ombre ?

Elle entendit un bruit sourd. Cœur de Tigre gémit. Nuage de Lis se glissa en avant jusqu'à l'arbre suivant et jeta un coup d'œil à la clairière. Étoile du Tigre avait cloué le jeune guerrier au sol.

« Tu as commis la même erreur au cours de la bataille contre le Clan du Tonnerre, lui reprocha le matou sombre avant de le relâcher.

— Qu'est-ce que j'ai fait de mal ? demanda l'autre en se relevant.

— Ne regarde pas mes griffes. »

Étoile du Tigre plongea en avant comme pour faucher les pattes arrière du guerrier de l'Ombre. Cœur de Tigre rua, plaça ses pattes hors de portée, mais Étoile du Tigre fut plus rapide. Il se retourna brusquement et de ses mâchoires lui saisit la peau du cou. Il le déséquilibra ; Cœur de Tigre tomba sur le flanc.

« N'oublie jamais que, si les griffes blessent, les crocs tuent, grogna le matou avant de reculer.

— Je m'en souviendrai, haleta le jeune guerrier en se relevant d'un bond.

— Pelage de Lion le sait, feula Étoile du Tigre. C'est comme ça qu'il a tué Feuille Rousse. Si tu n'es pas du niveau de ces avortons du Clan du Tonnerre, alors tu es un moins que rien. »

Nuage de Lis faillit s'étrangler. *Étoile du Tigre m'a menti ! Il n'est plus loyal au Clan du Tonnerre !* Son cœur se serra et elle dut se concentrer pour contrôler sa respiration. *Depuis le début, il tient le même discours à Cœur de Tigre que celui qu'il m'a tenu. On ne m'a pas entraînée pour aider le Clan du Tonnerre !*

« Lorsque la bataille ultime se tiendra, poursuivit Étoile du Tigre, tu regretteras le temps perdu à ces Assemblées. Ce sera nous contre les quatre Clans et leurs ancêtres pathétiques. Nous verrons alors qui sont les véritables guerriers. »

Nuage de Lis s'enfuit ventre à terre. Elle traversa la forêt à toute vitesse. Ce devait être la bataille de la vision de Plume de Flamme. Et la raison pour laquelle Plume de Faucon l'avait recrutée.

Elle se croyait spéciale.

Elle était juste stupide.

Étoile du Tigre ne souhaitait pas aider le Clan du Tonnerre. Il voulait partir en guerre contre *tous* les Clans. Et il retournait contre eux leurs propres guerriers pour y parvenir !

Nuage de Lis s'arrêta, à bout de souffle. La rivière bloquait son chemin, s'écoulant en silence devant elle. *Comment faire pour rentrer chez moi ?* Elle cligna des yeux une fois, puis une autre, plus fort.

Réveille-toi ! Réveille-toi !

« Tout va bien, petite ? »

L'espace d'un instant, Nuage de Lis se crut revenue dans la pouponnière, bercée par le miaulement de Chipie. Elle rouvrit les yeux et découvrit Ombre d'Érable devant elle. La guerrière au pelage roux et blanc la fixait d'un air moqueur.

« Laisse-moi tranquille ! cracha-t-elle.

— Tu fais un cauchemar, chérie ? » ricana l'autre.

Nuage de Lis recula la tête pour esquiver l'haleine nauséabonde de la chatte.

« Et si tu disparaissais dans le néant ? lui cracha-t-elle.

— Oh, je n'irai nulle part tant que je n'aurai pas réglé quelques comptes, miaula Ombre d'Érable, les griffes sorties.

— Je… je cherchais Plume de Faucon, mentit Nuage de Lis.

— Il est occupé, lui apprit la chatte en s'approchant. Il souhaite que je m'occupe de ton entraînement, ce soir.

— Vraiment ?

— Travaillons la tactique que tu as apprise l'autre jour dans la rivière. »

Le cœur serré, Nuage de Lis contempla l'onde étrange.

« Montre-moi ce que tu sais faire », lui ordonna la guerrière bicolore avant d'entrer dans l'eau.

La novice se força à la suivre. L'eau pénétra entre ses coussinets et alourdit sa fourrure.

« Est-ce que je suis allée assez loin ? » lança Ombre d'Érable, dans la rivière jusqu'aux épaules.

Nuage de Lis n'eut d'autre choix que de se dresser sur la pointe des pattes pour garder son museau hors de l'eau.

« Et maintenant ? la pressa son aînée. Allez, tu dois bien t'en souvenir ?

— Je dois te faucher.

— Dans ce cas, vas-y. »

Finissons-en au plus vite. L'apprentie prit son inspiration et plongea. La nausée la saisit lorsque l'eau tiède et gluante lui envahit le museau. Elle nagea jusqu'aux pattes de son adversaire et tenta de la faucher. Tout à coup, un poids l'écrasa, la plaquant au fond de la rivière. La jeune chatte se débattit, le pouls lui battait aux tempes. Ombre d'Érable l'avait clouée au sol. Ses griffes acérées se plantèrent dans sa fourrure pour l'immobiliser encore plus fermement.

Nuage de Lis se contorsionna en crachant des bulles. Ombre d'Érable pesait tant que les poumons de la novice se vidaient de leur air. Elle avait beau se démener, Nuage de Lis n'arrivait pas à se libérer. Sa vision commença à se brouiller. Elle se retint *in extremis* d'inhaler de l'eau.

Tout à coup, à force de battre follement, ses pattes arrière trouvèrent un appui sur un caillou. Elle le poussa aussi fort que possible et la pierre se délogea, en entraîna d'autres avec elle, ce qui fit trébucher Ombre d'Érable. Nuage de Lis puisa dans ses dernières ressources et se propulsa vers l'avant.

Malgré le manque d'air, qui lui brûlait les poumons, elle se força à rester sous la surface. Elle nagea vite pour s'éloigner de la guerrière. Lorsqu'elle sentit le lit de la rivière monter en pente douce, elle suivit la déclivité et sortit sur la rive opposée en suffoquant.

D'un coup d'œil en arrière, elle vit Ombre d'Érable donner des coups de pattes autour d'elle dans l'eau. Aussi discrète et rapide qu'une loutre, Nuage de Lis grimpa sur la berge et se glissa entre les arbres. Une fois certaine d'être à l'abri dans l'ombre, elle se laissa tomber au sol et recracha des jets d'eau tiède. Épuisée, elle ferma les yeux.

« Nuage de Lis ? »

Nuage de Colombe !

Elle leva la tête, soulagée de reconnaître les bords de son nid et le museau de sa sœur qui y était posé. Les premières lueurs de l'aube filtraient à travers les frondes.

« Tout va bien ? »

Nuage de Lis toussa de plus belle, les poumons en feu.

« Oui, fit-elle d'une voix rauque. Ça va mieux. » Elle ne voulait plus jamais remettre les pattes dans la Forêt Sombre. « Comment s'est passée l'Assemblée ?

— Je dois te demander quelque chose, déclara Nuage de Colombe, l'air angoissé, sans répondre à sa question.

— Quoi donc ? »

La novice grise se pencha vers sa sœur, qui se relevait.

« Est-ce que Cœur de Tigre s'entraîne vraiment dans la Forêt Sombre ?

— Oui, murmura Nuage de Lis, les yeux baissés. Je suis désolée.

— Il n'y a pas de quoi… Je crois qu'il ne m'a jamais aimée.

— Ne dis pas ça !

— Tu ne peux pas comprendre.

— Mais si ! » D'un bond, Nuage de Lis sortit de son nid et se frotta à Nuage de Colombe. « Étoile du Tigre l'a piégé comme il m'a piégée, moi !

— Comment ça ?

— Il nous a menti…

— Attends ! la coupa Nuage de Colombe. Pelage de Lion et Œil de Geai doivent entendre ça. »

Nuage de Lis dévisagea sa sœur. De quoi parlait-elle ? Qu'avaient-ils à voir avec cette histoire ?

« Fais-moi confiance. »

Du bout du museau, Nuage de Colombe la poussa hors de la tanière.

Dehors, elles virent qu'Œil de Geai émergeait du repaire des guerriers, un paquet d'herbes flétries dans la gueule. Il dut sentir la présence de Nuage de Colombe car il tourna son regard aveugle vers elle. Il coinça les remèdes sous une pierre et s'approcha d'elle.

« Tout va bien ? s'enquit-il.

— Oui, lui assura Nuage de Colombe. Où est Pelage de Lion ?

— Je suis là, lança le guerrier doré en dévalant l'éboulis.

— Il faut qu'on parle », souffla la novice

Entraînant sa sœur, elle se dirigea vers la sortie, Œil de Geai et Pelage de Lion sur les talons.

Que se passe-t-il ? se demanda Nuage de Lis. Il semblait y avoir autant de secrets ici que dans la Forêt Sombre.

Nuage de Colombe les mena sur les hauteurs, derrière un tronc d'arbre. Elle s'installa contre l'écorce pourrissante, bientôt imitée par Œil de Geai et Pelage de Lion. Nuage de Lis resta un instant en équilibre sur le tronc, puis elle sauta près d'eux. Ils se blottirent les uns contre les autres pour se protéger du vent.

« Vas-y, Nuage de Lis, l'encouragea Nuage de Colombe. Dis-leur. »

Nuage de Lis regarda tour à tour Œil de Geai et Pelage de Lion. Ils la fixaient intensément. Elle inspira un bon coup et se lança :

« Je me rends dans la Forêt Sombre dans mes rêves.

— Ça, on le sait déjà, grommela Œil de Geai.

— C'est Étoile du Tigre qui m'entraîne, poursuivit-elle, le ventre noué. Et Plume de Faucon aussi. Ils m'ont dit qu'ils voulaient que je devienne une guerrière redoutable pour que je puisse protéger mon Clan.

— Et tu les as crus ? feula Pelage de Lion.

— Laissez-la parler ! » intervint Nuage de Colombe.

Sa sœur la remercia d'un regard et reprit :

« Étoile du Tigre m'avait dit qu'il était toujours loyal à notre Clan. Qu'il y était né et qu'il resterait pour toujours un guerrier du Tonnerre.

— Continue, l'encouragea la novice gris perle.

— Moi, je voulais juste être aussi douée que Nuage de Colombe. Si douée que les autres me remarqueraient enfin. »

Elle fut soulagée de voir l'expression de Pelage de Lion s'adoucir.

« Tu es une excellente apprentie, Nuage de Lis, et tu deviendras une guerrière formidable. N'essaie pas de rivaliser avec ta sœur. »

Et pourquoi pas ? L'éternelle jalousie se raviva dans son cœur. *Qu'a-t-elle de si spécial ?*

« C'est fini, maintenant. Je connais la vérité. Étoile du Tigre et ses guerriers prévoient d'attaquer tous les Clans. Ils veulent nous détruire. Je ne retournerai jamais dans la Forêt Sombre. »

Le dire la soulagea tant qu'elle se sentit soudain plus légère.

« Et comment t'y prendras-tu ? lui demanda Œil de Geai.

— Pour faire quoi ?

— Quand tu t'endors, est-ce que tu *choisis* de rêver de la Forêt Sombre ? précisa le guérisseur.

— Je... je crois que non. Je me réveille là-bas, c'est tout.

— Tant mieux. »

Qu'est-ce qu'il veut dire ? Et si je me retrouvais là-bas sans le vouloir ? Cette idée la rendait malade.

« Pou-pourquoi ça, "tant mieux" ?

— Parce que tu vas les espionner pour nous.

— Mais je ne veux plus y retourner, protesta-t-elle, tremblante.

— Trop tard, fit Œil de Geai dans un haussement d'épaules. Tu as rejoint les forces de la Forêt Sombre.

Tu crois qu'Étoile du Tigre va te laisser partir après avoir passé tant de temps à te former ?

— Je ne veux plus m'entraîner avec lui ! »

Œil de Geai ne l'écoutait pas. Son regard bleu aveugle semblait sonder son esprit.

« Ils ne savent pas que tu as changé d'avis, n'est-ce pas ? »

Elle fit non de la tête, incapable de répondre.

« Alors tu dois continuer à y aller et nous dire tout ce que tu découvres.

— Je pense que c'est une bonne idée », intervint Pelage de Lion.

Nuage de Lis avait l'impression d'être coincée à l'intérieur d'un deuxième cauchemar.

« Mais seulement si elle est d'accord », précisa le guerrier doré.

La novice sentait encore les pattes d'Ombre d'Érable sur ses épaules, qui la plaquaient au fond de la rivière.

« Non ! » Elle voulait redevenir une apprentie ordinaire, aller chercher de la mousse pour Poil de Souris et Isidore, apprendre à chasser dans une forêt peuplée de chats réels. « Je n'y retournerai pas.

— Tu n'auras peut-être pas le choix », marmonna Œil de Geai.

Nuage de Colombe agita la queue et déclara :

« Laissez-moi lui parler, seule à seule. S'il vous plaît. »

Pelage de Lion hocha la tête et bondit sur le tronc.

« Viens, lança-t-il à Œil de Geai. Laissons-la s'en charger. »

Le guérisseur soupira puis suivit son frère.

Tandis que leurs pas s'éloignaient dans la neige, Nuage de Lis se tourna vers sa sœur.

« Qu'est-ce qui se passe ?

— Il y a encore un truc que tu ignores, répondit Nuage de Colombe.

— Quoi donc ?

— Éloigne-toi du tronc et fais quelque chose.

— Comme quoi ?

— Ce que tu veux. Lance une boule de neige, grimpe à un arbre. Peu importe. Assure-toi juste que je ne peux ni t'entendre ni te voir. »

Déroutée, Nuage de Lis se hissa sur le tronc et sauta dans la poudreuse. Elle se mit à courir. Une fois à bonne distance, elle se glissa derrière un arbre et creusa un trou dans la neige. Ensuite, elle le combla et fila rejoindre sa sœur.

« Alors ? haleta-t-elle.

— Tu as creusé un trou avant de le combler, lui déclara Nuage de Colombe.

— Tu m'as suivie ?

— As-tu vu mes empreintes ?

— Non. Alors comment l'as-tu deviné ? »

Nuage de Colombe se tut un instant, ses yeux bleus humides braqués sur sa sœur.

« J'entends tout, lui révéla-t-elle. Et je flaire tout aussi, si je me concentre.

— Arrête ! renifla Nuage de Lis. Tu refais ta crâneuse ! Personne ne peut faire ça.

— Je ne crâne pas ! Parfois, je préférerais, crois-moi. J'ai des pouvoirs. Je fais partie d'une prophétie qui dit que trois chats détiendront le pouvoir des étoiles entre leurs pattes. Œil de Geai et Pelage de Lion sont les deux autres. Voilà pourquoi ils m'écoutent. Et pourquoi Étoile de Feu me fait confiance.

— Étoile de Feu m'a fait confiance aussi lorsque je lui ai raconté mon rêve, lui fit remarquer Nuage de Lis.

— Mais tu l'avais inventé ! lui rappela Nuage de Colombe en collant son museau à la truffe de sa sœur. *Ça,* c'est vrai. À cet instant même, j'entends que Nuage Creux se fait gronder parce qu'il n'a pas ôté les tiques de Patte de Grenouille, hier. J'entends Petite Rosée et Petite Brume se battre dans leur nid pour savoir qui aura la première bouchée du vieux moineau puant que Corbeau Givré leur a apporté. J'entends Œil de Myosotis qui montre à Poil de Lièvre un nouvel itinéraire dans la bruyère, et Étoile Solitaire fait sa toilette...

— Arrête ! cria Nuage de Lis, qui tentait de la suivre. Tu peux vraiment entendre tout ça ?

— Oui. C'est comme ça que j'ai repéré les castors.

— Et que tu as su qu'ils bloquaient l'eau ! » Des incidents qui avaient longtemps dérouté Nuage de Lis prenaient soudain tout leur sens. « C'est pour ça qu'Étoile de Feu t'a envoyée *toi* accomplir cette mission, alors que tu n'étais qu'une apprentie. » Elle en avait le tournis. « Alors il est au courant, lui aussi ?

— Oui, mais jusqu'à maintenant c'était le seul, en plus de nous trois, à connaître la vérité. »

Nuage de Lis vit rouge.

« Pourquoi ne me l'as-tu pas dit plus tôt ? » Elle ne laissa pas à sa sœur le temps de répondre. « Tu ne t'es pas rendu compte à quel point je souffrais de voir le traitement de faveur que tu recevais comme si tu étais une super-apprentie ? »

Nuage de Colombe gratta le sol.

« Je n'avais pas le droit d'en parler. Personne n'est au courant des pouvoirs d'Œil de Geai et Pelage de Lion, à part Étoile de Feu.

— Mais ils connaissaient chacun les pouvoirs de l'autre, non ? Et je parie que Feuille de Houx le savait aussi ! » Nuage de Lis bouillonnait de rage. « C'est ta faute si je suis entrée dans la Forêt Sombre !

— Que... que veux-tu dire ?

— La première fois que j'ai rencontré Plume de Faucon, ce n'était pas dans le Lieu sans Étoiles mais dans un champ ensoleillé semé de fleurs. Il... m'a flattée. Il semblait s'intéresser à ce que je faisais, pas à ce que ma *sœur* faisait. Personne ne m'avait accordé autant d'attention, dans le Clan. Ici, je ne suis que ton ombre.

— C'est faux ! cracha Nuage de Colombe.

— C'est comme ça que je le ressentais ! Tu ne peux pas me reprocher d'avoir écouté Plume de Faucon, d'avoir voulu apprendre tout ce qu'il pouvait m'enseigner.

— Personne ne te le reproche, soupira Nuage de Colombe.

— En es-tu bien certaine ? fit Nuage de Lis, les yeux plissés. Pelage de Lion et Œil de Geai ne me font pas confiance. Ils veulent peut-être me renvoyer dans la Forêt Sombre afin que j'y reste pour toujours !

— Ne dis pas n'importe quoi ! Tu ne comprends donc pas que nous avons *besoin* de toi ? Si nous ne savons pas ce qui se passe dans la Forêt Sombre, la prophétie est inutile. Ton vœu est exaucé. C'est toi qui as le rôle le plus important.

— Je m'en passerais bien. J'ai peur. »

Sa sœur lui posa la queue sur les épaules.

327

« Je sais, miaula-t-elle doucement. Nous avons tous peur, même les membres du Clan des Étoiles. Je crois que nous formons la dernière barrière entre la Forêt Sombre et le reste des Clans. »

Elle semblait tout à coup petite et frêle, blottie ainsi dans la neige.

« Je vous aiderai si je le peux », se hâta de promettre Nuage de Lis.

Ce n'était plus sa seule vie qui était en jeu, à présent. Mais celle de tous les guerriers du lac.

« Dis à Œil de Geai et à Pelage de Lion que j'y retournerai. Je ferai semblant d'être toujours l'une des leurs pour en apprendre un maximum sur leur plan. »

CHAPITRE 24

PLUME DE FLAMME enveloppa l'herbe à chat dans une feuille de lierre et la plaça dans sa réserve, sous les ronces. Il se mit à aligner les tiges de tanaisie côte à côte, prêtes à être emballées. Sa vision se brouilla soudain et il ne put réprimer un bâillement.

« Plume de Flamme. »

Quelqu'un, au loin, l'appelait.

« Plume de Flamme ! miaula Pelage Hirsute en lui donnant un coup de museau. Tu ne m'entendais pas ?

— Désolé, fit le guérisseur en clignant des yeux. Tu as besoin de quelque chose ? »

Il soupira intérieurement. Il ne savait pas s'il aurait l'énergie suffisante pour soigner d'autres camarades.

« S'il te plaît, viens voir Petite Brume. Elle est aphone.

— J'arrive. Je dois d'abord ranger ça. »

Au moment où la reine sortait de la tanière, le nid de Petit Orage craqua. Le museau brun du matou tigré apparut sur le bord.

« Tu devrais te reposer, lui conseilla le vieux guérisseur d'une voix encore rauque mais plus énergique. Tu as dormi, cette nuit ?

— Un peu », répondit Plume de Flamme en s'approchant de la litière de son mentor.

Les yeux de Petit Orage avaient retrouvé leur éclat et, même si sa fourrure était encore collée çà et là, on voyait qu'il venait de faire sa toilette.

« C'est bien ce que je me disais, miaula-t-il en s'asseyant. Tu n'arrêtais pas de te tourner dans tous les sens.

— J'ai fait un cauchemar, admit Plume de Flamme.

— Le même ?

— Oui. »

Au cours du dernier quart de lune, Plume de Flamme n'avait pas dormi une seule nuit sans que son sommeil soit dérangé par la même vision de chute profonde dans des ténèbres glaciales et infinies tandis que, tout autour de lui, des chats hurlaient de terreur.

« Toujours pas de détails ?

— Le Clan des Étoiles ne m'envoie qu'une vision de ténèbres, murmura le jeune guérisseur en se retournant vers la tanaisie. Et aucun indice pour l'interpréter. Je ne sais pas qui frappera en premier ni comment nous y préparer.

— Nos ancêtres veillent sur nous, le rassura Petit Orage. Sinon, ils ne te mettraient pas en garde. Ils ignorent peut-être eux aussi la nature du mal. Ils t'avertiront quand ils en sauront davantage.

— Ou toi, répliqua Plume de Flamme.

— Ne t'inquiète pas, répondit son aîné dans un ronron – le premier depuis longtemps. Je ne compte pas rejoindre nos ancêtres avant longtemps. »

Une quinte de toux le secoua soudain.

« Tu veux encore de l'herbe à chat ?

— Non, je vais mieux, lui assura-t-il.

— J'aimerais en être certain. »

Plume de Flamme tendit la patte vers sa réserve de remèdes.

« Je n'ai plus de fièvre et ma respiration s'est dégagée. Garde l'herbe à chat. La mauvaise saison dure toujours plus qu'on ne le pense.

— Je suis content que nous ne t'ayons pas perdu.

— Et moi donc ! dit Petit Orage, l'œil brillant. Maintenant, va examiner Petite Brume. »

Plume de Flamme rassembla les tiges de tanaisie, en mit une de côté et remisa les autres avec l'herbe à chat.

« Va voir aussi Cœur de Cèdre, ajouta le vieux guérisseur. Je l'ai entendu tousser, cette nuit.

— D'accord. »

Plume de Flamme prit la tige de tanaisie et sortit dans la clairière. Pelage Hirsute faisait les cent pas devant la pouponnière. Elle se précipita vers lui.

« Petite Brume bavardait comme une pie, ce matin, mais après sa sieste elle s'est réveillée aphone.

— Ne t'inquiète pas, fit le chat roux en entrant dans la tanière. Même si elle est malade, nous avons des remèdes à présent. »

Il faisait sombre et chaud dans la pouponnière. Petit Moineau courait à toute vitesse sur le sol sablonneux, après une boule de mousse. D'un coup de patte, il l'envoya en l'air et Petite Rosée sauta pour la saisir entre ses griffes. Petit Moineau plongea sur sa sœur, qui heurta Plume de Flamme.

« Faites attention », les mit en garde Pelage Hirsute en entrant derrière lui.

Petite Brume jeta un coup d'œil par-dessus son nid de noisetier.

« Petite Brume est très malade ! lança Petit Moineau en s'écartant de sa sœur.

— Nous allons la soigner en un rien de temps. »

Plume de Flamme déposa la tige sur le sol et renifla la petite chatte. Si elle avait chaud, aucune odeur âcre ne s'échappait d'elle. Dans le pire des cas, elle avait le mal blanc. Il coupa un bout de la tige de tanaisie et le plaça doucement devant Pelage Hirsute.

« Mâche ça et donne-lui la pulpe après la prochaine tétée », expliqua-t-il.

Comme la reine hochait la tête, il ressortit dans la clairière. Allongé devant la tanière des guerriers, Cœur de Cèdre se retenait de tousser.

« Tiens, fit Plume de Flamme en lui donnant le reste de la tige. Mâche ça. Et avale tout.

— Garde-la pour les petits jeunes, rétorqua l'ancien d'une voix enrouée, en repoussant le remède du bout de la patte. Si j'ai survécu jusque-là, ce n'est pas une petite toux qui m'achèvera.

— Sans doute pas, reconnut Plume de Flamme. Mais mange ça quand même. Tu me faciliteras la tâche.

— Dans ce cas… » Cœur de Cèdre mâcha le remède et l'avala en grimaçant. « Jamais je n'aurai été si content de voir la saison des feuilles vertes arriver », grogna-t-il.

Plume de Flamme bâilla et lui répondit :

« Je ferais mieux d'aller me dégourdir les pattes. Sinon je vais m'endormir avant même le départ de la patrouille du crépuscule. »

Il se dirigea vers la sortie. Hors du camp, le froid était mordant. Des cris venaient du lac. Plume de Flamme dressa les oreilles. Est-ce que quelqu'un avait des ennuis ? Puis il reconnut les voix de Saule Rouge et de Nuage de Pin. Ils ne semblaient pas craindre pour leur vie. Au contraire, ils paraissaient heureux.

Des bruits de pas résonnèrent dans la neige, ils fonçaient vers lui à toute allure. C'était Museau Olive, qui s'arrêta un instant près de lui, hors d'haleine.

« Nous jouons sur le lac ! s'écria-t-elle. Il est complètement gelé. On pourrait le traverser jusqu'au territoire du Clan de la Rivière si on voulait. »

Aube Claire surgit alors à son tour et leur passa devant sans s'arrêter.

« Je vais chercher Pelage Charbonneux et Griffe de Chouette ! lança-t-elle par-dessus son épaule. Va t'amuser un peu, Plume de Flamme ! Tu as l'air trop préoccupé, ces derniers temps. »

Elle disparut dans les ronces. Plume de Flamme était tenté d'écouter sa sœur. Il y avait bien longtemps qu'il ne s'était pas senti insouciant. Un ancien avant l'âge, obsédé par les douleurs et les maux de ses camarades, inquiet dès qu'il entendait un toussotement.

« Viens ! » le pressa Museau Olive en retournant vers le lac.

Le guérisseur lui courut après, louvoyant entre les buissons jusqu'à la berge. Le demi-pont des Bipèdes dominait une vaste étendue blanche, prise dans la glace. Museau Olive s'engagea sur les planches en bois et, du bout de la queue, lui fit signe de le suivre. Il la rejoignit tout au bord.

Le lac, qui avait complètement gelé, se teintait de rose dans le couchant. Saule Rouge, à quelques longueurs de renard du bord, courut à toute vitesse sur la surface brillante avant de se jeter sur le ventre et de glisser en tournoyant. Corbeau Givré et Dos Balafré l'observaient en poussant des cris de joie. Même les vétérans s'amusaient.

Museau Olive sauta directement du demi-pont sur le lac.

« Allez, viens, c'est sans danger ! » lança-t-elle.

Plume de Flamme se laissa tomber, un peu nerveux, et fut rassuré de sentir la croûte épaisse sous ses pattes. D'un pas prudent, il s'éloigna de la rive, vers Nuage d'Étourneau et Nuage de Pin qui se lançaient une pierre sur la glace.

« À quoi vous jouez ? demanda-t-il.

— Bravo, Museau Olive ! lança Nuage de Pin. Maintenant, nous sommes le bon nombre de joueurs.

— On voulait jouer à proie-pierre, expliqua Nuage d'Étourneau en s'approchant du guérisseur. Nuage de Pin, envoie-moi le caillou ! »

L'apprentie s'exécuta et le novice arrêta d'un coup de patte expert le galet rond qui filait vers lui.

« Ça, c'est la proie, expliqua-t-il en poussant la pierre vers Plume de Flamme. Là-bas, c'est le terrier. Ce n'est pas un vrai trou. On dit que, entre cet arbre et ce buisson, la proie est en sécurité, expliqua le novice, la queue tendue vers la rive. Si vous parvenez à envoyer le galet là-bas, vous avez gagné. Si Nuage de Pin et moi arrivons à vous en empêcher, c'est nous qui gagnons et on inverse les rôles.

— Compris, fit Plume de Flamme, une patte sur le galet.

— Je suis dans ton équipe, miaula Museau Olive en lui passant devant. Fais glisser le caillou vers moi s'ils te bloquent le passage. »

Nuage d'Étourneau et Nuage de Pin s'étaient déjà mis en position de gardiens du « terrier ».

Plume de Flamme se rendit vite compte qu'il ne pouvait pas simplement envoyer le galet entre les deux défenseurs. Au lieu de quoi, il s'éloigna de la rive en poussant le caillou devant lui.

« Suis-moi ! » lança-t-il à Museau Olive, qui le suivit de loin.

La glace, saupoudrée de neige, lui brûlait les coussinets, mais la sensation de glisse était merveilleuse.

Du coin de l'œil, Plume de Flamme aperçut un groupe de guerriers du Clan du Tonnerre qui avançaient prudemment sur la glace, près de la frontière. Il s'en moquait. Il n'y avait pas de frontière sur le lac. Lorsqu'il prit de la vitesse, il cessa de lever les pattes et se laissa glisser sur la surface blanche. Le vent faisait onduler son pelage et il avait l'impression de voler. Il envoya alors le galet vers Museau Olive.

Elle l'intercepta et fit demi-tour.

« À l'attaque ! » feula-t-elle.

Plume de Flamme pivota aussi et, adoptant l'allure de sa camarade, il revint vers Nuage de Pin et Nuage d'Étourneau. Ils étaient tapis près du sol, les yeux plissés, rivés au galet, prêts à plonger pour l'empêcher d'atteindre le terrier.

« Tiens ! » lança Museau Olive en lui envoyant la pierre.

Plume de Flamme la coinça sous sa patte sans s'arrêter et la renvoya à sa partenaire. Elle la bloqua à son tour et la refit glisser vers lui. Nuage d'Étourneau et Nuage de Pin tournaient la tête d'un côté et de l'autre en tentant de suivre le caillou du regard tandis que leurs deux adversaires se la renvoyaient toujours plus vite, en s'approchant à toute allure du terrier.

Plume de Flamme fixa l'espace entre les deux apprentis et, d'un coup puissant, il projeta le galet sur la glace. La pierre fendit l'air avec la précision d'un faucon fondant sur sa proie. Le guérisseur s'immobilisa et la regarda s'approcher de plus en plus vite de son but en sentant l'excitation lui nouer la gorge.

« Je l'ai ! » cria Nuage de Pin à son coéquipier en se jetant au sol.

Elle glissa de tout son long, aussi vive qu'un serpent, et arrêta le galet du bout de sa patte tendue. Poussant un cri triomphant, elle se releva et renvoya la pierre le plus loin possible, laquelle passa devant Plume de Flamme et fila droit vers le centre du lac. Le guérisseur se lança à sa poursuite.

Il dépassa Dos Balafré et Corbeau Givré et vit la pierre s'arrêter un peu plus loin. Plume de Flamme se jeta sur le ventre pour glisser vers elle.

Crac !

Le monde s'ouvrit sous lui.

Terrorisé, Plume de Flamme sentit la glace craquer et s'incliner tant et si bien qu'il tomba dans l'eau glaciale en poussant un cri de détresse. Il fut saisi par le froid. L'onde noire l'attira vers le fond, c'était comme si des serres gelées s'étaient emparées de lui.

Au-dessus de lui la lumière s'éloignait peu à peu.

Mon cauchemar !

Il agita désespérément les pattes.

Pourquoi le Clan des Étoiles ne m'a-t-il pas prévenu ?

Il cligna des yeux pour tenter de voir dans quelle direction remontaient les bulles autour de lui puis il s'élança avec espoir vers la surface. Ses griffes se heurtèrent à une barrière de glace.

Non !

La lumière du jour filtrait à travers la croûte blanche. Il y donna des coups de patte mais ses griffes dérapaient, inutiles. Il voyait des ombres se déplacer et entendait des feulements et des miaulements qui l'appelaient.

L'onde noire l'attira de plus belle vers le fond. Il était trop épuisé pour se battre. Tandis que le bruit et le chaos s'apaisaient, Plume de Flamme sentit son corps s'engourdir. Il cessa de remuer les pattes et laissa l'eau le bercer.

Quel silence…

Quel calme…

Tout à coup, il y eut des remous sous l'eau. Des morceaux de glace et des bulles tourbillonnèrent autour de lui. Il aperçut un pelage gris soyeux venir vers lui.

Œil de Geai ? Est-ce que le guérisseur du Clan du Tonnerre était tombé dans le lac, lui aussi ? *Tout est calme, ici.* Il voulait rassurer son condisciple, lui dire que tout allait bien. *Ne te débats pas.*

Tout à coup, Œil de Geai le saisit entre ses griffes. Il essayait de le ramener à la surface. *Où as-tu appris à nager sous l'eau ?*

Dans les profondeurs sombres, Plume de Flamme distingua les yeux clairs d'Œil de Geai. Même s'ils ne voyaient rien, ils semblaient le supplier. Il soutint son regard. *C'est sans espoir. La glace nous bloque sous l'eau.*

Le courant était plus fort, à présent, et les attirait tous deux vers le fond malgré tous les efforts de l'aveugle.

C'est alors que Plume de Flamme vit une autre paire d'yeux, des yeux globuleux et blancs. Il y avait un troisième félin sous l'eau. Une créature grotesque.

Dépourvue de poils et marquée de cicatrices. Elle paraissait flotter près d'eux. Dans un recoin de son esprit il se demanda s'il s'agissait d'un membre du Clan des Étoiles qu'il n'avait pas encore rencontré. Pourtant... est-ce qu'un guerrier, passé ou présent, avait jamais ressemblé à ça ?

L'horrible chat tendit la patte vers Œil de Geai.

Laisse-le !

Plume de Flamme entendit la voix dans sa tête. Elle ne s'adressait pas à lui. Mais à Œil de Geai.

Son heure est venue, pas la tienne. Laisse-le !

Plume de Flamme sentit que les griffes d'Œil de Geai lâchaient sa fourrure. Il commença à couler, les yeux levés vers la lumière qui s'éloignait un peu plus à chaque instant.

Puis les ténèbres l'engloutirent et les rayons du soleil disparurent pour toujours.

CHAPITRE 25

❧

Nuage de Lis repéra une musaraigne qui détalait sur la neige. Elle bondit à sa poursuite, lui sauta dessus et la cloua au sol par la queue avant que le rongeur ne comprenne ce qui lui arrivait. Elle marmonna une prière pour remercier le Clan des Étoiles et se pencha pour achever sa prise.

Les cris venus du lac s'amplifièrent. Ils avaient changé de nature, davantage paniqués que joyeux. Nuage de Lis releva la tête, sa proie dans la gueule, et dressa les oreilles en regrettant de ne pas avoir les pouvoirs de sa sœur. Puis elle se dit qu'elle devait plutôt s'en féliciter. De tels pouvoirs devaient vraiment être pénibles. Comment Nuage de Colombe parvenait-elle à dormir ?

Les éclats de voix lointains résonnaient étrangement dans l'air glacial. Nuage de Lis aurait voulu aller jouer sur la glace avec Pluie de Pétales et Pétale de Rose. Mais elle s'était promis de chasser pour payer sa dette : sa libération avait coûté de précieux remèdes à son Clan. Elle savait qu'elle était à moitié responsable de sa capture. Et elle devinait que le Clan devait déjà plus à Nuage de Colombe qu'il ne pourrait le lui rendre un jour.

Elle s'avança près d'un chêne noueux et commença à creuser un trou entre ses racines. Sous la neige, reposaient déjà une souris et un moineau. Elle avait chassé sans s'arrêter depuis midi et la fatigue commençait à lui alourdir les pattes. Elle sortit ses deux premières prises de la neige, les saisit en même temps que la musaraigne et partit en direction du camp.

Le temps qu'elle atteigne la barrière de ronces, le soleil avait décliné derrière les cimes des arbres et la clairière était plongée dans l'ombre. Ses camarades s'étaient regroupés sous la Corniche, le pelage hirsute.

Œil de Geai se dirigeait vers sa tanière. Nuage de Lis fut surprise de voir qu'il était trempé. Feuille de Lune le suivait en lui tournant autour et ils disparurent tous deux derrière les ronces.

La novice lâcha son butin sur l'écureuil et l'étourneau secs qui constituaient la réserve de gibier. Plume Grise s'approcha pour admirer sa contribution.

« Belle prise, miaula-t-il.

— J'ai chassé tout l'après-midi », expliqua-t-elle.

Le miaulement d'Étoile de Feu résonna soudain dans la clairière.

« Que tous ceux qui sont en âge de chasser s'approchent de la Corniche. »

Cœur d'Épines et Pelage de Poussière sortirent de l'antre des guerriers. Pavot Gelé jaillit de la pouponnière pendant que Chipie faisait rentrer les chatons. Patte de Renard allait et venait au pied de l'éboulis.

Nuage de Lis aperçut sa sœur qui émergeait du tunnel du petit coin et filait vers Aile Blanche.

« J'ai de mauvaises nouvelles, annonça Étoile de Feu. Alors que Plume de Flamme jouait sur le lac, la glace s'est brisée sous son poids.

— Il est mort ? hoqueta Pavot Gelé.

— Son corps n'a pas été retrouvé. » Étoile de Feu désigna la tanière du guérisseur. « Œil de Geai a tenté de le sauver, mais Plume de Flamme était trop lourd pour lui.

— Est-ce qu'Œil de Geai va bien ? s'inquiéta Poil d'Écureuil.

— Oui. Il a très froid. Feuille de Lune est avec lui. Elle saura quoi faire. »

Le regard de Griffe de Ronce s'assombrit. Plume de Flamme était son neveu. Nuage de Lis savait qu'il serait le plus touché par ce drame.

« À l'avenir, reprit le meneur d'un ton plus sec, quiconque sera surpris à jouer sur le lac sera sévèrement puni.

— Oui, murmura Patte de Renard en remuant les moustaches. La sentence sera… la *mort*. »

Poil d'Écureuil le fit taire en lui donnant une tape amicale. Nuage de Lis sentit la queue de sa mère s'enrouler autour d'elle.

« Promettez-moi que vous n'irez pas sur la glace, murmura Aile Blanche.

— Bien sûr que non, miaula Nuage de Colombe.

— Jamais de la vie », confirma Nuage de Lis.

Nuage de Lis frémit en se remémorant sa crise de panique lorsque Ombre d'Érable l'avait plaquée au fond de la rivière noire.

D'un bond, Étoile de Feu descendit de la Corniche et se dirigea vers la tanière d'Œil de Geai.

« Est-ce que quelqu'un d'autre est tombé ? lança Nuage de Colombe à Patte de Renard tandis que le jeune mâle s'en allait vers le tas de gibier.

— Non, juste Plume de Flamme.

— Tout va bien ? demanda Nuage de Lis à sa sœur en se rapprochant d'elle.

— Nous avons failli perdre Œil de Geai, répondit Nuage de Colombe, les oreilles frémissantes.

— Il est en vie, n'est-ce pas ?

— Et si cela avait été Cœur de Tigre ?

— Ce n'est pas le cas. » Du bout de la queue, Nuage de Lis caressa le flanc de sa sœur. « Je parie que tu peux l'entendre là, tout de suite. »

Nuage de Colombe leva le museau. Nuage de Lis la vit orienter ses oreilles d'un côté, puis de l'autre. Le regard lointain de sa sœur s'adoucit.

« Il participe à la veillée avec les autres… C'est comme si j'entendais le vide laissé par la mort de Plume de Flamme. » Elle se pressa un peu plus contre Nuage de Lis. « Ce doit être horrible de perdre son frère ou sa sœur. » Nuage de Colombe enroula sa queue autour de sa sœur. « Tu n'es pas obligée de retourner dans la Forêt Sombre, tu sais. »

Le cœur de la novice au poil argenté et blanc se serra. Elle doutait d'avoir vraiment le choix. Ce n'était plus comme au début, lorsque ses rêves la portaient jusqu'au champ lumineux et qu'elle suivait ensuite Plume de Faucon. À présent, elle ouvrait les yeux dans les ténèbres, qu'elle le veuille ou non. De toute façon elle avait promis qu'elle le ferait.

Elle voulait aider son Clan.

Elle voulait aider Nuage de Colombe.

Lorsque Nuage de Lis se roula en boule dans son nid, sa sœur se pencha sur elle.

« Je dormirai à côté de toi, dans ton nid, si tu veux, proposa Nuage de Colombe. Comme ça, je pourrai te réveiller en cas de problème. »

Nuage de Lis secoua la tête.

« J'y suis allée des tas de fois, tu sais, murmura-t-elle. Tout ira bien. »

Du moins, je l'espère.

Elle ferma les yeux. Le sommeil se fit attendre. La respiration de Nuage de Colombe s'était ralentie depuis un moment lorsque les membres fourbus de Nuage de Lis se relâchèrent et que son esprit se fondit dans le noir. Elle ouvrit les yeux et huma l'air. Pour la première fois, ses pattes tremblaient.

« Bonjour, Nuage de Lis. »

Elle se retourna, troublée. Étoile du Tigre se tenait au pied d'un grand pin sombre, comme s'il l'attendait. La novice ravala la boule qui lui nouait la gorge. Elle força ses muscles à se détendre et soutint le regard curieux du guerrier fantôme.

« Bonjour. »

Étoile du Tigre l'observa un instant.

« As-tu vu Cœur de Tigre ?

— Il participe à la veillée pour Plume de Flamme. Il ne viendra peut-être pas ce soir.

— Plume de Flamme, hein ? » Le matou haussa les épaules. Il était visiblement au courant. « Ça en fait déjà un de moins, j'imagine. »

Sale cœur de renard !

Étoile du Tigre lui tourna autour, effleurant de sa queue le flanc de la novice.

« Je me félicite que *toi*, tu sois venue.

— À quoi va-t-on s'entraîner, ce soir ? demanda-t-elle en priant pour que son ton enjoué soit convaincant.

— Nous verrons plus tard. Pour l'instant, je me suis dit que vous pourriez faire mieux connaissance les uns avec les autres. » Il s'éloigna entre les hauts arbres. De la brume s'enroulait autour de ses pattes à chacun de ses pas. « Tu viens ? »

Nuage de Lis le suivit en trottinant. Son cœur battait si fort que tout le monde devait l'entendre. *Je dois garder mon calme. Je fais ça pour Nuage de Colombe et pour mon Clan.*

Elle aperçut des formes autour d'elle. Les silhouettes sombres des guerriers. En progressant derrière Étoile du Tigre au cœur de la forêt, elle se rendit peu à peu compte qu'il y avait des félins partout, tapis dans la brume.

S'agissait-il de chats des Clans ou de la Forêt Sombre ? Elle plissa les yeux, tentant de reconnaître leurs pelages. Il y avait là Ombre d'Érable. Des guerriers dépenaillés, couverts de cicatrices, lui tournaient autour en échangeant des grognements.

« Je... j'ignorais qu'il y avait tant de monde ici, miaula-t-elle.

— Nous sommes aussi nombreux que le Clan des Étoiles », répondit Étoile du Tigre d'un ton posé.

Les arbres s'ouvrirent sur une clairière lugubre. Elle reconnut le rocher où ils s'étaient entraînés presque une lune plus tôt. Griffes d'Épine aiguisait ses griffes sur la roche lisse, admirant leur pointe acérée entre deux frottements. Plume de Faucon salua Nuage de Lis d'un signe de tête. Éclair Noir était derrière lui. Queue de Rat et Patte de Neige étaient là, eux aussi.

Et, à l'ombre du roc, immobile, attentif, se tenait Étoile Brisée.

Nuage de Lis fut soulagée de voir Nuage Creux, Pelage de Fourmi et Pelage de Brume. Elle commençait à craindre d'être la seule membre des Clans. Étoile du Tigre l'observa.

« Tu peux t'asseoir avec tes amis, murmura-t-il. J'ai une déclaration à faire. »

Ce ne sont pas mes amis ! Malgré tout, elle se précipita vers les museaux familiers et se sentit moins nerveuse une fois installée parmi eux.

Étoile du Tigre sauta sur le rocher.

« Que tous ceux qui sont en âge de chasser se rassemblent, miaula-t-il d'un ton moqueur, et les guerriers assis autour du roc ronronnèrent avec mépris. L'heure est proche ! » gronda-t-il.

Des silhouettes remuaient sous les arbres. D'autres guerriers sortirent de l'ombre. Le cœur de Nuage de Lis palpita un peu plus vite et elle se pressa contre Pelage de Fourmi.

« Nous allons envahir le monde des Clans et les détruire, eux et leur maudit code du guerrier, une fois pour toutes. »

Nuage de Lis sentit Pelage de Fourmi se crisper contre elle. Était-il choqué ? Elle scruta son expression, ainsi que celles de Nuage Creux et de Pelage de Brume. Leurs yeux brillaient d'impatience ! À croire qu'ils étaient de vrais guerriers de la Forêt Sombre. S'efforçant de dissimuler son effroi, Nuage de Lis embrassa la clairière du regard. Des chats en occupaient la moindre parcelle et feulaient de rage.

« Nous les tuerons tous !

— L'ère des Clans touche à sa fin ! »

Ombre d'Érable se cabra et donna un coup de griffes dans l'air.

« Ils vont regretter qu'on leur ait donné le jour ! »

Nuage de Lis dressa les oreilles. Quand allaient-ils lancer l'attaque ? Mais Étoile du Tigre, toujours perché, se contenta de montrer les crocs et de cracher. Il se fondit dans la foule de félins. L'atmosphère crépitait comme les guerriers trépignaient, le poil hérissé.

Une paire d'yeux brilla devant elle. D'instinct, elle sortit les griffes en voyant Éclair Noir s'approcher.

« Es-tu prête pour livrer la plus grande bataille de ta vie ? »

Nuage de Lis jeta un coup d'œil vers la forêt noire, regrettant de ne pouvoir y disparaître.

« Ou préfères-tu t'en aller ? ajouta-t-il comme s'il lisait dans ses pensées.

— Non, bien sûr que non.

— Bien. »

Il lui tourna autour, laissant traîner sa queue sur le dos de l'apprentie. Elle aurait juré avoir un serpent sur la colonne vertébrale, froid et lourd. Nuage de Lis regretta que Cœur de Tigre ne soit pas là.

« Nuage de Lis ! »

Elle leva la tête, pleine d'espoir, et fut aussitôt déçue en voyant qu'Étoile Brisée se dirigeait vers eux. Le matou massif couvert de cicatrices la salua d'un signe de tête.

« Bonsoir, Nuage de Lis. Je t'ai observée, pendant l'entraînement. » D'un coup d'épaule, il écarta Éclair Noir. « Très impressionnant. »

Nuage de Lis soutint son regard tout en surveillant Éclair Noir du coin de l'œil. Pourquoi lui réservait-il un traitement de faveur ? Essayait-il de rendre Éclair Noir jaloux ?

« J'ai une mission spéciale, pour toi, poursuivit-il.

— Vraiment ? »

C'était peut-être une sorte d'évaluation.

« Suis-moi. »

Étoile Brisée se glissa sous les arbres.

Nuage de Lis le suivit d'un pas léger. Sa respiration s'accéléra lorsque le matou sombre gravit un talus avant de sauter dans le lit d'une rivière à sec. La ravine serpentait entre des troncs noueux et les mena sous des arbres sombres dont les branches basses ployaient sous une couche de mousse. Nuage de Lis baissa la tête et frémit en sentant des toiles d'araignée se coller à son pelage.

Elle marqua une halte. Quelque chose s'agitait dans les fougères sèches, sur la berge. Elle scruta la brume et se raidit en reconnaissant le pelage d'Éclair Noir.

« Va-t'en ! »

Le feulement d'Étoile Brisée la fit sursauter. Elle n'était donc pas la seule à avoir repéré l'autre guerrier dans l'ombre.

La silhouette squelettique se figea puis disparut pour de bon.

« Il ne vaut pas mieux qu'un chaton geignard, marmonna l'ancien chef, et il tendit soudain la queue vers un arbre. Montre-moi tes talents de grimpeuse.

— D'accord. »

La novice sauta sur une branche basse et rampa, les griffes plantées dans l'écorce, vers le tronc noueux qu'elle escalada. Lorsqu'elle commença à avoir mal aux pattes, elle s'arrêta et regarda en l'air. Elle ne voyait toujours pas le ciel. *Jusqu'où monte cet arbre ?* En contrebas, Étoile Brisée l'observait toujours.

« Pas mal ! lança-t-il. Essaie de descendre plus vite. »

Concentrée, Nuage de Lis redescendit en se laissant tomber d'une longueur de queue à chaque fois, se cramponnant à l'écorce pour éviter de chuter. Dès qu'elle fut suffisamment près du sol, elle sauta et atterrit dans une touffe d'herbe, au sommet de la ravine.

D'un bond, Étoile Brisée l'y rejoignit.

« Maintenant, montre-moi une attaque en plongeon. »

L'apprentie se tapit au sol, les griffes sorties, et se concentra sur un tas de mousse à quelques longueurs de queue. Elle s'élança, atterrit en plein sur sa cible avant de se mettre sur le dos, de frapper l'air de ses quatre pattes, et de se relever.

« Tu es rapide. Comment te débrouilles-tu en défense ? »

Ses paroles résonnaient encore sous les arbres lorsqu'il la chargea.

Juste à temps, elle l'esquiva en roulant au sol. Elle se dit qu'il avait dû anticiper son mouvement et, dès qu'elle se retrouva sur ses pattes, elle fit un bond en avant et se retourna.

Elle avait vu juste. Les griffes d'Étoile Brisée se plantèrent à l'endroit où elle se tenait un instant plus tôt. Elle fit volte-face, les poils hérissés, les crocs en avant, prête à une nouvelle attaque.

« Joli », miaula l'ancien meneur du Clan de l'Ombre en s'asseyant.

Le souffle court, Nuage de Lis se demandait ce que serait cette mission. Ne voulait-il qu'une démonstration de ses talents ?

« J'ai une dernière tâche pour toi avant que tu puisses te battre au côté de tes camarades. »

Elle dressa les oreilles. C'était donc bel et bien une mise à l'épreuve !

« Quoi donc ? » fit-elle.

Une forme remua dans l'ombre au bord de la clairière.

Éclair Noir ?

« Sors de là ! » lança Étoile Brisée.

Nuage de Lis planta ses griffes dans le sol lorsqu'un matou roux sortit des fougères.

« Plume de Flamme ? »

Le guérisseur du Clan de l'Ombre écarquillait les yeux.

« Tu es tombée dans le lac, toi aussi ? » lui demanda-t-il.

Nuage de Lis fit non de la tête

« Je... je... » Les mots restèrent coincés dans sa gorge. « Co-comment es-tu arrivé ici ?

— Je me trouvais sur le terrain de chasse du Clan des Étoiles, expliqua-t-il avant de lever la tête et de plisser les yeux, comme s'il tentait de voir le ciel à travers les branches. J'ai entendu un bruit dans les buissons... Quelqu'un ne cessait de prononcer mon nom... alors j'ai suivi la voix jusqu'ici. Mais... ce n'est plus le domaine du Clan des Étoiles. » Il se tortilla sur place. « Connais-tu le chemin du retour ? »

L'apprentie le regardait sans savoir que dire.

« Tue-le. »

L'ordre d'Étoile Brisée déchira le silence. **Nuage de Lis** sursauta, prise de panique.

« Quoi ? » s'étrangla-t-elle.

Il ne peut pas me demander une chose pareille !

Puis elle comprit. C'était un piège – et elle n'allait pas tomber dedans comme un lapin à cervelle de pissenlit.

« Je ne peux pas, répondit-elle en toisant Étoile Brisée d'un air triomphant. Il est déjà mort. »

Il ne m'aura pas avec ses questions stupides.

« Si jeune, si innocente…, gronda Étoile Brisée. Personne ne reste ici pour toujours. Tout le monde finit par disparaître peu à peu dans le néant. » Son regard dériva sur Plume de Flamme comme si le guérisseur était une proie appétissante. « Sauf si avant cela quelqu'un nous fait mourir une seconde fois.

— C'est faux ! répliqua Nuage de Lis. C'est ici que les chats viennent se reposer jusqu'à la fin des temps.

— Je t'assure que c'est vrai, lui dit Étoile Brisée. Et l'on éprouve une souffrance indicible à renoncer au dernier écho agonisant de notre vie.

— Je refuse de le tuer », répondit-elle en reculant.

Le museau d'Étoile Brisée se retrouva soudain à un poil du sien. Son haleine chaude, fétide, lui piquait les yeux.

« Pourquoi ? cracha-t-il. Tu es une guerrière de la Forêt Sombre, oui ou non ?

— Je… je… »

Le regard d'Étoile Brisée lui brûlait la fourrure.

« Je ne sais pas pourquoi Plume de Faucon t'a choisie, cracha-t-il. Je crois que tu seras éternellement loyale à tes camarades du bord du lac. » Il s'approcha plus près encore. « Ce qui te rend dangereuse.

— Je pensais que vous recherchiez ça, des chats dangereux », répliqua-t-elle.

Si elle parvenait à être convaincante, Étoile Brisée laisserait partir Plume de Flamme, non ?

« Je connais le secret de ta sœur, lui rétorqua Étoile Brisée sans ciller.

— Et alors ? Si tu le sais, tu dois savoir aussi que je ne fais pas partie de la prophétie.

— Mais le même sang coule dans tes veines. Serais-tu vraiment capable de la trahir ? Ou dois-je plutôt la tuer, elle, pour m'assurer ta loyauté ? »

Laisse Nuage de Colombe en dehors de ça ! Sans Nuage de Colombe, les Clans seraient perdus. Nuage de Lis releva la tête. Elle était prête à mourir.

Et pourtant...

Si elle mourait là, qui préviendrait les Clans ? Elle avait entendu Étoile du Tigre annoncer que la bataille approchait. Elle devait rentrer chez elle pour avertir les siens. Ce qui signifiait qu'elle devait convaincre Étoile Brisée de la laisser vivre. Il n'y avait qu'une seule chose à faire.

« Je resterai toujours loyale à la Forêt Sombre », mentit-elle avant de se tourner brusquement vers le guérisseur de l'Ombre.

Je suis désolée, Plume de Flamme, je dois le faire pour le bien de nos Clans ! Elle sortit les griffes. *Pardonne-moi, Clan des Étoiles !*

Au moment où elle bondit, elle vit un éclair brun foncer vers elle et la percuter de plein fouet. Le choc fut tel qu'elle fut projetée sur le sol de la clairière. Elle se releva tant bien que mal.

Cœur de Tigre !

« Qu'est-ce que tu fais ? hurla-t-il, dressé entre son frère et elle, l'air incrédule et horrifié. Je ne te laisserai pas détruire ce qu'il reste de mon frère ! »

Étoile du Tigre sortit à son tour de l'ombre.

« Oh, très courageux. Je vois que mon sang coule dans tes veines. »

Je suis désolée ! Nuage de Lis tenta de croiser le regard de Cœur de Tigre. Les yeux de ce dernier papillonnaient entre Étoile du Tigre et Étoile Brisée. Il se colla à son frère en crachant :

« Laissez-le tranquille.

— Étoile Brisée, fit Étoile du Tigre d'une voix mielleuse. Il est inutile de tuer Plume de Flamme. Il ne représente aucune menace pour nous. Tout ce qu'il sait faire, c'est préparer des remèdes.

— Je me moque bien de lui, mort ou vif. Mais qu'est-ce qu'on fait d'*elle* ? »

D'un geste de la queue, Étoile Brisée désigna Nuage de Lis.

La novice baissait la tête pour reprendre son souffle. Avait-elle réussi à convaincre les meneurs de la Forêt Sombre qu'elle leur était loyale ? Elle n'osait penser à ce que Cœur de Tigre lui ferait lorsqu'ils seraient de retour au bord du lac.

« Nous avons besoin d'un maximum de guerriers », répondit Étoile du Tigre d'un ton posé.

L'apprentie se redressa.

« Je pense que Nuage de Lis est loyale au Lieu sans Étoiles. Une fois l'ultime bataille engagée, elle se dressera à nos côtés. »

Retrouvez la suite de :

LES SIGNES DU DESTIN
LA GUERRE DES
CLANS

Cycle IV – Livre IV

à paraître en mars 2016

Découvrez un extrait de la nouvelle série
d'Erin Hunter

SURVIVANTS

LIVRE I
Lucky le Solitaire

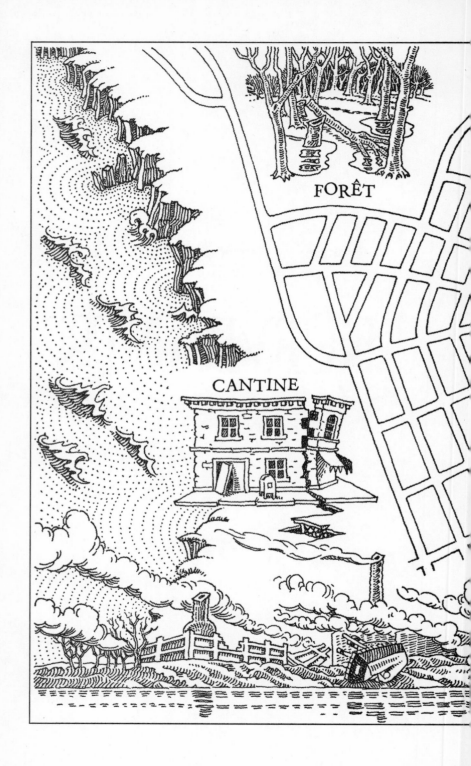

FORÊT

CANTINE

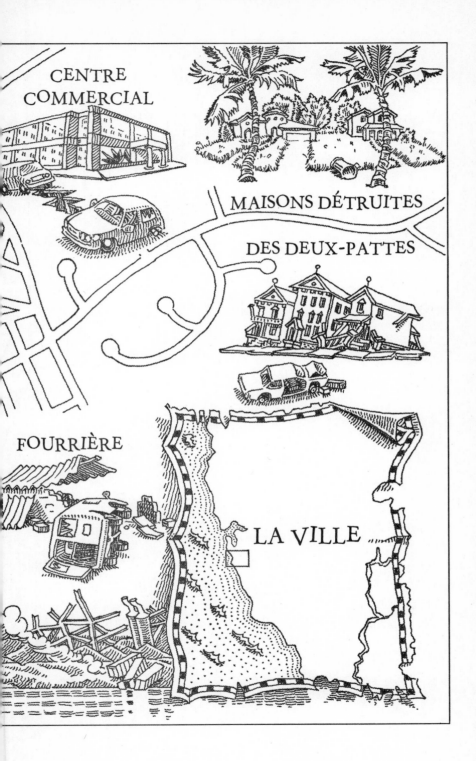

Chapitre premier

Lucky se réveilla en sursaut, les poils hérissés par la peur. Il bondit sur ses pattes en grognant.

Il rêvait qu'il était tout petit, en sécurité avec sa portée, auprès de Mère-Chien. L'air frémissait de menace, lui donnant la chair de poule. S'il avait vu son ennemi, Lucky l'aurait affronté, mais le monstre était invisible, inodore. Lucky geignit de terreur. Il ne s'agissait pas d'une histoire racontée avant de s'endormir : son angoisse était réelle.

Il mourait d'envie de fuir, mais il ne pouvait aller nulle part. Le grillage de sa cage le retenait prisonnier. Il se blessait le museau chaque fois qu'il poussait la porte et les fils de fer lui mordaient l'arrière-train quand il reculait.

Lucky n'était pas seul à être enfermé dans cet endroit horrible : d'autres chiens en cage l'entouraient... De désespoir, il leva la tête et aboya à pleins poumons. Malheureusement, personne ne se porta à son secours. Sa voix fut recouverte par d'autres aboiements affolés.

Tous étaient pris au piège.

Paniqué, il gratta le sol même si cela ne servait à rien.

L'odeur agréable et réconfortante de la femelle lévrier dans la cage voisine lui parvint alors.

— Grace ? Grace, un malheur approche...

— Oui, je le sens, moi aussi ! Que se passe-t-il ?

Les deux-pattes... Où se trouvaient-ils ? Bien qu'ils les retiennent prisonniers dans cette fourrière, ils avaient toujours pris soin d'eux. Ils apportaient de la nourriture et de l'eau, leur fournissaient un couchage, nettoyaient leurs saletés...

Les deux-pattes ne tarderaient pas à arriver, il en était sûr.

Soudain, les autres chiens hurlèrent à la mort. Lucky se joignit à eux : « Deux-pattes ! Deux-pattes, au secours... »

La terre remua sous lui, la cage trembla et, brusquement, il n'y eut plus un bruit. Terrorisé, Lucky s'aplatit sur le sol.

Puis ce fut le chaos.

Le monstre invisible avait posé ses griffes sur la fourrière.

Lucky fut projeté contre le grillage tandis que le monde extérieur bougeait dans tous les sens. Pendant de très longues secondes, il ne distingua plus le haut du bas. Le monstre jouait avec lui, le fracas des rochers et le bris des pierres transparentes le rendaient sourd, les nuages de poussière l'aveuglaient. Les hurlements terrifiés et les cris de douleur lui perçaient les tympans. Lorsqu'un gros morceau de mur heurta le grillage dressé devant sa truffe, Lucky fit un bond en arrière. Terra-Canis venait-elle le chercher ?

Puis, aussi soudainement qu'il était arrivé, le monstre disparut. Plus loin, un mur s'effondra au milieu d'une brume épaisse. Dans un grincement horrible, une énorme cage bascula en avant et se fracassa sur le sol.

Finalement, le silence s'installa. Lucky renifla une odeur métallique. « Du sang ! »

La panique lui tordit le ventre. Il était couché sur le côté, à l'intérieur de sa prison déformée. Il allongea ses puissantes pattes pour se redresser. La cage cliqueta, vacilla, mais il ne réussit pas à se relever.

« Non ! s'affola-t-il. Je suis coincé ! »

— Lucky ? Lucky ? Ça va ?

— Grace ? Où es-tu ?

Son visage allongé poussa le sien entre les fils de fer emmêlés.

— La porte de ma cage s'est ouverte quand elle est tombée. J'ai cru mourir. Lucky ! Je suis libre ! Mais toi...

— Aide-moi, Grace !

Ils ne percevaient plus aucun geignement. Cela signifiait-il que les autres chiens étaient... morts ? Non, impossible. Lucky hurla pour briser le silence.

— Et si je poussais ta cage ? suggéra Grace. Ta porte bouge. Essayons de l'ouvrir.

Aussitôt, Lucky donna de furieux coups de pattes arrière dans le treillis tandis que Grace tirait de son côté parmi les gravats.

— Là ! C'est mieux. Attends que je...

Mais Lucky était à bout de patience. Comme le coin supérieur de la porte était arraché, il glissa la patte dans la fente et tira de toutes ses forces. Le grillage céda et le chien ressentit une vive douleur dans un coussinet. Vite, il se faufila à l'extérieur et put enfin se redresser.

La queue plaquée entre les pattes, tremblant de tout son corps, il contempla avec Grace le chaos qui régnait autour d'eux. Plusieurs chiens à poil ras gisaient au milieu des cages brisées. Sous le dernier mur qui était tombé, une patte immobile dépassait entre les pierres. Absolument rien ne remuait. L'odeur de la mort se répandait déjà à toute allure à travers la fourrière.

Entre deux geignements, Grace demanda :

— C'était quoi ? Que s'est-il passé ?

— Je crois, bégaya Lucky, que c'était un Grognement. Je... ma Mère-Chien me racontait souvent des histoires sur Terra-Canis et ses terribles Grognements. Je pense que ce monstre en était un.

— Filons en vitesse, couina Grace, terrorisée.

— Je suis d'accord.

Lucky recula lentement tout en secouant la tête pour se débarrasser de l'odeur de mort. Mais celle-ci s'accrochait à ses narines.

Il jeta des coups d'œil désespérés autour de lui, observa le mur tombé sur les cages des autres chiens, le tas de parpaings. Des rayons de lumière filtraient à travers le nuage de poussière et de fumée.

— Par là, Grace ! Là où le mur s'est écroulé ! Suis-moi.

Il ne le lui répéta pas deux fois : aussitôt, Grace bondit sur le monticule de gravats. Lucky, à cause de sa patte blessée, fit plus attention. Sachant que les deux-pattes ne tarderaient pas à arriver, il accéléra le pas.

Pourtant, quand il rejoignit Grace à l'extérieur, il fut surpris de n'en voir aucun.

Il renifla et repéra une étrange odeur…

— Éloignons-nous de la fourrière, marmonna-t-il. Je ne sais pas ce qu'il s'est passé, mais je préfère être loin d'ici quand les deux-pattes rappliqueront.

Grace poussa un gémissement aigu et baissa le museau.

— Lucky, on dirait qu'il n'y a plus un seul deux-pattes.

Ils s'éloignèrent lentement et en silence. Au loin, quelques boîtes mobiles cassées hurlaient. Lucky pressentait comme une menace. Quasiment toutes les rues et les ruelles étaient bloquées. Néanmoins, il persévéra. Guidé par son odorat, il contourna les bâtiments détruits, évita les fils emmêlés qui jaillissaient du sol.

La nuit tombait quand il estima qu'ils pouvaient s'arrêter et se reposer sans crainte. De toute manière, Grace était trop fatiguée pour continuer. Les sprinteurs étaient peut-être plus doués pour les démarrages en trombe que pour les trajets de longue haleine. Lucky se retourna. Les ombres s'allongeaient sur le sol, cachant davantage les coins sombres. Il frissonna : d'autres animaux rôdaient certainement dans les parages, effrayés et affamés.

Tous deux étaient épuisés après avoir échappé au Grand Grognement. Après son rituel tour sur elle-même, Grace s'effondra par terre, posa la tête sur ses pattes et ferma ses yeux inquiets. À la recherche de chaleur et de réconfort, Lucky se plaqua contre elle. « Je vais garder un œil ouvert, décida-t-il. Juste au cas où… Je… »

Il se réveilla en sursaut. Il tremblait, son cœur battait à se rompre.

Son sommeil avait été agité pendant ce sans-soleil. Il avait rêvé du murmure lointain du Grand Grognement, d'une file interminable de deux-pattes détalant à toutes jambes, des sifflements et des bips des boîtes mobiles. Il ne distingua aucun être vivant aux alentours. La ville semblait abandonnée.

Sous le buisson d'aubépines, Grace dormait à poings fermés, les flancs de son corps svelte se soulevant et s'abaissant à chaque souffle. Le calme et la chaleur de son amie endormie le réconfortèrent un peu. Soudain, cela ne lui suffit plus. Il poussa du museau son long visage pour la réveiller, lui lécha les oreilles jusqu'à ce qu'elle réponde par un murmure joyeux. Elle se redressa, le renifla et le lécha à son tour.

— Comment va ta patte, Lucky ?

Sa question raviva aussitôt la douleur. Lucky renifla son coussinet. Il y avait une vilaine entaille rouge en travers. Il la lécha avec précaution, craignant qu'elle ne se remette à saigner.

— Mieux, mentit-il.

Alors qu'ils sortaient du buisson, son moral tomba à zéro.

La route devant eux était penchée et fissurée. De l'eau fusait d'un tuyau à moitié enterré et créait des arcs-en-ciel. Dans les rues en pente, la lumière du Chien-Soleil luisait sur le métal enchevêtré. Une nappe d'eau huileuse remplaçait les jardins ; les maisons des deux-pattes qui lui paraissaient immenses et indestructibles étaient à présent pulvérisées, comme écrasées par un poing de deux-pattes géant.

— Le Grand Grognement, murmura Grace, stupéfaite et apeurée. Regarde ce qu'il a fait.

Lucky frissonna.

— Tu avais raison pour les deux-pattes. Il y en avait des meutes et des meutes, et là, on n'en voit pas un.

Il tendit l'oreille, goûta l'air avec sa langue : de la poussière, des relents souterrains nauséabonds... Aucune odeur de frais.

— Même les boîtes mobiles ne bougent plus.

Lucky pencha la tête vers l'une d'elles, renversée sur le côté, son nez à moitié enfoui sous un mur éboulé. De la lumière sortait de ses flancs métalliques, mais on n'entendait ni ronflement, ni grognement. Elle semblait morte.

Grace parut surprise.

— Je me suis toujours demandé à quoi cela servait. Comment tu les appelles, déjà ?

— Des boîtes mobiles. Les deux-pattes s'en servent pour se déplacer. Ils ne courent pas aussi vite que nous.

Il n'en revenait pas qu'elle ignore un détail aussi élémentaire. Il regretta presque d'avoir pris la route avec elle. Sa naïveté ne les aiderait pas beaucoup quand il faudrait se battre pour survivre.

Lucky renifla à nouveau. La nouvelle odeur de la ville le mettait mal à l'aise. Cela sentait la pourriture, la mort, le danger. « Ce n'est plus un endroit pour les chiens », conclut-il.

Il se dirigea vers une fissure d'où jaillissait de l'eau. Cette blessure dans la terre alimentait une flaque huileuse aux couleurs irisées. Elle dégageait des effluves bizarres que Lucky n'aimait pas. Comme il mourait de soif, il lapa l'eau malgré son goût infect. À côté de lui, il vit le reflet de Grace qui buvait elle aussi.

Elle leva la première son museau dégoulinant.

— C'est trop calme, chuchota-t-elle, le poil dressé. Nous devons absolument gagner les collines et trouver un endroit inhabité.

— Nous sommes autant en sécurité ici qu'ailleurs, répliqua Lucky. Fouillons les maisons des deux-pattes ! Nous y dénicherons peut-être de la nourriture. Les cachettes n'y manquent pas, crois-moi.

— Tu n'es peut-être pas le seul à y avoir pensé. Cette idée me déplaît.

Lucky examina les pattes de Grace, assez longues pour courir dans les herbes hautes, son corps fin et léger.

— De quoi as-tu peur ? Je parie que tu bats tout le monde à la course.

— Pas dans les rues, rectifia-t-elle en jetant des regards inquiets à droite et à gauche. Une ville possède beaucoup trop de virages. J'ai besoin d'espace pour prendre de la vitesse.

Lucky scruta à son tour les environs. Elle avait raison : les bâtiments et les coins de rue ne manquaient pas.

— Je propose qu'on bouge. Qu'on les voie ou pas, il reste peut-être des deux-pattes dans le quartier. Et moi, je ne veux pas retourner à la fourrière.

— Moi non plus, ajouta Grace, ses babines retroussées révélant de puissants crocs blancs. Nous devrions chercher d'autres chiens, nous joindre à une meute.

Lucky fronça le museau. Il n'était pas un chien

de meute. Qu'y avait-il de si génial à vivre avec une dizaine de chiens dépendant les uns des autres et soumis à un Alpha tout-puissant ? Il n'avait besoin de l'aide de personne et ne voulait pas forcément offrir la sienne. La seule pensée de devoir compter sur d'autres chiens lui hérissait le poil.

« Apparemment, Grace ne ressent pas la même chose », pensa-t-il. Enthousiaste, elle ne cessait de parler :

— Tu aurais adoré ma meute. Nous courions et chassions ensemble, nous attrapions des lapins, des rats…

Elle se tut soudain et regarda avec nostalgie la ville dévastée.

— Ensuite les deux-pattes sont arrivés et ont tout gâché.

Touché par la tristesse dans sa voix, Lucky lui demanda :

— Que s'est-il passé ?

Grace se secoua.

— Ils nous ont traqués. Ils étaient si nombreux, tous portaient la même fourrure marron ! Nous sommes restés groupés, c'est ce qui a provoqué notre perte, grogna-t-elle avec colère, mais pas question d'abandonner l'un de nous. C'est la loi de la meute. Ensemble quoi qu'il arrive, le meilleur comme le pire.

Grace s'interrompit et lâcha malgré elle un gémissement de tristesse.

— Ta meute se trouvait à la fourrière, murmura Lucky qui venait de comprendre.

— Oui… Je dois y retourner.

Il se posta devant elle tandis qu'elle pivotait et l'empêcha d'avancer.

— Non, Grace.

— Lucky ! Ce sont mes compagnons, je ne peux pas partir avant de savoir ce qui leur est arrivé. Peut-être que quelques-uns sont...

— Non, Grace ! aboya Lucky. Tu as vu l'état du bâtiment !

— Et si nous avions raté...

— Grace !

Lucky s'adressa à elle sur un ton plus doux et lécha son visage plissé de chagrin.

— Il n'y a plus que des ruines là-bas. Ils sont tous morts, ils ont rejoint Terra-Canis. Nous ne pouvons pas nous attarder ici. Les deux-pattes risquent de revenir...

Ces arguments la convainquirent.

Elle poussa un grand soupir et fit demi-tour.

Lucky dissimula de son mieux son soulagement. Il marcha près d'elle, leurs flancs se frôlant à chaque pas.

— Toi aussi, tu avais des amis à la fourrière ?

— Moi ? s'exclama Lucky qui voulait lui remonter le moral. Non, merci. Je suis un Solitaire.

— Ah bon ? s'étonna Grace. Tous les chiens ont besoin d'une meute.

— Pas moi. J'aime être seul, toutefois je comprends que certains chiens préfèrent vivre en meute, se dépêcha-t-il d'ajouter pour ne pas la vexer. Je me débrouille par mes propres moyens depuis que j'ai quitté ma portée.

Il ne put s'empêcher de lever fièrement la tête.

— Il n'y a pas meilleur endroit sur terre pour un chien que la ville. Je te montrerai. On trouve de la nourriture en abondance, des coins chauds où dormir, des abris pour se protéger des averses...

« Mais est-ce encore vrai ? »

Il réfléchit quelques instants, scruta les rues éventrées, les murs démolis, les plaques de pierre transparente brisées, les chaussées penchées, les boîtes mobiles abandonnées.

« Nous ne sommes pas en sécurité, songea-t-il. Fichons vite le camp d'ici. »

Pas question de partager ses craintes avec Grace. Elle s'inquiétait déjà beaucoup. Si seulement ils avaient un peu de distraction...

« Là-bas ! »

Lucky aboya avec excitation. Ils tournèrent au coin de la rue et tombèrent sur une autre scène de désolation. Lucky, cependant, avait senti... de la nourriture !

Il partit en trombe, bondissant de joie à la vue d'une immense boîte puante renversée. Les deux-pattes jetaient ce dont ils ne voulaient plus dans ces boîtes, puis les cadenassaient si bien que Lucky n'avait jamais pu goûter ces mets de choix. Cette fois, la boîte gisait sur le côté, son contenu à moitié pourri éparpillé sur le sol. Des corbeaux noirs sautillaient et piochaient dans le tas. La tête haute, Lucky aboya aussi fort qu'il le put. Surpris, les volatiles croassèrent avant de s'envoler un peu plus loin.

— Viens ! cria-t-il tout en sautant sur le tas nauséabond.

Grace le suivit en aboyant de joie.

Tandis qu'il fouillait les déchets avec sa truffe, Lucky entendit des battements d'ailes : les corbeaux revenaient. Aussitôt, il fondit sur le groupe et claqua des dents pour chasser un oiseau rebelle.

Le corbeau fila dans un grand battement d'ailes ; Lucky dérapa et sa blessure au coussinet se réveilla. Il eut l'impression que le plus féroce des chiens lui avait mordu la patte entière. Il ne put retenir un gémissement de douleur.

Pendant que Grace éloignait les corbeaux, Lucky s'assit et lécha sa plaie. Impatient, il renifla la délicieuse odeur venant de la nourriture avariée. Il en oublia un instant sa douleur.

Pendant un moment, Lucky et Grace fouinèrent avec bonheur parmi les aliments délicats laissés par les corbeaux. Grace sortit des os de poulet d'une boîte en plastique ; Lucky trouva un croûton de pain. Seulement leurs découvertes furent bien maigres par rapport à leur appétit d'ogre.

— Nous allons mourir de faim dans cette ville, gémit Grace tout en léchant une boîte de conserve vide.

Elle la plaqua au sol avec une patte et enfonça sa truffe à l'intérieur.

— Je te promets que non. Nous ne fouillerons pas les ordures tout le temps.

Lucky pensa soudain à un endroit qu'il avait visité. Il lui donna un petit coup dans le flanc.

— Je vais t'emmener quelque part où nous mangerons comme des chiens en laisse.

Grace dressa les oreilles.

— Vraiment ?

— Vraiment. Après, tu auras une tout autre opinion de la ville.

Lucky se mit en route d'un pas assuré, il en avait

déjà l'eau à la bouche. Grace trottinait derrière lui. Bizarrement, il appréciait la compagnie de la jeune chienne et il était heureux de pouvoir l'aider. En temps normal, il aurait préféré être seul. Pas aujourd'hui !

Le Grand Grognement n'avait peut-être pas changé que la ville...

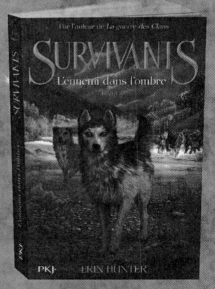

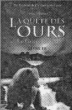

Ouvrage composé par
PCA – 44400 Rezé

Cet ouvrage a été imprimé
en France par CPI
en septembre 2015

N° d'impression : 3012745

Dépôt légal : octobre 2015

MIXTE
Papier issu de
sources responsables
FSC® C003309

Pocket Jeunesse, une marque d'Univers Poche,
est un éditeur qui s'engage pour
la préservation de son environnement
et qui utilise du papier fabriqué à partir
de bois provenant de forêts gérées
de manière responsable.

www.pocketjeunesse.fr
POCKET JEUNESSE

12, avenue d'Italie – 75627 PARIS Cedex 13